s
ries 06

iPhone App Programming

아이폰 프로그래밍
앱 제작 쉽게 따라 하기

ios9, Xcode 7.X 지원

해 인 저

WOWbooks
와우북스

아이폰 프로그래밍 앱 제작 쉽게 따라 하기
- ios9, Xcode 7.X 지원 -

•초 판	2016년 6월 15일 1쇄 발행
•저 자	장 해 인
•발 행	와우북스
•출 판	와우북스
•본문디자인	김 덕 중
•표지디자인	포 인
•등 록	2008년 3월 4일 제313-2008-000043호
•주 소	서울 마포구 연남동 223-102호 유일빌딩 3층
•전 화	02)334-3693 팩스 02)334-3694
•e-mail	mumongin@wowbooks.kr
•홈페이지	www.wowbooks.co.kr
•ISBN	978-89-94405-27-8 93560
•가 격	33,000원

국립중앙도서관 출판예정도서목록(CIP)

아이폰 프로그래밍 앱 제작 쉽게 따라 하기 = iPhone app
programming / 저자: 장해인. -- 서울 : 와우북스, 2016
    p. ;   cm. -- (Wowbooks mobile series ; 06)

색인수록
ISBN 978-89-94405-27-8 93560 : ₩33000

컴퓨터 프로그래밍[computer programming]

005.58-KDC6
005.25-DDC23   CIP2016012

이 책 〈아이폰 프로그래밍 앱 제작 쉽게 따라 하기〉는 이전 〈아이폰 프로그래밍 쉽게 따라 하기(개정판)〉의 속편이라고 할 수 있다. 이전 〈아이폰 프로그래밍 쉽게 따라 하기(개정판)〉은 아이폰 앱을 이제 막 개발하는 초보자들을 위해 가장 기본적인 기능부터 설명한 책이라서 어느 정도 기초가 있고 이러한 기초를 사용하여 여러 가지 재미있는 앱을 개발하기 원하는 독자에게는 맞지 않아, 앱 개발에 필요한 더 많은 정보를 원하는 독자에게는 사실상 만족할 만한 정보를 제공하지 못하였다.

이 책은 이러한 단점을 보완하여 기초를 이미 잘 알고 있는 독자를 위주로 하여 실제 앱을 어떻게 작성하는지를 중심으로 보여준다. 이 책은 총 9장으로 이루어져 있고 아이폰 개발에 필요한 Xcode의 다운로드, 설치, 환경부터 시작하여 오토 레이아웃과 사이즈 클래스 기능, Sqlite3을 이용한 데이터베이스, HTML 정보 출력하기 등에 대하여 설명하고 있다. 1장과 2장은 기초 부분으로 Xcode 설치와 주요 환경과 화면 구성의 기본이 되는 오토 레이아웃과 사이즈 클래스를 다루고 있다. 특히 사이즈 클래스는 이전 책에서는 다룬 적이 없는 내용으로 아이폰과 아이패드 등의 여러 기기의 세로, 가로 모드에서 UI(User Interface)를 쉽게 작성하고자 한다면, 반드시 알아두어야 할 내용이다. 3장은 아이폰에서 가장 많이 사용되는 기본 컨트롤러인 테이블 뷰 컨트롤을 이용한 데이터 검색과 끌어서 새로 고침 기능을 설명하였다. 4장은 스마트폰에서 제공되는 Sqlite3를 사용하여 자료 출력, 입력, 수정하는 방법을 알아보았다. 5장은 웹 서버의 동작 원리와 웹 서버에 있는 여러 가지 중요한 정보를 가져와 아이폰에서 출력하는 방법을 다루고 있다. 6장에서는 TableView 컨트롤과 비슷하지만, 더 강력한 기능을 제공하는 CollectionView 컨트롤과 컨트롤의 이동과 화려한 화면을 구성할 수 있는 애니메이션 기능을 소개한다. 7장에서 아이폰에서 원하는 음악 파일을 재생할 수 있는 AVAudioPlayer 클래스에 대하여 알아본다. 이 클래스를 이용하여 간단한 음악 파일 재생, 음악 파일 목록, 재생 위치 이동과 같은 기능을 구현해본다. 8장에서는 원하는 소리를 파일로 녹음할 수 있는 AVAudioRecoder 클래스에 대하여 알아본다. 9장에서는 동영상 파일을 재생할 수 있는 AVPlayerViewController 클래스를 소개하고 이 클래스를 이용하여 동영상을 재생할 수 있는 간단한 앱을 만들어 본다.

단지 한 가지 염려스러운 것은 아이폰 프로그래밍 기초 없이 바로 이 책을 보고 너무 어렵다고 느끼는 독자가 많지 않을까 하는 생각인데, 혹시 그렇게 생각하는 독자가 있다면 반드시 이전 책 〈아이폰 프로그래밍 쉽게 따라 하기〉를 한 번 읽어보고 다시 이 책을 차근차근 읽어보기 바란다. 이 책 역시 이전 책과 마찬가지로 유용한 예제와 〈그대로 따라 하기〉의 단계별로 설명되어 있는 그림을 보면서 쉽게 프로그램을 구현할 수 있도록 도와주고, 〈원리 설명〉을 통하여 각 프로그램의 핵심 부분을 쉽게 배울 수 있도록 하였다.

마지막으로 이 책이 나올 수 있도록 도움을 주고 까다로운 수정 작업을 처리해준 와우북스에 감사드리고 항상 옆에서 물심양면 도와주시는 부모님, 장모님, 아내 윤정, 우리 귀여운 딸 혜린, 항상 옆에서 호기심을 가지고 지켜보는 우리 고양이 별이에게도 고맙다는 말을 전하고 싶다.

목 차

아이폰 프로그래밍 앱 제작 쉽게 따라 하기

▌시작하며 /3

오토 레이아웃과 사이즈 클래스 /41

아이폰 6/6+에서 한 번에 여러 해상도를 작성하고 모든 기기에서 동일한 사용자 인터페이스를 지원하는 오토 레이아웃(Auto Layout)기능과 가로, 세로 방향에 원하는 화면 처리가 가능한 사이즈 클래스(Size Classes) 기능을 예제와 함께 설명한다.

테이블 뷰 컨트롤러 /137

테이블에 내비게이션 기능 추가로 원하는 자료를 찾는 검색 기능을 구현해보고, 테이블 뷰 애플리케이션에 새로운 자료를 추가할 수 있는 끌어서 새로 고침 기능을 소개한다.

아이폰 프로그래밍 시작하기

Xcode는 아이폰과 아이패드 앱을 작성하기 위해 꼭 필요한 개발 툴이다. 이 장에서는 먼저 Xcode의 설치 및 삭제 방법을 알아보고 Xcode에서 제공하는 메뉴 항목, 주요 작업 환경, 라이브러리 컨트롤, 인스펙터 등에 대한 기능과 그 사용하는 방법을 살펴볼 것이다.

또한, 이 장 후반부에서는 앱 개발에 중요한 기능 중 하나인 스토리보드에 대하여 알아보고 실제로 스토리보드를 사용하는 예제뿐만 아니라 생성된 스토리보드에 새로운 스토리보드 를 추가하여 연결하는 방법에 대해서도 배워 볼 것이다.

Xcode는 애플에서 제공하는 대표적인 개발 툴이다. 이 전 맥에서 지원되었던 MPW Macintosh Programmer's Workshop와 CodeWarror를 계승한 툴로 ProjectBuilder라는 이름으로 배포되었다가 현재 Xcode라는 이름으로 변경되어 발표되었다.

1.1.1 Xcode 설치

최신 Xcode는 다음 애플 개발자 사이트iOS Dev Center로 이동하여 다운받을 수 있다. Xcode 다운로드는 무료이지만, 다운받기 위해서는 반드시 Apple ID가 있어야 한다.

https://developer.apple.com/xcode/download/

▶그림 1.1 최신 Xcode 다운로드

다운로드된 .dmg 파일을 더블 클릭하여 설치하고 Xcode 아이콘이 나타나면 그대로 Finder의 응용프로그램에 복사해준다.

▶그림 1.2 응용 프로그램에 복사

현재는 위 사이트뿐만 아니라 맥에서 제공되는 AppStore를 통하여 최신 Xcode를 다운로드할 수 있다. AppStore에서 선택된 프로그램은 자동으로 응용 프로그램에 설치된다. 응용 프로그램에 설치된 Xcode 아이콘을 맥 아래쪽에 있는 독dock에 끌어다 놓으면 언제든지 편리하게 실행할 수 있다.

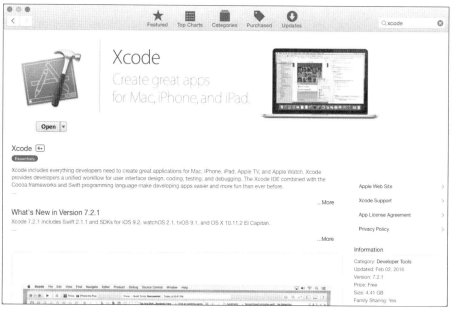

▶그림 1.3 AppStore를 통한 다운로드

1.1.2 Xcode 삭제

Xcode 삭제는 다른 응용 프로그램과 마찬가지로 Finder-이동-응용 프로그램에서 Xcode를 선택한 뒤, Delete 키를 눌러 삭제하면 된다.

1-2 Xcode 환경

Xcode 7.x는 아이폰, 아이패드, 애플 워치 등을 지원하는 개발 툴로서 iOS9.x와 OS X El Captain을 지원한다. 이 개발 툴을 사용하여 앱 개발뿐만 아니라 테스트, 디버깅, 배포까지 처리 가능하다. Xcode는 Objective-C 혹은 Swift 언어를 사용하여 개발할 수 있다. Objective-C는 C 언어에 스몰토크 스타일을 추가한 객체지향

언어로서 애플의 OS X와 iOS의 기본 언어라고 할 수 있다. Swift는 2010년 Chris Lattner에 의해 개발되고 2014년 WWDCWorldwide Developer Conference에서 정식 발표한 개발 언어로 암시적 변수 타입 선언, 자동 참조 카운트 메모리 관리 등 프로그래밍에서 발생하기 쉬운 문제를 해결하여 초보자들도 쉽게 프로그래밍 할 수 있는 환경을 제공하고 있다. 현재 Swift 2.0까지 지원하고 있다. 여기서는 먼저 Xcode에서 꼭 알아두어야 할 주요 작업 환경에 대해 알아보자.

1.2.1 프로젝트 탐색기

Xcode를 처음 실행하고 File 메뉴의 New-Project 항목을 선택하여 새로운 프로젝트를 생성하면 가장 왼쪽에 프로젝트 탐색기가 표시된다.

오른쪽의 그림에서 알 수 있듯이 프로젝트 탐색기는 위쪽의 "선택 바", 중앙에 있는 "콘텐츠", 아래쪽의 "필터 바"로 나누어진다.

먼저, 첫 번째 선택 바 버튼에서는 다음과 같이 8개의 탐색기를 선택할 수 있다. 즉, 각각의 버튼을 누를 때마다 첫 번째 항목의 프로젝트 탐색기는 다른 기능을 처리할 수 있는 7개의 탐색기로 변경된다.

▶그림 1.4 프로젝트 탐색기

탐색기 이름	설명
프로젝트(Project)	프로젝트에 소스 파일, 헤더 파일, 이미지 등을 추가 및 삭제
심볼(Symbol)	프로젝트에서 사용된 속성, 함수 이름 등을 표시
검색(Find)	프로젝트에서 사용된 원하는 문자열을 가진 파일 검색
문제점(Issue)	개발 중 발생하는 에러, 경고 등을 표시
테스트(Test)	앱을 테스트하기 위한 테스트 관련 클래스 표시 및 관리
디버그(Debug)	디버깅 처리 시 사용 중인 CPU, 메모리, 스레드 등을 표시
중단점(Breakpoint)	디버깅을 위한 중단점 표시 및 관리
리포트(Report)	빌드, 디버그, 실행 등의 시간 표시 및 관리

두 번째, 중앙의 콘텐츠 지역은 실제 소스 파일, 헤더 파일, 리소드 파일을 관리한다. 각 프로젝트 이름 아래 프로젝트 그룹, 프로젝트 테스트 그룹, 프로젝트 UI 테스트 그룹, 프로덕트Product 그룹으로 이루어진다. 프로젝트 그룹은 소스 파일과 헤더 파일, 리소스 등을 관리하고 프로젝트 테스트 그룹과 프로젝트 UI 테스트 그룹은 프로젝트를 테스트할 때 사용된다. 마지막 프로덕트 그룹은 프로젝트의 실행 파일을 관리한다.

참고 아이폰 앱 실행 파일

프로젝트에 소스를 입력하고 실행하면 실행 파일을 만들고 그 파일을 기기로 옮긴 뒤 지정된 기기에서 실행된다. 그렇다면 아이폰 앱의 실행 파일의 확장자는 무엇일까? 결론적으로 실행 파일의 확장자는 .ipa 파일이다. 그렇다면 위 프로젝트의 프로덕트 그룹에 존재하는 .app 파일은 무슨 파일일까? .app 파일 역시 실행 파일이다. 즉, 이 파일을 zip 파일로 압축하고 확장자를 바꾼 것이 .ipa 파일이다. 일반적으로 컴파일 처리한 뒤 실행 .app 파일의 위치는 맥 PC의 다음 폴더에 있다.

/User/{계정 ID}/Library/Developer/Xcode/DerivedData/{App 이름}-{App ID}
/Build/Prodicts/Debug-iphonesimulator

세 번째 필터 바는 프로젝트에서 사용된 여러 파일을 쉽게 찾을 수 있는 필터 기능을 제공한다. 즉, 아래쪽에 있는 텍스트 상자에 원하는 파일 이름을 입력하거나 그 오른쪽에 있는 아이콘을 입력하여 최근 수정된 파일 혹은 소스 컨트롤 상태Source-Control status를 표시하는 파일들을 바로 검색할 수 있다.

참고	소스 컨트롤 상태(Source-Control status)

Xcode에서는 소스의 모든 버전을 관리할 수 있는 SCM(Source Control Management)이라는 백업 시스템을 제공하고 있다. 이 시스템은 파일 레포지토리에 최신 업데이트 파일을 백업하고 프로젝트 탐색기 각 파일 뒤쪽에 공백(저장할 필요 없음), U(최신 파일), M(수정), A(추가), R(삭제) 문자 등을 표시한다.

1.2.2 에디터

Xcode의 중앙에는 에디터가 있다. 에디터는 오른쪽 위 에디터 선택 아이콘에 따라 표준 에디터, 도움 에디터, 버전 에디터를 선택할 수 있다.

▶그림 1.5 에디터 선택 아이콘

표준 에디터는 일반적으로 보여주는 1개의 윈도우를 제공하는 에디터이다. 앱 개발 시 주로 사용된다. 도움 에디터는 2개의 윈도우를 제공하는 에디터로 2개의 파일을 서로 비교하거나, 2개의 소스 코드를 동시에 작업하고자 할 때 사용된다. 특히, 스토리보드에서 자동으로 객체 변수를 생성하고자 할 때 유용하게 사용된다. 버전 에디터 역시 2개의 윈도우를 제공하는데 동일한 파일을 버전에 따라 각각 2개의 윈도우에 로드하여 이 파일이 어떻게 수정되었는지를 알 수 있다.

1.2.3 Xcode 라이브러리

Xcode 라이브러리는 Xcode 화면 오른쪽 아래에 있다. 라이브러리에는 파일 템플릿 라이브러리File Template Library, 코드 스니핏 라이브러리Code Snippet Library 오브젝트 라이브러리Object Library, 미디어 라이브러리Media Library 등 4가지가 있다.

다음은 이러한 라이브러리에 대한 설명이다.

▶ 표 1.2 Xcode에서 제공되는 라이브러리

라이브러리 이름	설명
파일 템플릿 라이브러리	Objective-C 클래스, C++ 클래스, 헤더 파일 등 원하는 파일의 골격을 생성하고자 할 때 사용
코드 스니핏 라이브러리	인라인 블록, try/catch 등 원하는 코드 블록을 자동으로 생성하여 추가하고자 할 때 사용
오브젝트 라이브러리	버튼(Button), 라벨(Label), 텍스트 필드(Text Field) 등 사용자 인터페이스 화면을 작성하고자 할 때 사용

위의 4개의 라이브러리 중 가장 자주 사용되는 것은 사용자 인터페이스를 작성할 때 사용되는 오브젝트 라이브러리이다. 오브젝트 라이브러리를 사용하기 위해서는 프로젝트 탐색기에서 .storyboard 파일 혹은 .xib 파일을 선택하여 캔버스를 표시하고 오브젝트 라이브러리에 있는 컨트롤을 캔버스에 떨어뜨리면 된다.

오브젝트 라이브러리에서 사용 가능한 주요 컨트롤은 다음과 같다.

▶ 표 1.3 오브젝트 라이브러리에서 사용 가능한 주요 컨트롤

오브젝트 라이브러리 컨트롤	설명
Label	글자를 출력할 때 사용
Button	어떤 기능을 처리할 수 있는 버튼 생성 컨트롤
Text Field	텍스트 메시지를 입력할 수 있는 텍스트 상자 컨트롤
Slider	볼륨과 같이 정해진 크기 안에서 임의의 수를 지정하고자 할 때 사용되는 컨트롤
Switch	On/Off 기능을 처리하는 컨트롤
Progress View	시간이 걸리는 경우, 현재 진행 상황을 표시하는 컨트롤
Page Control	현재 페이지의 위치와 다음 이전 위치를 표시하는 컨트롤
Stepper	숫자를 증가시키거나 감소시킬 수 있는 컨트롤
Table View	많은 자료를 일렬로 정리하여 표시할 수 있는 컨트롤

Web View	웹페이지를 표시할 수 있는 컨트롤
Map View	지도를 표시할 수 있는 컨트롤
Text View	긴 텍스트 문자열을 표시할 수 있는 컨트롤
Image View	이미지 파일을 표시할 수 있는 컨트롤
Scroll View	데이터양이 현재 뷰 크기보다 클 경우, 스크롤 바를 사용하여 좌, 우 혹은 위, 아래로 이동할 수 있는 컨트롤
Picker View	날짜 혹은 숫자를 선택할 때 사용되는 컨트롤

1.2.4 인스펙터(Inspector)

인스펙터Inspector는 캔버스에 있는 컨트롤과 코드 사이의 연결, 컨트롤 크기 변경, 속성 변경, File 정보 출력 및 변경 등을 처리하는 유용한 기능을 제공하는 툴이다. 인스펙터는 6개로 구성되는 데 항상 표시되는 것이 아니라 프로젝트 탐색기에서 화면을 담당하는 .storyboard 파일이나 .xib 파일을 선택했을 때 오른쪽 위에 나타나게 된다.

다음 그림은 인스펙터 선택 아이콘인데 왼쪽에서 오른쪽으로 File 인스펙터, Quick Help 인스펙터, Identity 인스펙터, Attributes 인스펙터, Size 인스펙터, Connection 인스펙터 등으로 구성된다.

▶그림 1.6 인스펙터

6개의 인스펙터의 기능은 다음과 같다.

📩 표 1.4 6개의 인스펙터 기능

인스펙터 이름	설명
File 인스펙터	프로젝터에서 사용 중인 파일에 대한 이름, 타입 위치, 인코딩 방법을 가지고 있는 메타 파일을 관리한다.

Quick Help 인스펙터	현재 소스 안에서 선택된 클래스 혹은 메소드에 대한 설명 혹은 클래스, 메소드가 선언된 파일의 정보를 보여준다.
Identity 인스펙터	스토리보드와 관련된 클래스 이름, 참조 정보, 런타임 속성, 라벨 등에 대한 메터 정보를 보여주거나 관리한다. 주로 기존 클래스 대신 다른 클래스로 대치할 때 사용된다.
Attributes 인스펙터	선택된 객체에 대한 속성 즉, 특성화된 기능을 보여주거나 설정, 변경할 수 있다.
Size 인스펙터	선택된 객체에 대한 초기 크기, 위치, 최소 크기, 최대 크기에 대한 정보를 보여주거나 설정, 변경할 수 있다.
Connections 인스펙터	선택된 객체와 실제 코드 사이를 연결하여 스토리보드에 작성된 컨트롤이 동작할 수 있도록 지정한다.

1.2.5 도큐먼트 아웃라인(Document Outline) 창

위에서 설명한 인스펙터와 마찬가지로 도큐먼트 아웃라인 창은 프로젝트 탐색기에서 .storyboard 파일 혹은 .xib 파일을 선택했을 때 나타난다. 이 창은 현재 스토리보드가 구성된 컨트롤 구조를 계층화 형태로 보여주고 현재 어떤 컨트롤을 작업하는지 알 수 있도록 표시해준다. 이 도큐먼트 아웃라인 창은 Connections 인스펙터에서도 사용될 뿐만 아니라 뒤에서 설명하는 오토레이 아웃 제약조건에 대한 정보를 포함하고 있어 디자인 작성 시 참조해야 할 중요한 부분이다.

▶그림 1.7 도큐먼트 아웃라인 창

1.2.6 캔버스

캔버스는 Xcode의 중앙에 가장 크게 차지하고 있는 부분이다. 캔버스 역시
.stroyboard 파일 혹은 .xib 파일을 선택했을 때 나타나게 된다. 보통 이 창 뷰 위에
여러 컨트롤을 위치하여 화면을 디자인한다. 즉, 여기서 나타나는 화면이 바로 앱의
화면으로 구성된다. 오른쪽 아래 있는 오브젝트 라이브러리에서 원하는 컨트롤을 선
택하여 드래그-앤-드롭으로 캔버스에 떨어뜨리면 된다.

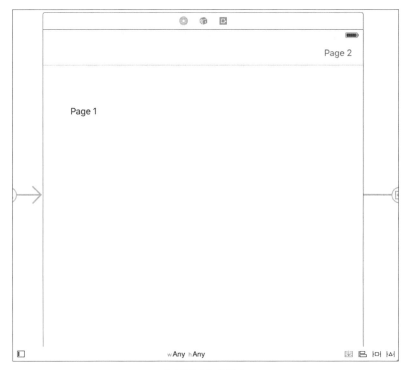

▶그림 1.8 캔버스

아이폰 앱의 사용자 인터페이스를 구현하기 위해서는 크게 .storyboard 파일을 사용하거나 .xib 파일을 사용하는 방법이 있다. .xib 파일은 Xcode 4.x까지 기본으로 사용되었는데 인터페이스를 담당하여 소스 코드에서 처치해야 했던 일을 상당히 줄일 수 있다. 그 후에는 .xib 파일보다는 .storyboard 파일을 기본으로 사용하도록 권장하여 거의 모든 앱에서 스토리보드 파일을 사용하고 있다. 스토리보드를 사용함으로써 화면과 화면 사이를 쉽게 전환할 수 있고 각 화면 사이에서 상호 작용을 간단히 처리하여 쉽게 연결이 가능하다. 또한, 이렇게 연결된 보드로 전체 화면의 구성도를 한눈에 알 수 있어 현재 앱이 어떤 형식으로 구성되어 있는지 쉽게 파악할 수 있는 장점을 갖는다.

1.3.1 스토리보드를 이용한 프로젝트 생성

실제로 스토리보드를 생성해보고 이 스토리보드가 해당하는 소스 코드와 어떻게 연결되어 있는지 알아보자. 또한, 새로 생성된 스토리보드를 기존 스토리보드와 연결하는 방법도 알아볼 것이다.

┃그대로 따라 하기

❶ Xcode에서 File-New-Project를 선택한다. 계속해서 왼쪽에서 iOS-Application을 선택하고 오른쪽에서 Single View Application을 선택한다. 이어서 Next 버튼을 누르고 Product Name에 "StoryboardConnect"라고 지정한다. 아래쪽에 있는 Language 항목은 "Objective-C", Devices 항목은 "iPhone"으로 설정한다. 그 아래 Include Unit Tests 항목과 Include UI Tests 항목은 체크한 상태로 그대로 둔다. 이어서 Next 버튼을 누르고 다음 화면으로 이동한다.

▶ 그림 1.9 StoryboardConnect 프로젝트 생성

❷ 저장하기 원하는 폴더를 지정하고 Create 버튼을 눌러 프로젝트를 생성한다.

▶ 그림 1.10 StoryboardConnect 프로젝트 저장

❸ 이제 프로젝트를 생성하면 왼쪽 프로젝트 탐색기에서 Main.storyboard 파일을 선택한다. 이어서 오른쪽 아래에 있는 라이브러리 중에서 세 번째(원 모양) 오브젝트 라이브러리를 선택한다. 컨트롤들이 나타나면 Label 컨트롤을 선택하고 캔버스 왼쪽 위에 위치시킨다.

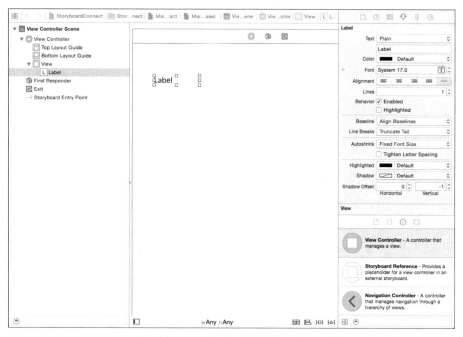

▶그림 1.11 Label 컨트롤 선택하여 캔버스에 위치

❹ label 컨트롤을 선택한 상태에서 오른쪽 위 Attributes 인스펙터를 선택한다. Label의 Text 항목을 "Page1"으로 변경한다.

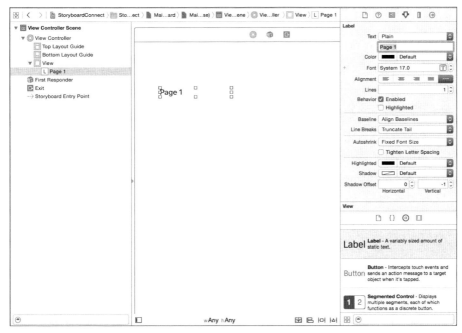

▶그림 1.12 Label의 Text 항목 변경

❺ 이제 Xcode에서 Command-B를 눌러 빌드 처
리하고 Command-R을 눌러 실행시켜본다. 이
어서 "Page 1"이 왼쪽 위에 표시되는지를 확인해
본다.

▶그림 1.13 StoryboardConnect 프로젝트 실행

▌원리 설명

기본적으로 프로젝트를 생성하면 프로젝트에는 Main.storyboard라는 파일을 볼 수 있다. 이 파일을 클릭하면 중앙의 화면은 캔버스 형태로 변경된다.

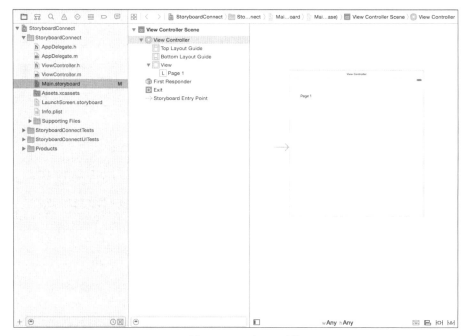

▶그림 1.14 스토리보드 파일

이때 캔버스에는 그림 1.14와 같이 스토리보드가 나타난다. 현재 스토리보드에는 ViewController 하나가 표시된다. 스토리보드에 이처럼 컨트롤을 추가하여 하나의 화면을 구성하면 이것을 장면scene이라고 한다. 즉, 이러한 장면을 여러 개 만들고 서로 연결하면 하나의 앱이 되는 것이다.

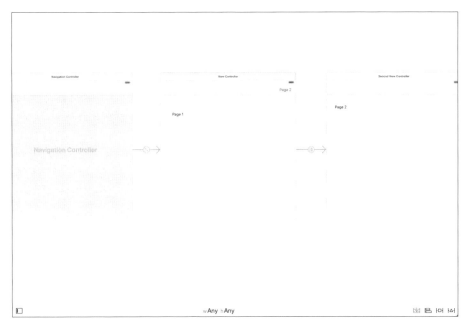

▶그림 1.15 여러 장면(scene)을 연결한 스토리보드

또한, 현재 표시된 뷰 컨트롤러는 소스 코드의 뷰 컨트롤러ViewController.m와 연결되는데 이 뷰 컨트롤러 소스 파일에 여러 가지 코드를 추가하여 스토리보드에 추가된 여러 컨트롤의 기능을 처리할 수 있다.

그렇다면 위에서 보여주는 스토리보드 파일과 연결된 뷰 컨트롤러 소스 파일이 무엇인지 어떻게 알 수 있을까? 위에서 설명한 Identity 인스펙터를 사용하면 이 스토리보드와 연결된 뷰 컨트롤러가 무엇인지 알 수 있다.

프로젝트 탐색기에서 Main.storyboard를 선택한 상태에서 캔버스의 ViewController를 클릭한다. 그다음, 오른쪽 세 번째 Identity 인스펙터 아이콘을 선택하여 Custom Class의 Class 항목을 표시한다. 이 Class 항목에 표시된 클래스 파일이 캔버스의 ViewController와 연결된 소스 파일이다. 물론 이 클래스를 사용자가 직접 생성한 클래스 파일로 변경할 수도 있다.

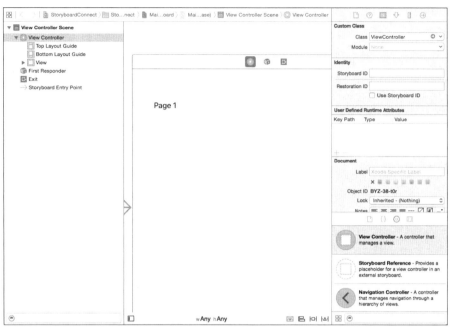

▶그림 1.16 Identity 인스펙터를 선택하여 ViewController 관련 클래스 표시

1.3.2 스토리보드에 새로운 스토리보드 추가

이번에는 현재 스토리보드에 새로운 ViewController 장면을 추가하고 새로운 클래스 소스를 생성하여 연결해보자.

┃그대로 따라 하기

❶ 프로젝트 탐색기에서 Main.storyboard 파일을 선택한 상태에서 Xcode의 Editor 메뉴−Embed In−Naviation Controller를 선택하여 내비게이션 컨트롤러를 추가한다. 이때 추가되는 내비게이션 컨트롤러는 자동으로 현재 있는 뷰 컨트롤러와 연결된다.

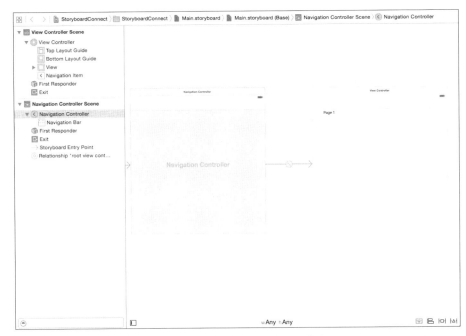

▶그림 1.17 내비게이션 컨트롤러 추가

❷ 이제 오른쪽 아래 오브젝트 라이브러리에서 ViewController 하나를 선택하고 스토리보드 첫 번째 ViewContorller 오른쪽에 위치시킨다. 첫 번째 컨트롤러와 마찬가지로 오브젝트 라이브러리로부터 Label 컨트롤을 하나 떨어뜨리고 Attributes 인스펙터를 선택해서 그 Text 속성을 "Page 2"로 변경한다.

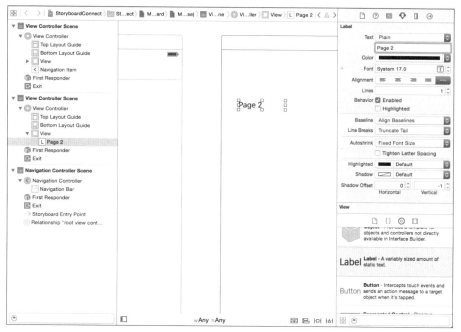

▶그림 1.18 두 번째 ViewController 추가

❸ 프로젝트 탐색기에서 StoryboardConnect(노란색 아이콘)에서 오른쪽 마우스 버튼을 누르고 New File 항목을 선택한다. 이때 템플릿 선택 대화상자가 나타나면, 왼쪽에서 iOS-Source를 선택하고 오른쪽에서 Cocoa Touch Class를 선택한다. 이어서 Next 버튼을 누른다.

▶그림 1.19 템플릿 선택 대화상자

❹ 이어서 새 파일에 대한 설정 대화상자가 나타나면, 다음과 같이 SecondView Controller를 입력한다. 이때 그 아래쪽 Subclass of 항목에는 UIViewController 를 지정하도록 하고 Also create XIB file 체크 상자에는 체크하지 않도록 한 다. 그 아래 Language 항목은 Objective-C를 선택한다. 이상이 없으면 Next 버튼을 눌러 다음 화면으로 이동하여 Create 버튼을 눌러 생성한다.

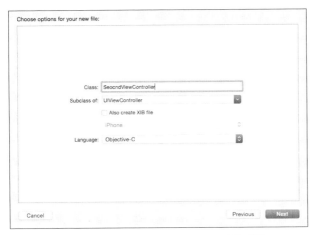

▶그림 1.20 SecondViewController 파일 생성

❺ 이때 SecondViewController.h와 SecondViewController.m 파일이 생성되는데 이 파일을 캔버스의 두 번째 ViewController와 연결해보자. 프로젝트 탐색기에서 Main.storyboard 파일을 선택하고 캔버스에서 두 번째 View Controller의 상태 바를 클릭한다. 이어서 오른쪽 세 번째 Identity 인스펙터 아이콘을 선택하여 Custom Class의 Class 항목을 SecondViewController 클래스로 변경한다.

❻ 이제 오른쪽 아래 Object 라이브러리에서 Bar Button Item을 선택하고 첫 번째 View Controller 위쪽 내비게이션 바 오른쪽에 떨어뜨린다. 이어서 Attributes 인스펙터를 사용하여 Bar Item의 Title 속성을 "Page 2"로 변경한다.

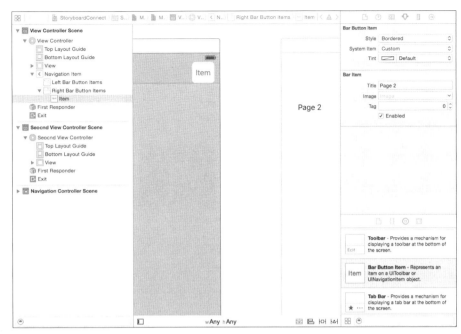

▶그림 1.22 ViewController 내비게이션 바에 Bar Button Item 추가

❼ 이제 ViewController와 SecondViewController를 연결해보자. Ctrl 버튼을 누른 상태에서 View Controller 위쪽의 Bar Button Item "Page 2"를 클릭하고 드래그–앤–드롭으로 SecondViewController 위에 떨어뜨린다. 이때 Action 세구에 연결 선택 상자가 나타나면 show 항목을 선택한다.

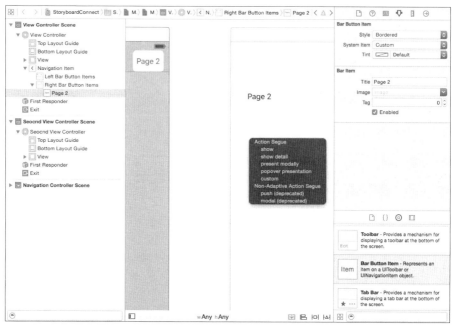

▶그림 1.23 세구에 연결 선택 상자에서 show 항목 선택

❽ 모든 입력이 끝났다면, Command-R을 눌러 실행해본다. 이때 첫 번째 View Controller가 나타나는데 오른쪽 위에 있는 Page 2 버튼을 눌러 두 번째 SecondViewController로 이동해본다(그림 1.24 참조). 또한, 두 번째 페이지에서 왼쪽 위에 있는 Back 버튼을 눌러 다시 첫 번째 페이지로 이동되는지 확인해본다.

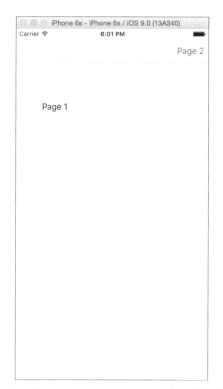

iPhone 6s - iPhone 6s / iOS 9.0 (13A340)

Carrier 🛜   6:01 PM   🔋

                                                    Page 2

                Page 1

▶그림 1.24 StoryboardConnect 프로젝트 최종 실행

▌원리 설명

이번 절에서는 Navigation 컨트롤러를 사용하여 UI^{User Interface} 화면 즉, 하나의 장면^{scene}을 더 추가해보았다. 내비게이션 컨트롤러는 아이폰 앱에서 자주 사용되는 기능 중 하나로 화면의 크기가 제한되어 있어 더 많은 자료를 표시할 수 없을 경우, 현재 선택된 항목을 누르거나 혹은 관련된 버튼을 눌러 다음 페이지로 이동하여 더 많은 자료를 보여줄 때 사용된다. 즉, 내비게이션 컨트롤러는 화면이 보여주는 컨트롤러가 아니라 내부적으로 화면 이동을 쉽게 처리하는 제어 컨트롤러이다.

스토리보드 캔버스를 선택한 상태에서 Xcode의 Editor 메뉴-Embed In-Navigation Controller를 항목을 선택하면, 자동으로 Navigation 컨트롤러가 추가되면서 자동으로 첫 번째 ViewController와 연결된다.

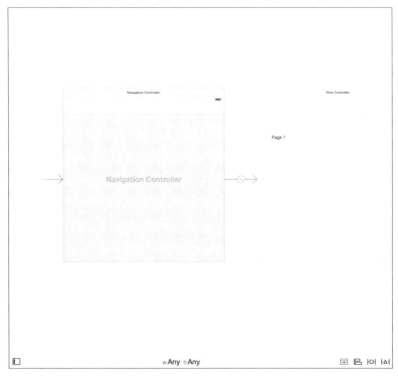

▶그림 1.25 내비게이션 컨트롤러 추가

그다음, 스토리보드에서 하나의 장면scene에서 다른 장면으로 전환하는 방법에 대하여 알아보자. 먼저 전환에 사용되는 첫 번째 컨트롤러의 버튼을 Ctrl 키와 함께 마우스로 선택하고 드래그-앤-드롭으로 다른 뷰 컨트롤러로 연결하고 원하는 기능을 선택하면 세구에segue가 생성되면서 이 두 컨트롤러는 자동으로 연결된다. 별도의 코드는 조금도 필요하지 않다. 다음 그림은 show로 선택된 세구에 연결이다.

36

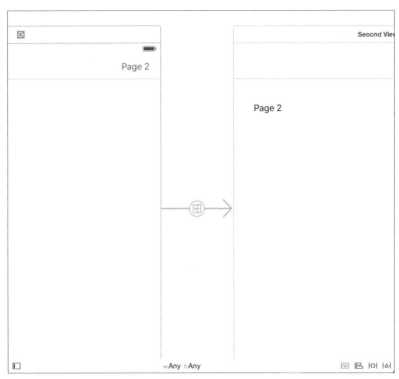

▶그림 1.26 컨트롤러 사이에 show 세구에로 연결

　뷰 컨트롤러와 뷰 컨트롤러 사이에는 액션 세구에가 사용되는데, 사용 가능한 액션 세구에는 다음과 같다.

표 1.5 액션 세구에 종류

액션 세구에 종류	기능
show	UINavigationController를 사용하는 경우, 내비게이션 바 버튼을 눌렀을 때 다른 뷰 컨트롤러로 전환할 때 사용
show detail	UISplitViewController를 사용하는 경우, 마스터 뷰 컨트롤러의 버튼을 선택했을 때 디테일 뷰 컨트롤러를 다른 뷰 컨트롤러로 전환하는 기능
present modally	UITabBarController의 아래쪽 버튼을 누르거나 혹은 일반 버튼을 눌렀을 때 화면을 전환하는 경우
popover presentation	UIPopoverController를 사용하는 경우, 팝 오버 기능 제공
custom	위 방법을 제외한 컨트롤러에서 애니메이션 전환 기능을 표시할 때 사용

위 표에서 설명하였듯이 액션 세구에 종류에는 show, show detail, present modally, popover presentation 등이 있는데, 이 기능을 제외한 여러 가지 애니메이션 전환 기능 즉, 왼쪽 혹은 오른쪽으로 뒤집는 기능, 페이지를 넘기는 기능 등의 애니메이션을 사용하기 위해서는 custom을 사용한다. 여기서는 UINavigationController를 사용하였으므로 show를 선택해주면 두 뷰 컨트롤러가 서로 연결된다.

이렇게 두 컨트롤러가 연결되면 두 번째 컨트롤러의 왼쪽 위에는 자동으로 back 버튼이 생성되어 쉽게 이전 컨트롤러로 이동할 수 있게 된다.

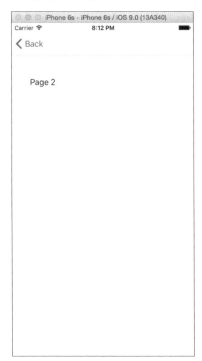

▶그림 1.27 back 버튼 생성

정리

이 장에서는 Xcode에 대한 여러 가지 기능에 대하여 설명하고 프로젝트를 작성하는 방법과 그 환경에 대하여 알아보았다. 먼저 Xcode의 역사, 설치 방법, 설치한 뒤에 삭제를 처리하는 방법을 배워보았다. 또한, Xcode에서 꼭 알아두어야 할 주요 작업 환경으로 프로젝트 탐색기, 에디터, Xcode 라이브러리, 인스펙터, 도큐먼트 아웃라인 등에 대하여도 설명하였다. 특히, Xcode 라이브러리에는 파일 템플릿 라이브러리(File Template Library), 코드 스니핏 라이브러리(Code Snippet Library), 오브젝트 라이브러리(Object Library), 미디어 라이브러리(Media Library) 등이 있는데, 각각의 라이브러리의 기능에 대하여서 배워보았다. 이 장 뒷부분에서는 예제 프로그램으로 스토리보드를 이용하여 프로젝트를 생성하는 방법과 스토리보드에 새로운 스토리보드를 추가하여 연결하는 방법을 설명하였다.

오토 레이아웃과 사이즈 클래스

아이폰 6/6+ 이전 아이폰에서는 단일 해상도를 사용하므로 하나의 스토리보드를 사용하여 화면을 작성하는 방법을 사용하였다. 하지만 아이폰 6/6+부터는 새로운 해상도가 추가되면서 기존의 단일 해상도에서 개발하던 방법은 더는 사용할 수 없게 되었다. 즉, 한 번에 여러 해상도를 작성할 수 있는 방법이 필요하게 되었다. 이 방법이 바로 오토 레이아웃Auto Layout이다. 이 장에서는 모든 기기에서 동일한 사용자 인터페이스를 지원하는 오토 레이아웃 기능과 모든 기기의 해상도뿐만 아니라 가로 혹은 세로 방향에서 원하는 화면 처리가 가능한 사이즈 클래스Size Classes 기능을 예제와 함께 설명한다.

오토 레이아웃(Auto Layout)이란?

오토 레이아웃은 컨트롤을 가로 방향으로 중앙에 위치시킨다든지 혹은 컨트롤을 위쪽 컨트롤에서 10픽셀 아래에 위치하는 것과 같은 제한 조건을 지정하여 해상도에 상관없이 동일한 형태의 사용자 인터페이스를 구성할 수 있도록 해준다. 즉, 여러 가지 제한 조건을 지정하여 어떤 화면에서도 동일한 모양을 보여주는 기능이 바로 오토 레이아웃 기능이다.

사실 이 오토 레이아웃은 이전 버전에서도 제공되었지만, iOS8부터는 아이폰 6/6+의 새로운 해상도 추가로 인하여 이 오토 레이아웃 기능을 사용하지 않고 앱을 만들 수 없게 되었다.

이 오토 레이아웃 기능은 디폴트로 사용 가능하게 설정되어 있는데 다음 그림과 같이 File 인스펙터에서 Use Auto Layout 체크 상자에 체크되어 있어야 사용할 수 있다.

오른쪽 그림에서 보여주는 Use Auto Layout 체크 상자에 체크된 경우, 뷰 아래쪽에 오토 레이아웃 메뉴가 표시되는데 이 오토 레이아웃 메뉴는 다음 그림과 같이 4개로 구성된다.

▶그림 2.1 File 인스펙터의 Use Auto Layout 체크 상자

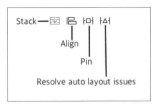

▶그림 2.2 오토 레이아웃 메뉴

▶ 표 2.1 오토 레이아웃 메뉴

오토 레이아웃 메뉴	설명
Stack	원하는 컨트롤을 스택 뷰(UIStackView)에 추가
Align	기준점에 대한 왼쪽, 오른쪽, 위, 아래 시작점 설정 및 중앙에 위치하는 제약조건 설정
Pin	컨트롤의 높이, 상호 간의 거리 등의 제약조건 설정
Resolve Auto Layout Issues	제약조건 변경 및 문제점 해결

다시 한 번 정리하면, 오토 레이아웃은 오토 레이아웃 메뉴를 이용하여 기준점에 대한 왼쪽, 오른쪽, 위, 아래의 시작점을 설정하거나 컨트롤의 높이 혹은 위쪽과 왼쪽에서의 거리 등을 설정하는 제약조건을 만들어 화면을 구성하는 방법이다. 이러한 제약조건으로 화면을 설정하므로 화면 해상도와 상관없이 동일한 화면을 구성할 수 있다. 다만 단점은 이러한 제약조건을 잘 사용할 수 있어야 하므로 배우기가 쉽지 않다는 점이다.

오토 레이아웃을 익히는 가장 좋은 방법은 메뉴 기능을 외우고 숙지하는 것보다는 예제를 따라 하면서 익히는 방법이다.

2.1.1 컨트롤을 중앙에 위치하는 폼 작성

첫 번째로 컨트롤을 중앙에 위치시키는 오토 레이아웃 명령을 사용해보자.

▍그대로 따라 하기

❶ Xcode에서 File-New-Project를 선택한다. 계속해서 왼쪽에서 iOS-Application
을 선택하고 오른쪽에서 Single View Application을 선택한다. 이어서 Next
버튼을 누르고 Product Name에 "CenterControlExample"이라고 지정한다.
아래쪽에 있는 Language 항목은 "Objective-C", Devices 항목은 "iPhone"으
로 설정한다. 그 아래 Include Unit Tests 항목과 Include UI Tests 항목은
체크한 상태로 그대로 둔다. 이어서 Next 버튼을 누르고 Create 버튼을 눌러
프로젝트를 생성한다.

▶그림 2.3 CenterControlExample 프로젝트 생성

❷ 왼쪽 프로젝트 탐색기에서 Main.storyboard 파일을 클릭하고 오른쪽 아래
Object 라이브러리에서 Label 하나를 캔버스 임의의 위치에 떨어뜨리고 그 너
비를 적당하게 늘려준다.

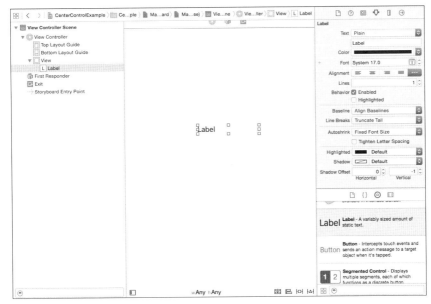

▶그림 2.4 캔버스에 Label 컨트롤 위치

❸ 캔버스에서 Label 컨트롤을 선택한 상태에서 오른쪽 위 Attributes 인스펙터를
선택하고 Text 속성에 "Centering Label"이라고 입력한다. 또한, Alignment
속성 역시 가운데 버튼을 눌러 중앙으로 위치시킨다.

▶그림 2.5 Label 컨트롤 속성 변경

❹ 계속 Label 컨트롤을 선택한 상태에서 캔버스 아래 오토 레이아웃 메뉴에서 두 번째 Align을 선택하고 "선택 제약조건 설정" 창이 나타나면, 다음과 같이 "Horizontally in Container"와 "Vertically in Container" 항목에 체크하고 아래쪽 "Add 2 Constraints" 버튼을 누른다.

▶그림 2.6 Align의 수평과 수직 중앙에 위치 항목 체크

❺ 마지막으로 캔버스 아래 오토 레이아웃 메뉴의 네 번째 Resolve Auto Layout Issues를 선택하고 "All Views in ViewController"의 "Update Frames"를 선택한다.

▶그림 2.7 Update Frames 항목 선택

❻ 이제 왼쪽에 있는 Run 혹은, Command−R 버튼을 눌러 실행하면, 다음 그림과 같이 문자열이 중앙에 위치하는 ViewController가 실행된다. 다른 해상도의 에뮬레이터에서도 테스트해본다.

▶그림 2.8 CenterControlExample 프로젝트 실행

▎원리 설명

이번 절에서는 오토 레이아웃의 가장 기본 기능인 "Horizontally in Container"와 "Vertically in Container" 항목을 사용하여 원하는 문자열을 화면 중앙에 위치시켜 보았다. 제목에서 알 수 있듯이 "Horizontally in Container" 항목은 컨트롤을 수평으로 중앙에 위치시키는 명령이고 "Vertically in Container" 항목은 수직으로 중앙에 위치시키는 명령이다.

원하는 명령을 처리한 뒤에는 Resolve Auto Layout Issues의 Update Frame을 사용하여 변경된 프레임의 위치를 새로운 위치로 이동시켜준다. 다음 표는 여기서 사용된 오토 레이아웃 명령이다.

컨트롤	사용된 오토 레이아웃 명령	설명
Label	Horizontal Center in Container	수평 방향으로 중앙에 위치
	Vertical Center in Container	수직 방향으로 중앙에 위치

2.1.2 자료 입력 폼 작성

이번에는 자료 입력할 때 자주 사용되는 입력 폼 형태를 만들어보자. 첫 번째 줄에 "Name:"이라는 문자열을 출력하는 Label 컨트롤과 자료를 입력할 수 있는 Text Field 컨트롤을 생성해보고 그다음 줄에 입력된 자료를 입력하는 버튼을 만들어 볼 것이다.

▌그대로 따라 하기

❶ Xcode에서 File-New-Project를 선택한다. 계속해서 왼쪽에서 iOS-Application 을 선택하고 오른쪽에서 Single View Application을 선택한다. 이어서 Next 버튼을 누르고 Product Name에 "DataFormExample"이라고 지정한다. 아래 쪽에 있는 Language 항목은 "Objective-C", Devices 항목은 "iPhone"으로 설정한다. 그 아래 Include Unit Tests 항목과 Include UI Tests 항목은 체크 한 상태로 그대로 둔다. 이어서 Next 버튼을 누르고 Create 버튼을 눌러 프로 젝트를 생성한다.

Choose options for your new project:

Product Name: DataFormExample

Organization Name: applenote

Organization Identifier: net.bluenote88

Bundle Identifier: net.bluenote88.DataFormExample

Language: Objective-C

Devices: iPhone

☐ Use Core Data
☑ Include Unit Tests
☑ Include UI Tests

Cancel   Previous   Next

▶그림 2.9 DataFormExample 프로젝트 생성

❷ Xcode의 프로젝트 탐색기의 Main.storyboard 파일을 선택하고 오른쪽 아래 Object 라이브러리로부터 Label, Text Field, Button 컨트롤 하나씩을 다음과 같이 캔버스에 위치시킨다. Text Field의 너비는 적당하게 늘려준다.

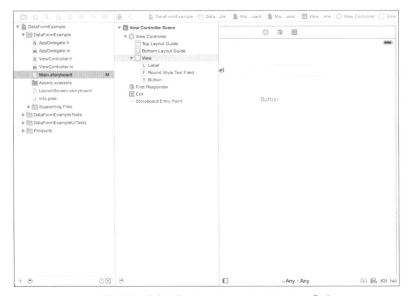

▶그림 2.10 캔버스에 Label, Text Field, Button 추가

❸ 먼저, Label 컨트롤을 선택한 상태에서 오른쪽 위 Size 인스펙터를 선택한다. 그 아래 Height 속성값을 30으로 변경한다. 그리고 Label 컨트롤을 다시 선택하고 키보드에서 위쪽 화살표를 눌러 Y 좌표를 Text Field 높이와 동일하게 맞춘다. 두 높이가 동일하게 맞는 순간 두 컨트롤 사이에 연결 줄이 나타난다.

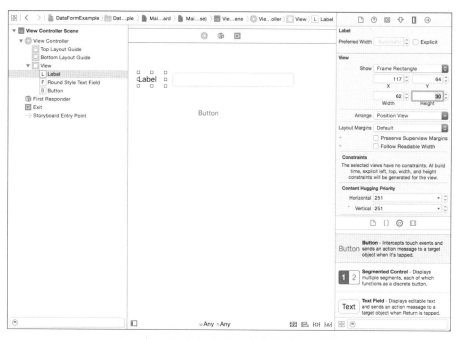

▶그림 2.11 Label 컨트롤의 Height 속성값 변경

❹ 또한, 오른쪽 위 Attributes 인스펙터를 선택하고 그 Text 속성을 "Name:"으로 변경해주고 아래쪽 버튼을 선택한 상태에서 Attributes 인스펙터를 선택하여 그 Title 속성을 "Input"으로 변경한다.

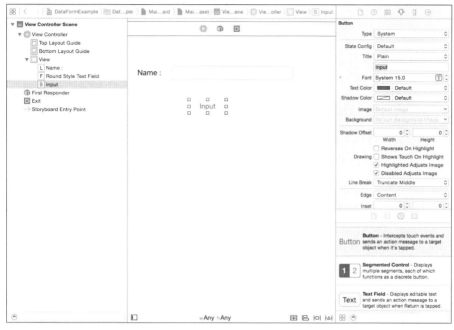

▶그림 2.12 Label의 Text 속성과 Button의 Title 속성 변경

❺ 이어서 Labe 컨트롤을 선택한 상태에서 캔버스 아래 오토 레이아웃 메뉴에서 세 번째 Pin을 선택하면 "제약조건 설정" 창이 나타난다. 이때 다음 그림과 같이 북쪽에서 25, 서쪽 위치 상자에서 25를 입력하고 각각 I 빔에 체크한다. 또한, 그 아래 Width, Height 항목에 체크한 다음 "Add 4 Constraints" 버튼을 클릭한다. 이 Label 컨트롤을 왼쪽 위를 기준으로 (25, 25)에 위치시키고 너비와 높이를 고정한다는 의미이다.

▶그림 2.13 Label 컨트롤 제약조건 설정

❻ 이번에는 오른쪽 Text Field 컨트롤을 선택한
상태에서 아래 오토 레이아웃 메뉴에서 세 번째
Pin을 선택하고 "제약조건 설정" 창이 나타나면
다음 그림과 같이 북쪽 위치 상자에 25, 동쪽 위
치 상자에 25를 입력하고 I 빔에 각각 체크한다.
그다음 아래쪽 Height에 체크한 뒤, 가장 아래
쪽에 있는 "Add 3 Constraints" 버튼을 클릭한
다. 이는 Text Field 컨트롤을 오른쪽 위를 기준
으로 (25, 25)에 위치시키고 높이를 고정하는 의
미이다.

▶그림 2.14 Text Field 컨트롤 제약조건 설정

❼ 이번에는 Label 컨트롤을 Ctrl 버튼과 함께 마우스로 선택하고 드래그-앤-드
롭으로 Text Field에 떨어뜨린다.

▶그림 2.15 Label 컨트롤에서 Text Field 컨트롤 위로 드래그-앤-드롭 처리

❽ 이때 다음과 같이 설정 창이 나타나는데, 가장 위에 있는 Horizontal Spacing 을 선택한다. Label과 Text Field 사이를 일정한 간격으로 위치시키는 명령 이다.

▶그림 2.16 Horizontal Spacing을 선택

❾ 이번에는 Button을 선택한 상태에서 캔버스 아래 오토 레이아웃 메뉴에서 세 번째 Pin을 선택한다. 이때 "제약조건 설정" 창이 나타나는데, 다음 그림과 같이 북쪽 위치 상자에 25를 입력하고 I 빔에 체크한다. 또한, 그 아래 Width와 Height 항목에 체크한 다음, 가장 아래쪽 "Add 3 Constraints" 버튼을 클릭한 다. 이는 Button 컨트롤을 Text Field에서 25픽셀 아래쪽에 위치시키고 버튼 의 높이와 너비를 고정한다는 의미이다.

▶그림 2.17 Button 컨트롤 제약조건 설정

⑩ 계속해서 Button 컨트롤을 선택한 상태에서 캔버스 아래 오토 레이아웃 메뉴에
서 두 번째 Align을 선택하고 "제약조건 설정" 창이 나타나면, 다음과 같이
"Horizontally in Container"를 선택하고 아래쪽 "Add 1 Constraint" 버튼을
클릭한다.

▶그림 2.18 "Horizontally in Container" 항목 선택

⑪ 마지막으로 캔버스 아래 오토 레이아웃 메뉴의 네 번째 Resolve Auto Layout
Issues를 선택하고 "All Views in ViewController"의 "Update Frames"를 선
택한다. 혹시 선택할 수 없다면 도큐먼트 아웃라인 창에서 View 항목을 선택한

상태에서 다시 선택하면 된다.

▶그림 2.19 Update Frames 항목 선택

⑫ 이제 왼쪽에 있는 Run 혹은 Command-R 버튼을 눌러 실행하면, 다음 그림과
같이 Label, Text Field, Button으로 구성된 ViewController가 실행된다. 다
른 해상도의 에뮬레이터에서도 테스트해본다.

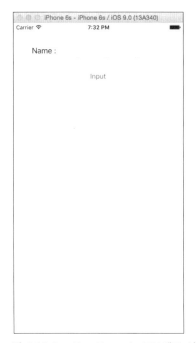

▶그림 2.20 DataFormExample 프로젝트 실행

▌원리 설명

이번 절에서는 일반적으로 자주 사용되는 자료 입력 형식의 폼을 오토 레이아웃으로 구현해보았다. 먼저 Label 컨트롤은 왼쪽과 위쪽으로부터 크기 25를 지정하였고 현재 크기의 너비, 높이를 고정하였다. Text Field 컨트롤은 오른쪽과 위쪽으로부터 크기 25를 지정하였고 현재 크기의 너비, 높이를 고정하였다. 또한, Label 컨트롤과 Text Field 컨트롤은 그 사이를 일정하게 유지하도록 지정하였다. 그 아래 위치하는 버튼 컨트롤은 위쪽으로부터 크기 25를 지정하고 그 너비와 높이를 고정하고 중앙에 위치하도록 지정하였다. 다음 표는 여기서 사용된 오토 레이아웃 명령을 보여준다.

▶ 표 2.3 사용된 오토 레이아웃 명령

컨트롤	사용된 오토 레이아웃 명령	설명
Label	Vertical Space	위쪽으로 25만큼 유지
	Horizontal Space	왼쪽으로 25만큼 유지
	Width	너비 고정
	Height	높이 고정
Text Field	Vertical Space	위쪽으로 25만큼 유지
	Horizontal Space	오른쪽으로 25만큼 유지
	Height	높이 고정
Label − Text Field	Horizontal Space	두 컨트롤 사이에 원하는 크기 유지
Button	Vertical Space	위쪽으로 25만큼 유지
	Width	너비 고정
	Height	높이 고정
	Horizontal Center	가로 방향으로 중앙에 위치

2.1.3 두 개의 버튼 배치

이번에는 약간 복잡한 기능을 처리해보자. 폼 위에 2개의 버튼을 위치시키고 2개의 버튼 사이를 약간의 간격으로 떨어뜨린 상태로 중앙에 위치시키는 방법을 처리해볼 것이다. 여기서는 비록 그 예제로 버튼을 사용하였지만, 버튼이 아닌 다른 컨트롤을 사용하더라도 그 사용 방법은 동일하다.

▌그대로 따라 하기

❶ Xcode에서 File-New-Project를 선택한다. 계속해서 왼쪽에서 iOS-Application 을 선택하고 오른쪽에서 Single View Application을 선택한다. 이어서 Next 버튼을 누르고 Product Name에 "TwoButtonsExample"이라고 지정한다. 아래쪽에 있는 Language 항목은 "Objective-C", Devices 항목은 "iPhone"으로 설정한다. 그 아래 Include Unit Tests 항목과 Include UI Tests 항목은 체크한 상태로 그대로 둔다. 이어서 Next 버튼을 누르고 Create 버튼을 눌러 프로젝트를 생성한다.

▶그림 2.21 TwoButtonsExample 프로젝트 생성

❷ Xcode의 프로젝트 탐색기의 Main.storyboard 파일을 선택하고 오른쪽 아래 Object 라이브러리로부터 2개의 Button 컨트롤을 약간의 간격으로 다음과 같이 캔버스에 위치시킨다.

▶그림 2.22 캔버스에 2개의 버튼 추가

❸ 먼저 첫 번째 버튼을 선택한 상태에서 캔버스 아래 오토 레이아웃 메뉴에서 세 번째 Pin을 선택한다. 이때 "제약조건 설정" 창이 나타나는데, 다음 그림과 같이 북쪽 위치 상자에 50, 서쪽 위치 상자에 50을 입력하고 각각의 I 빔에 체크한다. 또한, 그 아래 Height 항목에 체크한 다음, 가장 아래쪽 "Add 3 Constraints" 버튼을 클릭한다.

▶그림 2.23 첫 번째 버튼 제약조건 설정

❹ 이번에는 두 번째 버튼을 선택한 상태에서 캔버스 아래 오토 레이아웃 메뉴에
서 세 번째 Pin을 선택한다. 이때 "제약조건 설정" 창이 나타나는데, 다음 그림
과 같이 북쪽 위치 상자에 50, 동쪽 위치 상자에 50을 입력하고 각각의 I 빔에
체크한다. 또한, 그 아래 Height 항목에 체크한 다음, 가장 아래쪽 "Add 3
Constraints" 버튼을 클릭한다.

▶그림 2.24 두 번째 버튼 제약조건 설정

❺ 이번에는 왼쪽 Button 컨트롤을 Ctrl 버튼과 함께 마우스를 사용하여 드래그 –앤–드롭으로 오른쪽 Button 컨트롤에 떨어뜨린다. 이때 다음과 같이 설정 창이 나타나는데, 가장 위에 있는 Horizontal Spacing을 선택한다.

▶그림 2.25 Horizontal Spacing을 선택

❻ 다시 왼쪽 Button을 선택한 뒤에 Command 버튼과 함께 마우스로 오른쪽 버튼을 선택한 상태에서 캔버스 아래 오토 레이아웃 메뉴에서 세 번째 Pin을 선택한다. 이때 "제약조건 설정" 창이 나타나면, Equal Width 항목을 선택한 뒤 가장 아래쪽 "Add 1 Constraint" 버튼을 클릭한다.

▶그림 2.26 Equal Width 항목 선택

❼ 마지막으로 캔버스 아래 오토 레이아웃 메뉴의 네 번째 Resolve Auto Layout Issues를 선택하고 "All Views in ViewController"의 "Update Frames"를 선택한다. 혹시 선택할 수 없다면, 도큐먼트 아웃라인 창에서 View 항목을 선택한 상태에서 다시 선택하면 된다.

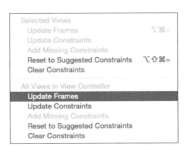

▶그림 2.27 Update Frames 항목 선택

❽ 이제 왼쪽에 있는 Run 혹은 Command-R 버튼을 눌러 실행하면 다음 그림과 같이 2개의 Button으로 구성된 ViewController가 실행된다. Command + 오른쪽 화살표 버튼을 눌러 가로 모드 에뮬레이터에서도 테스트해본다.

▶그림 2.28 TwoButtonsExample 프로젝트 실행

▌원리 설명

이번 절에서는 위에서 소개한 예제와 함께 자주 사용되는 두 개의 버튼 즉, 왼쪽 버튼과 오른쪽 버튼을 일정한 간격을 유지한 채로 중앙에 위치시키는 예제를 소개하였다.

먼저 왼쪽 Button 컨트롤은 왼쪽과 위쪽으로부터 크기 50을 지정하였고 현재 크기의 높이만을 고정하였다. 이렇게 함으로써 만일 가로 모드로 변경될 때 버튼의 너비가 늘어나게 된다. 그다음, 오른쪽 버튼 컨트롤은 오른쪽과 위쪽으로부터 크기 50을 지정하였고 역시 현재 크기의 높이만을 고정하였다. 또한, Horizontal Spacing 기능을 사용하여 왼쪽 Button 컨트롤과 오른쪽 Button 컨트롤의 사이를 일정하게 유지하도록 지정하였다. 마지막으로 두 버튼을 선택한 뒤 Equal Width 기능을 사용하여 두 버튼의 너비 길이를 동일하게 하도록 처리하는 제약을 지정하였다. 다음 표는 여기서 사용된 오토 레이아웃 명령을 보여준다.

▶ 표 2.4 사용된 오토 레이아웃 명령

컨트롤	사용된 오토 레이아웃 명령	설명
Button1	Vertical Space	위쪽으로 50만큼 유지
	Horizontal Space	왼쪽으로 50만큼 유지
	Height	높이 고정
Button2	Vertical Space	위쪽으로 50만큼 유지
	Horizontal Space	오른쪽으로 50만큼 유지
	Height	높이 고정
Button1 - Button2	Horizontal Space	두 버튼 사이에 원하는 크기 유지
Button1 - Button2	Equal Width	두 버튼의 같은 너비 길이 유지

2.1.4 세 개의 버튼 배치

이번에는 위의 2개의 버튼에 1개의 버튼을 추가한 3개의 Button 컨트롤을 중앙에 위치시켜보자. 이번에는 버튼에 이미지를 추가한 이미지 버튼을 사용해 볼 것이다. 또한, 3개 버튼을 위치시킬 수 있다면 그 이상의 버튼 컨트롤 역시 쉽게 처리할 수 있다.

┃ 그대로 따라 하기

❶ Xcode에서 File-New-Project를 선택한다. 계속해서 왼쪽에서 iOS-Application 을 선택하고 오른쪽에서 Single View Application을 선택한다. 이어서 Next 버튼을 누르고 Product Name에 "ThreeButtonsExample"이라고 지정한다. 아래쪽에 있는 Language 항목은 "Objective-C", Devices 항목은 "iPhone"으 로 설정한다. 그 아래 Include Unit Tests 항목과 Include UI Tests 항목은 체크한 상태로 그대로 둔다. 이어서 Next 버튼을 누르고 Create 버튼을 눌러 프로젝트를 생성한다.

Choose options for your new project:

Product Name: ThreeButtonsExample
Organization Name: applenote
Organization Identifier: net.bluenote88
Bundle Identifier: net.bluenote88.ThreeButtonsExample
Language: Objective-C
Devices: iPhone

☐ Use Core Data
☑ Include Unit Tests
☑ Include UI Tests

Cancel   Previous   Next

▶그림 2.29 ThreeButtonsExample 프로젝트 생성

❷ 프로젝트 탐색기에서 가장 위쪽 ThreeButtonsExample
프로젝트 이름(파란색 아이콘)을 선택하고 오른쪽 마우
스 버튼을 눌러 New Group을 선택한다. 이어서 그룹
이름을 Resources로 변경한다. 이 그룹에 previous.
png, play.png, next.png 파일을 드래그-앤-드롭
으로 복사한다(예제 코드 참조).

▶그림 2.30 Resources 생성과 3개의 그림 파일 복사

❸ Xcode의 프로젝트 탐색기의 Main.storyboard 파일을 선택하고 오른쪽 아래 Object 라이브러리로부터 3개의 Button 컨트롤을 약간의 간격을 두고 다음과 같이 캔버스에 위치시킨다.

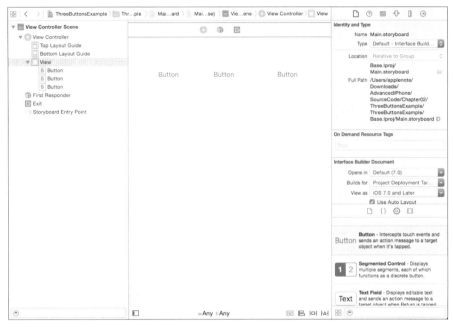

▶그림 2.31 캔버스에 3개의 버튼 추가

❹ 첫 번째 버튼을 선택하고 오른쪽 위에서 Attributes 인스펙터를 선택한다. 그중 image 속성을 previous.png로 선택한다. 또한, Title 속성의 "Button" 값을 삭제한다. 동일한 방법으로 두 번째 버튼의 image 속성은 play.png, 세 번째 버튼의 image 속성은 next.png으로 선택하고 각 Title 속성의 "Button" 값을 삭제한다.

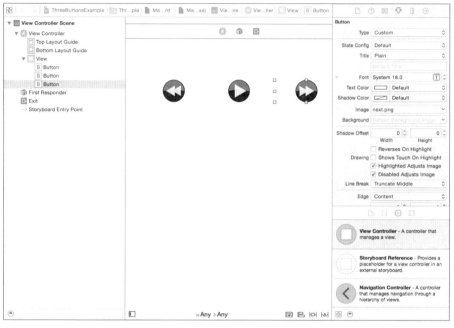

▶그림 2.32 세 번째 버튼의 image 속성을 next.png로 선택하고 Title 속성 삭제

❺ 먼저 첫 번째 버튼을 선택한 상태에서 캔버스 아래 오토 레이아웃 메뉴에서 세
번째 Pin을 선택한다. 이때 "제약조건 설정" 창이 나타나는데, 다음 그림과 같이
북쪽 위치 상자에 50, 서쪽 위치 상자에 50을 입력하고 각각의 I 빔에 체크한다.
또한, 그 아래 Height 항목에 체크한 다음, 가장
아래쪽 "Add 3 Constraints" 버튼을 클릭한다.

▶그림 2.33 첫 번째 버튼 제약조건 설정

❻ 이어서 두 번째 버튼을 선택한 상태에서 캔버스 아래 오토 레이아웃 메뉴에서 세 번째 Pin을 선택한다. 이때 "제약조건 설정" 창이 나타나는데, 다음 그림과 같이 북쪽 위치 상자에 50을 입력하고 I 빔에 체크한다. 또한, 그 아래 Height 항목에 체크한 다음, 가장 아래쪽 "Add 2 Constraints" 버튼을 클릭한다.

▶그림 2.34 두 번째 버튼 제약조건 설정

❼ 계속해서 세 번째 버튼을 선택한 상태에서 캔버스 아래 오토 레이아웃 메뉴에서 세 번째 Pin을 선택한다. 이때 "제약조건 설정" 창이 나타나는데, 다음 그림과 같이 북쪽 위치 상자에 50, 동쪽 위치 상자에 50을 입력하고 각각의 I 빔에 체크한다. 또한, 그 아래 Height 항목에 체크한 다음, 가장 아래쪽 "Add 3 Constraints" 버튼을 클릭한다.

▶그림 2.35 세 번째 버튼 제약조건 설정

❽ 이번에는 첫 번째 Button 컨트롤을 Ctrl 버튼과 함께 마우스를 사용하여 드래그
–앤–드롭으로 오른쪽 두 번째 Button 컨트롤에 떨어뜨린다. 이때 다음과 같이
설정 창이 나타나는데, 가장 위에 있는 Horizontal Spacing을 선택한다. 동일
한 방법으로 두 번째 Button 컨트롤에서 세 번째 컨트롤로 연결하여 설정 창에
서 Horizontal Spacing을 선택한다.

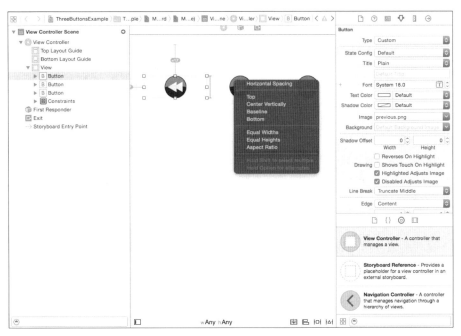

▶그림 2.36 Horizontal Spacing을 선택

❾ 이때 도큐먼트 아웃라인 창의 View의 Constraints를 살펴보면 "Button.leading
= Button.trailing + xx" 제약조건이 2개가 표시되는 데, 먼저 첫 번째를 선택
하고 오른쪽 위 Attributes 인스펙터를 선택하여 Constant 속성값을 20으로
지정한다. 이어서 그다음 두 번째의 제약조건 역시 Constant 속성값을 20으로
지정한다.

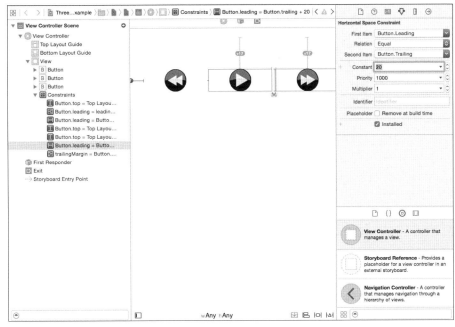

▶그림 2.37 두 버튼의 제약조건 Constant 값을 20으로 변경

⑩ 다시 첫 번째 Button을 마우스로 선택한 뒤에 Command 버튼을 누른 상태에서 마우스로 두 번째 버튼과 세 번째 버튼을 차례로 선택한다(3개의 버튼 모두 선택). 이어서 캔버스 아래 오토 레이아웃 메뉴에서 세 번째 Pin을 선택한다. 이때 "제약조건 설정" 창이 나타나면 Equal Width 항목을 선택한 뒤 가장 아래쪽 "Add 2 Constraints" 버튼을 클릭한다.

▶그림 2.38 Equal Width 항목 선택

⓫ 마지막으로 캔버스 아래 오토 레이아웃 메뉴의 네 번째 Resolve Auto Layout Issues를 선택하고 "All Views in ViewController"의 "Update Frames"를 선택한다. 혹시 선택할 수 없다면, 도큐먼트 아웃라인 창에서 View 항목을 선택한 상태에서 다시 선택하면 된다.

▶그림 2.39 Update Frames 항목 선택

⓬ 이제 왼쪽에 있는 Run 혹은 Command-R 버튼을 눌러 실행하면 다음 그림과 같이 3개의 Button으로 구성된 ViewController가 실행된다. Command + 오른쪽 화살표 버튼을 눌러 가로 모드 에뮬레이터에서도 테스트해본다.

▶그림 2.40 ThreeButtonsExample 프로젝트 실행

▌원리 설명

이번 절에서는 위에서 소개한 2개의 버튼을 위치시키는 방법에 이어서 3개의 버튼을 일정한 간격을 유지한 채로 중앙에 위치시키는 예제를 소개하였다.

먼저 첫 번째 Button 컨트롤은 왼쪽과 위쪽으로부터 크기 50을 지정하였고 현재 크기의 높이만을 고정하였다. 2개 버튼 처리 때와 마찬가지로 이렇게 함으로써 만일 가로 모드로 변경될 때 버튼의 너비가 늘어나게 된다. 그다음, 두 번째 Button을 위쪽으로부터 50을 지정하였고 현재 크기의 높이도 고정하였다. 마지막 오른쪽 버튼 컨트롤은 오른쪽과 위쪽으로부터 크기 50을 지정하였고 역시 현재 크기의 높이만을 고정하였다. 첫 번째 버튼과 두 번째 버튼 그리고 세 번째 버튼 모두 가로 모드로 변경되면 버튼의 너비가 자동으로 늘어나게 된다.

또한, Horizontal Spacing 기능을 사용하여 첫 번째 Button 컨트롤과 두 번째 Button 컨트롤의 사이, 두 번째 Button 컨트롤과 세 번째 컨트롤 사이를 일정하게 유지하도록 지정하였다. 마지막으로 세 버튼 모두를 선택한 뒤 Equal Width 기능을 사용하여 세 버튼의 너비 길이를 동일하게 하도록 처리하는 제약을 지정하였다. 여기 서는 버튼에 이미지를 사용하는 이미지 버튼을 사용하였는데, 이미지가 버튼 크기보 다 작은 경우, Text 속성값을 삭제해주면 자동으로 중앙에 위치되므로 가로 및 세로 방향 모두 중앙에 있다.

다음 표는 여기서 사용된 오토 레이아웃 명령을 보여준다.

▶ 표 2.5 사용된 오토 레이아웃 명령

컨트롤	사용된 오토 레이아웃 명령	설명
Button1	Vertical Space	위쪽으로 50만큼 유지
	Horizontal Space	왼쪽으로 50만큼 유지
	Height	높이 고정
Button2	Vertical Space	위쪽으로 50만큼 유지
	Height	높이 고정

컨트롤	사용된 오토 레이아웃 명령	설명
Button3	Vertical Space	위쪽으로 50만큼 유지
	Horizontal Space	오른쪽으로 50만큼 유지
	Height	높이 고정
Button1 – Button2	Horizontal Space	두 버튼 사이에 20만큼 유지
Button2 – Button3	Horizontal Space	두 버튼 사이에 20만큼 유지
Button1 – Button2 – Button3	Equal Width	세 버튼의 같은 너비 크기 유지

2.1.5 스택 뷰를 사용한 오토 레이아웃

스택 뷰Stack View는 iOS 9에서 처음으로 도입된 것으로 컨트롤들을 자동으로 수평 혹은 수정으로 배열하는 컨테이너 컨트롤이다. 컨테이너 컨트롤이므로 다른 컨트롤과 같이 특정한 기능을 제공하는 것이 아니라 스택 뷰에 있는 여러 컨트롤을 배열하는 기능을 제공한다.

물론 스택 뷰가 나오기 전에도 여러 컨트롤로 수평 혹은 수직으로 배열하는 것은 가능하였다. 하지만 다음 그림과 같이 작성할 컨트롤 수가 많고 여러 가지 컨트롤로 인하여 화면이 복잡해지는 경우, 오토 레이아웃을 처음으로 접하는 사용자는 화면 구성이 쉽지 않았다.

▶그림 2.41 오토 레이아웃으로 작성하기 쉽지 않은 복잡한 화면

하지만 스택 뷰를 사용하면 오토 레이아웃을 처음 사용하는 사용자라 할지라도 쉽게 작성할 수 있다. 여기서는 스택 뷰에 이미지, 라벨, 버튼 등을 위에서 아래 방향으로 추가시켜 화면을 구성하는 방법에 대하여 알아볼 것이다.

▎그대로 따라 하기

❶ Xcode에서 File-New-Project를 선택한다. 계속해서 왼쪽에서 iOS-Application을 선택하고 오른쪽에서 Single View Application을 선택한다. 이어서 Next 버튼을 누르고 Product Name에 "StackViewExample"이라고 지정한다. 아래쪽에 있는 Language 항목은 "Objective-C", Devices 항목은 "iPhone"으로 설정한다. 그 아래 Include Unit Tests 항목과 Include UI Tests 항목은 체크한 상태로 그대로 둔다. 이어서 Next 버튼을 누르고 Create 버튼을 눌러 프로젝트를 생성한다.

▶그림 2.42 StackViewExample 프로젝트 생성

❷ 프로젝트 탐색기에서 Assets.xcassets을 선택하고 아래쪽에 있는 + 버튼을 눌러 이미지 처리 메뉴를 불러낸다. 메뉴에서 첫 번째 메뉴 항목 New Image Set을 선택한다.

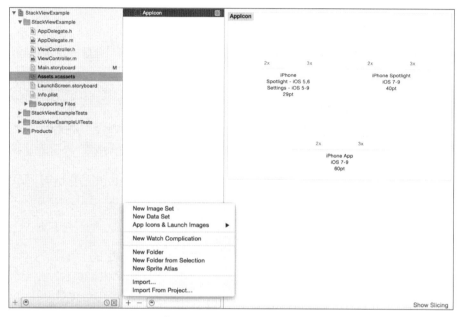

▶그림 2.43 New Image Set 항목 선택

❸ 이때 캔버스 왼쪽에는 Image 항목이 나타나고 오른쪽에는 Image에 들어갈 이미지 프레임 1x, 2x, 3x가 나타나는 데, 100x75 크기 정도의 임의의 이미지를 1x 프레임 안에 드래그-앤-드롭하여 떨어뜨린다(예제 코드 참조).

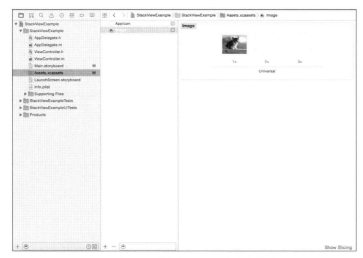

▶그림 2.44 이미지를 1x 프레임에 추가

❹ 다시 프로젝트 탐색기에서 Main.storyboard를 선택하고 오른쪽 아래 Object
라이브러리에서 Vertical Stack View를 선택하고 드래그-앤-드롭으로 캔버
스의 ViewController에 떨어뜨린다.

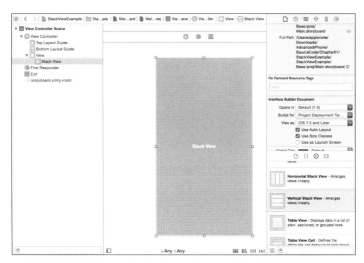

▶그림 2.45 Vertical Stack View를 ViewController에 추가

❺ 캔버스에서 Vertical Stack View를 선택한 상태에서 오른쪽 아래 있는 오토 레이아웃 메뉴 중 세 번째 Pin을 선택하고 "제약조건 설정" 창이 나타나면, 다음 그림과 같이 동, 서, 남, 북 위치 상자에 각각 0, 0, 10, 10을 입력하고 I 빔에 체크한다. 처리가 끝나면 아래쪽 "Add 4 Constraints" 버튼을 클릭한다.

▶그림 2.46 Vertical Stack View 제약조건 설정

❻ 이어서 캔버스 아래 오토 레이아웃 메뉴의 네 번째 Resolve Auto Layout Issues를 선택하고 All Views의 Update Frames를 선택한다.

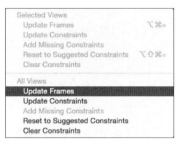

▶그림 2.47 Updates Frames 항목 선택

❼ 이번에는 오른쪽 아래 Object 라이브러리에서 Horizontal Stack View를
선택하고 드래그-앤-드롭으로 캔버스의 Vertical Stack View 컨트롤 안에
떨어뜨린다.

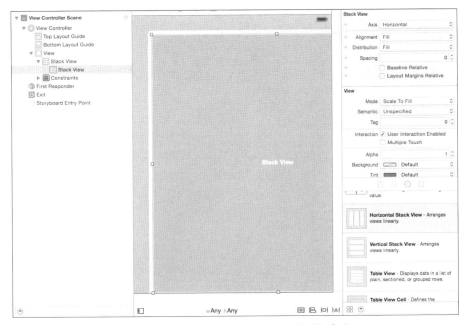

▶그림 2.48 Horizontal Stack View 컨트롤 추가

❽ 동일한 방법으로 Vertical Stack View에 Horizontal Stack View를 하나
더 추가한다. 이때 이 새로운 Horizontal Stack View는 기존의 Horizontal
Stack View 한 단계 아래쪽에 위치하는 것이 아니라 Vertical Stack View
아래쪽 즉, 기존의 Horizontal Stack View와 동일한 레벨에 추가되어야 한
다. 이때 잘못하게 되면 기존의 Horizontal Stack View 한 단계 아래쪽에
추가되는데, 이렇게 되는 것을 피하기 위해 도큐먼트 아웃라인 창을 사용한다.
즉, 다음과 같이 도큐먼트 아웃라인 창에 드래그-앤-드롭으로 기존 Vertical
Stack View 아래쪽에 떨어뜨리는데, 파란색 동그란 머리 부분이 그 위

Vertical Stack View 시작점과 같아야 한다. 만일 머리 부분이 더 오른쪽으로 이동되어 지정되면, Vertical Stack View 아래로 지정되니 주의하도록 한다.

▶그림 2.49 두 번째 Horizontal Stack View 추가

❾ 동일한 방법으로 Vertical Stack View에 Horizontal Stack View를 2개 더 추가한다. 이제 Vertical Stack View 아래쪽에 총 4개의 Horizontal Stack View가 추가된다.

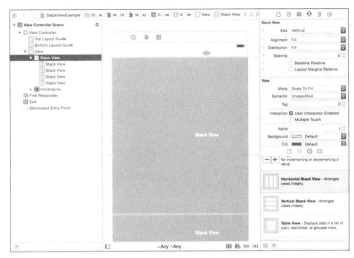

▶그림 2.50 총 4개의 Horizontal Stack View 추가

⓾ 이제 도큐먼트 아웃라인 창에서 첫 번째 Horizontal Stack View를 선택하고
오른쪽 아래 Object 라이브러리로부터 Image View를 선택하여 드래그-앤-드
롭으로 추가한다.

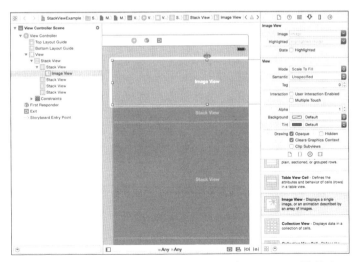

▶그림 2.51 첫 번째 Horizontal Stack View에 Image View를 추가

⓫ 캔버스에서 Image View를 선택한 상태에서 오른쪽 위 네 번째 Attributes 인
스펙터를 선택한다. Image View 항목의 Image 상자에 Assets.xcassets에서
지정한 Image를 지정한다. 그림이 일그러지더라도 우선 무시한다.

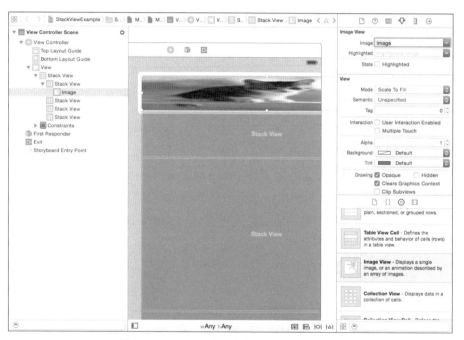

▶그림 2.52 Attributes 인스펙터를 사용하여 이미지 설정

⓬ 이번에는 도큐먼트 아웃라인 창에서 두 번째 Horizontal Stack View를 선택하
고 오른쪽 아래 Object 라이브러리로부터 Label을 선택하여 드래그-앤-드롭
으로 추가한다.

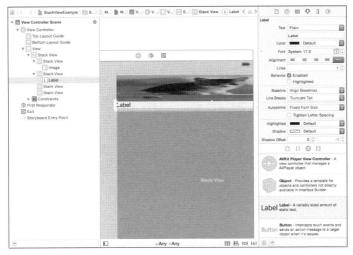

▶그림 2.53 두 번째 Horizontal Stack View에 label을 추가

⑬ 이어서 도큐먼트 아웃라인 창에서 세 번째 Horizontal Stack View를 선택하고
오른쪽 아래 Object 라이브러리로부터 Button을 선택하여 드래그–앤–드롭으
로 추가한다.

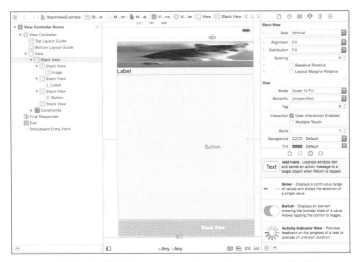

▶그림 2.54 세 번째 Horizontal Stack View에 Button을 추가

⑭ 마지막으로 도큐먼트 아웃라인 창에서 네 번째 Horizontal Stack View를 선택하고 오른쪽 아래 Object 라이브러리로부터 Text Field를 선택하여 드래그-앤-드롭으로 추가한다.

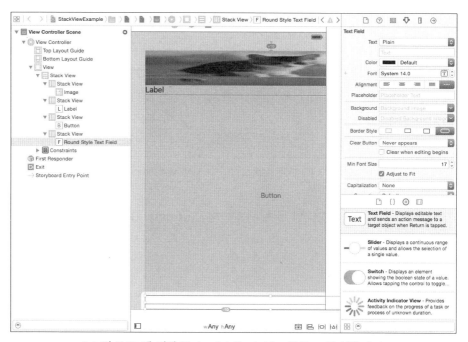

▶그림 2.55 네 번째 Horizontal Stack View에 Text Field를 추가

⑮ 이제 컨트롤 모양을 정리해보자. 도큐먼트 아웃라인 창에서 Vertical Stack View를 선택하고 오른쪽 위에서 Attributes 인스펙터를 선택한다. Stack View 항목의 Alignment에 "leading", Distribution에 "Equal Spacing"을 지정한다.

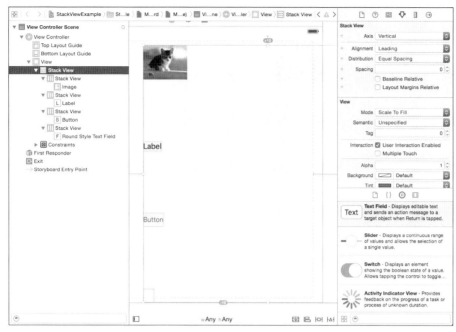

▶그림 2.56 Stack View 항목의 속성 변경

⑯ 마지막으로 캔버스 아래 오토 레이아웃 메뉴의 네 번째 Resolve Auto Layout
Issues를 선택하고 All Views의 Update Frames를 선택한다.

▶그림 2.57 Updates Frames 항목 선택

⑰ 모든 입력이 끝났다면 Command-R을 눌러 실행시켜본다.

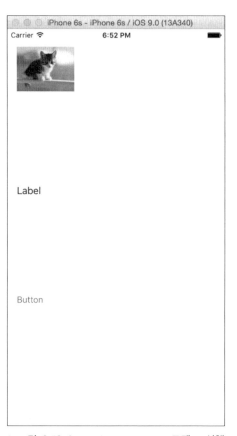

▶그림 2.58 StackViewExample 프로젝트 실행

▌원리 설명

이번 절에서는 스택 뷰stack view를 사용하여 자료를 정렬하는 방법을 소개하였다. 스택 뷰는 원하는 컨트롤을 수평적으로 혹은 수직적으로 배열하는 기능을 제공하는 컨테이너이다. 이 스택 뷰를 사용함으로써 복잡한 형식의 화면을 쉽게 처리할 수 있다.

먼저 ViewController에 다음과 같이 스택 뷰를 추가해본다. 스택 뷰는 수평으로 배열할 수 있는 Horizontal Stack View와 수직으로 배열할 수 있는 Vertical Stack View가 있는데, 여기서는 Vertical Stack View를 사용한다.

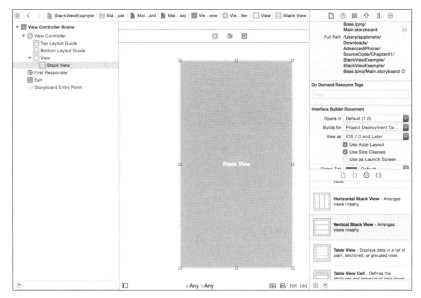

▶그림 2.59 Vertical Stack View 추가

위와 같이 추가한 뒤, 오토 레이아웃 메뉴 세 번째 Pin을 선택하여 동, 서, 남, 북 위치 상자에 각각 0, 0, 10, 10을 지정하여 북쪽과 남쪽에 10 정도의 공백을 두도록 한다.

▶그림 2.60 스택 뷰의 제약조건 설정

위 스택 뷰를 선택한 상태에서 오른쪽 위에 있는 Attributes 인스펙터를 선택해 본다.

▶그림 2.61 스택 뷰의 Attributes 속성

위 그림에서 알 수 있듯이 지정해야 할 속성 항목이 Axis, Alignment, Distribution, Spacing 등이 있다.

첫 번째, Axis 속성 항목은 스택 뷰의 컨트롤 배열 방향을 지정한다. 비록 위에서 수직 방법으로 배열하는 Vertical Stack View를 지정하였지만, 언제든지 Axis 항목을 Horizontal로 변경하여 수평 방향으로 변경시킬 수 있다. 여기서는 그대로 Vertical 값으로 그대로 둔다.

■ 표 2.6 Axis 속성

Axis 속성	설명
Vertical	컨트롤 배열을 수직 방향으로 지정
Horizontal	컨트롤 배열을 수평 방향으로 지정

두 번째, Alignment 속성은 위 Axis 속성에 따라 처리하고자 하는 컨트롤의 공간 설정 방향을 결정할 때 사용된다. 이 속성은 Axis 속성값에 따라 설정되는 값이 달라진다. 즉, Axis 속성이 Vertical일 때, Alignment 속성에 지정할 수 있는 것은 Fill, Leading, Center, Trailing이 있다.

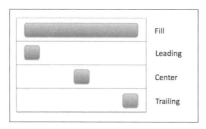

▶그림 2.62 Vertical일 때 Alignment 속성값

위 그림에서 알 수 있듯이 Fill 값이 지정되면 컨트롤은 스택 뷰 너비를 모두 차지하고 Leading 값은 스택 뷰의 앞쪽, Center 값은 스택 뷰의 중앙, Trailing 값은 스택 뷰의 끝 부분에 위치하게 된다. 여기서는 Axis 속성값에 Vertical이 지정되어 있으므로 4개의 값 중 Leading을 지정하여 컨트롤이 앞쪽에 위치되도록 한다.

만일 Axis 속성값이 Horizontal로 지정되면 Alignment 속성값으로 Fill, Top, Center, Bottom 등을 지정할 수 있다.

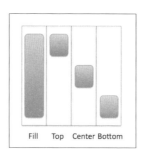

▶그림 2.63 Horizontal일 때 Alignment 속성값

Vertical일 때와 마찬가지로 Fill 값으로 지정되면 컨트롤은 스택 뷰 높이 크기를 모두 차지하고 Top 값은 스택 뷰의 위쪽, Center 값은 스택 뷰의 중앙, Bottom 값은 스택 뷰의 아래쪽을 차지하게 된다.

세 번째 Distribution 속성은 스택 뷰 위의 컨트롤들을 어떤 크기로 어떻게 공간을 배분할지를 결정한다. 이 속성에 Fill, Fill Equally, Fill Proportionally, Equal

Spacing, Equal Centering 등으로 지정할 수 있다.

▶ 표 2.7 Distribution 속성

Distribution 속성	설명
Fill	가능한 스택 뷰의 전체를 모두 채운다.
Fill Equally	각 컨트롤을 스택 뷰의 공간을 동일하게 나누어 채운다.
Fill Proportionally	컨트롤의 기본 크기를 기준으로 각 컨트롤을 스택 뷰의 공간을 동일하게 나누어 채운다.
Equal Spacing	각 컨트롤을 동일한 간격으로 위치시킨다.
Equal Centering	각 컨트롤을 컨트롤의 중심을 기준으로 동일한 간격을 위치시킨다.

여기서는 Equal Spacing을 지정하여 각 컨트롤을 일정한 간격으로 위치시킨다.

마지막으로 네 번째 속성은 Fill Equally 혹은 Fill Proportionally를 지정할 경우, 각 컨트롤은 간격 없이 모든 공간을 채우게 되는데, 이때 각 컨트롤 사이에 일정한 간격을 주고자 할 때 사용된다. Spacing 속성에 원하는 간격을 지정한다. 여기서는 Equal Spacing을 사용하므로 0으로 지정하면 된다.

다음 표는 여기서 사용된 오토 레이아웃 명령을 보여준다.

▶ 표 2.8 사용된 오토 레이아웃 명령

컨트롤	사용된 오토 레이아웃 명령	설명
Vertical Stack View	Vertical Space	위쪽으로 50만큼 유지
	Vertical Space	아래쪽으로 50만큼 유지
	Horizontal Space	왼쪽으로 0만큼 유지
	Horizontal Space	오른쪽으로 0만큼 유지

2.1.6 스택 뷰를 이용한 입력 폼 작성

이제 위에서 배운 스택 뷰를 이용하여 화면의 구성이 복잡한 입력 폼을 만들어보자. 여기서 사용된 입력 폼은 사용자 이름과 주소를 지정하는 Label 컨트롤 2개, Text

Field 컨트롤 2개, 소개서를 처리하는 Text View, Save, Cancel 버튼 각각 1개씩으로 구성된다.

▌그대로 따라 하기

❶ Xcode에서 File-New-Project를 선택한다. 계속해서 왼쪽에서 iOS-Application을 선택하고 오른쪽에서 Single View Application을 선택한다. 이어서 Next 버튼을 누르고 Product Name에 "StackViewInputForm"이라고 지정한다. 아래쪽에 있는 Language 항목은 "Objective-C", Devices 항목은 "iPhone"으로 설정한다. 그 아래 Include Unit Tests 항목과 Include UI Tests 항목은 체크한 상태로 그대로 둔다. 이어서 Next 버튼을 누르고 Create 버튼을 눌러 프로젝트를 생성한다.

▶그림 2.64 StackViewInputForm 프로젝트 생성

❷ 프로젝트 탐색기에서 Main.storyboard를 선택하고 오른쪽 아래 Object 라이브러리에서 Vertical Stack View를 선택하고 드래그-앤-드롭으로 캔버스의

ViewController에 떨어뜨린다.

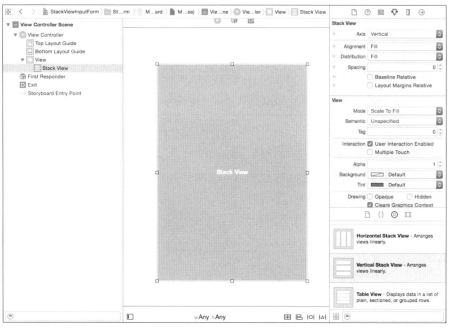

▶그림 2.65 Vertical Stack View를 ViewController에 추가

❸ 캔버스에서 Vertical Stack View를 선택한 상태에서 오른쪽 아래 있는 오토
레이아웃 메뉴 중 세 번째 Pin을 선택하고 "제약
조건 설정" 창이 나타나면, 다음 그림과 같이 동,
서, 남, 북 위치 상자에 각각 0, 0, 10, 10을 입력
하고 I 빔에 체크한다. 처리가 끝나면 아래쪽 "Add
4 Constraints" 버튼을 클릭한다.

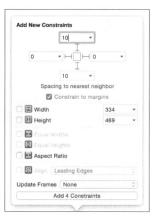

▶그림 2.66 Vertical Stack View 제약조건 설정

❹ 이어서 캔버스 아래 오토 레이아웃 메뉴의 네 번째 Resolve Auto Layout Issues 를 선택하고 All Views의 Update Frames를 선택한다. 만일 선택할 수 없다면 도큐먼트 아웃라인 창의 View를 한번 클릭하고 Update Frames를 선택해 준다.

▶그림 2.67 Updates Frames 항목 선택

❺ 이번에는 오른쪽 아래 Object 라이브러리에서 Horizontal Stack View를 선택 하고 드래그-앤-드롭으로 캔버스의 Vertical Stack View 컨트롤 안에 떨어뜨 린다.

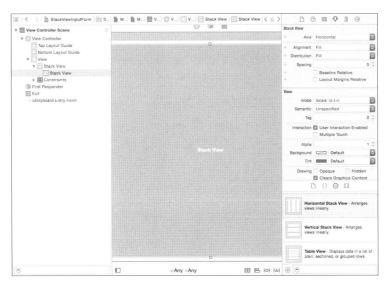

▶그림 2.68 Horizontal Stack View 컨트롤 추가

❻ 동일한 방법으로 Vertical Stack View에 Horizontal Stack View를 하나 더 추가한다. 이때 이 새로운 Horizontal Stack View는 기존의 Horizontal Stack View 한 단계 아래쪽에 위치하는 것이 아니라 Vertical Stack View 아래쪽 즉, 기존의 Horizontal Stack View과 동일한 레벨 위치에 추가되어야 한다. 이때 잘못하게 되면 기존의 Horizontal Stack View 한 단계 아래쪽에 추가 되는데, 이렇게 되는 것을 피하기 위해 도큐먼트 아웃라인 창을 사용한다. 즉, 다음과 같이 도큐먼트 아웃라인 창에 드래그-앤-드롭으로 기존 Vertical Stack View 아래쪽에 떨어뜨리는데, 파란색 동그란 머리 부분이 그 위 Vertical Stack View 시작점과 같아야 한다.

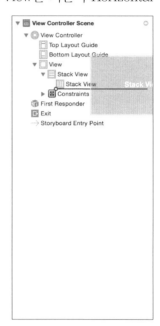

▶그림 2.69 두 번째 Horizontal Stack View 추가

❼ 이번에는 오른쪽 아래 Object 라이브러리에서 Text View를 선택하고 드래그-앤-드롭으로 두 번째 Horizontal Stack View 컨트롤 아래쪽에 위치시킨다. 도큐먼트 아웃라인 창을 사용하여 두 번째 Horizontal Stack View 바로 아래쪽에 떨어뜨린다. 파란색 동그란 머리 부분이 그 위 Horizontal Stack View 시작점과 같아야 한다.

▶그림 2.70 Text View 추가

❽ 마지막으로 Text View 아래쪽에 Horizontal Stack View를 1개 더 추가한다.

이제 Vertical Stack View 아래쪽에 Horizontal Stack View, Horizontal Stack View, Text View, Horizontal Stack View 순으로 추가되었다.

▶그림 2.71 마지막 Horizontal Stack View 추가

❾ 이제 도큐먼트 아웃라인 창에서 첫 번째 Horizontal Stack View를 선택하고 오른쪽 아래 Object 라이브러리로부터 Label과 Text Field 하나씩 선택하여 드래그-앤-드롭으로 첫 번째 Horizontal Stack View 안에 추가한다. 이때 Text Field를 추가시킬 때는 ❻과 같이 도큐먼트 아웃라인 창을 사용하는 것이 편하다.

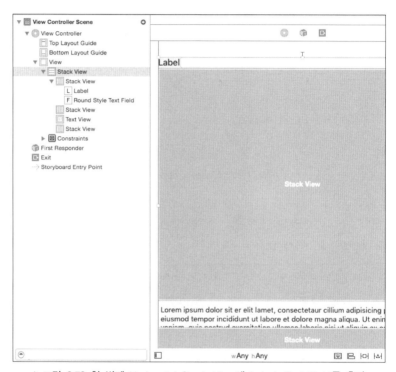

▶그림 2.72 첫 번째 Horizontal Stack View에 Label, Text Field를 추가

❿ 동일한 방법으로 도큐먼트 아웃라인 창에서 두 번째 Horizontal Stack View 를 선택하고 오른쪽 아래 Object 라이브러리로부터 Label과 Text Field 하 나씩 선택하여 드래그-앤-드롭으로 두 번째 Horizontal Stack View에 추 가한다.

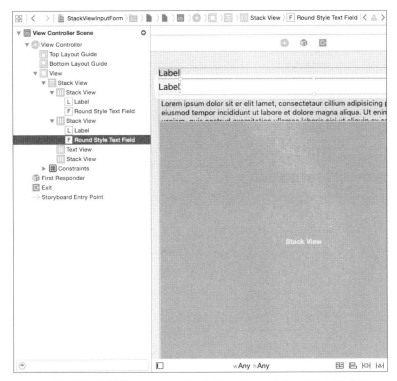

▶그림 2.73 두 번째 Horizontal Stack View에 Label, Text Field를 추가

⓫ 이번에는 도큐먼트 아웃라인 창에서 세 번째 Horizontal Stack View를 선택하고 오른쪽 아래 Object 라이브러리로부터 Button 2개를 선택하여 드래그-앤-드롭으로 세 번째 Horizontal Stack View에 추가한다.

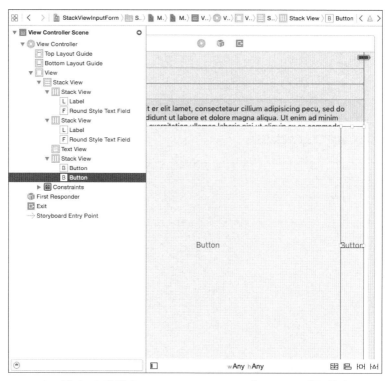

▶그림 2.74 세 번째 Horizontal Stack View에 Button 2개를 추가

⓬ 이제 다시 첫 번째 Horizontal Stack View에 있는 Label을 선택한 상태에서 오른쪽 아래 오토 레이아웃 메뉴 중 세 번째 Pin 을 선택한다. Width를 80으로 지정하고 Width, Height 항목을 모두 체크한 상태에서 아래쪽 "Add 2 Constraints" 버튼을 클릭한다.

▶그림 2.75 Label 컨트롤 제약조건 설정

⓭ 동일한 방법으로 두 번째 Horizontal Stack View의 Label과 Text Field 역시
동일한 제약조건을 설정한다.

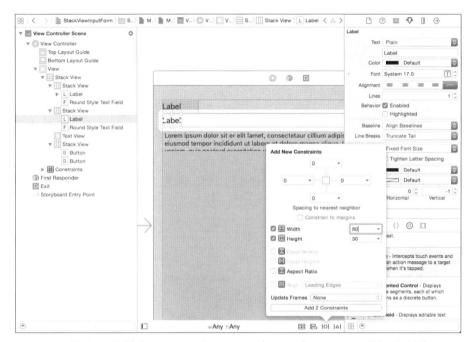

▶그림 2.76 두 번째 Horizontal Stack View의 Label과 Text Field 제약조건 설정

⓮ 이제 Text View를 선택하고 마우스를 사용하여 Text View 아래쪽 라인을
클릭한 뒤, 아래쪽으로 내려 높이를 적당한 크기의 버튼 바로 위까지 늘려
준다.

▶그림 2.77 Text View 높이 증가

⑮ 그다음, 먼저 마우스와 Command 버튼을 사용하여 왼쪽 버튼을 선택하고 이어서 Command 버튼과 마우스를 계속 사용하여 오른쪽 버튼을 선택한다. 이어서 오른쪽 아래 오토 레이아웃 메뉴 중 세 번째 Pin을 선택한다. 메뉴 항목 중 Equal Widths와 Equal Heights를 선택하고 그 아래 "Add 2 Constraints" 버튼을 선택한다.

▶그림 2.78 Button 제약조건 설정

98

⓰ 이어서 첫 번째 Horizontal Stack View를 선택한 상태에서 Attributes 인스펙터를 선택한다. Stack View의 여러 속성 중 Spacing 항목에 20을 설정한다. 두 번째 Horizontal Stack View 역시 동일하게 처리해준다.

▶그림 2.79 첫 번째와 두 번째 Horizontal Stack View의 Stack View 속성 설정

⓱ 첫 번째 Horizontal Stack View의 Label을 선택한 상태에서 Attributes 인스펙터를 선택한다. 그 Text 속성을 "Name :"으로 설정한다.

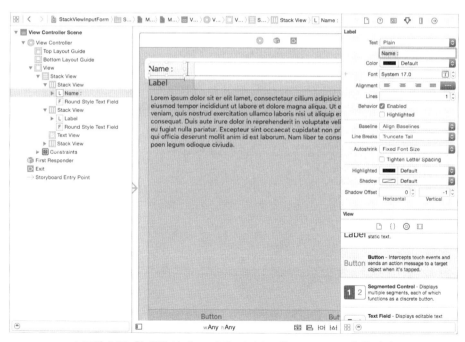

▶그림 2.80 첫 번째 Horizontal Stack View의 Label Text 속성 변경

⑱ 이번에는 두 번째 Horizontal Stack View의 Label을 선택한 상태에서
Attributes 인스펙터를 선택한다. 그 Text 속성을 "Address :"로 설정한다.

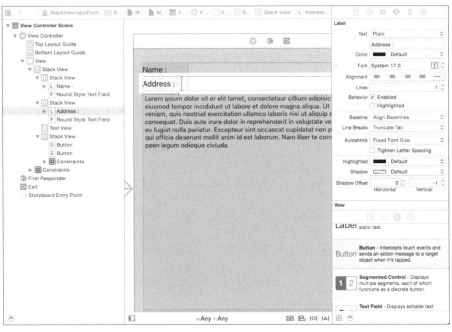

▶그림 2.81 두 번째 Horizontal Stack View의 Label Text 속성 변경

⑲ 그리고 세 번째 Horizontal Stack View를 선택한
상태에서 Attributes 인스펙터를 선택한다. Stack
View의 여러 속성 중 Spacing 항목에 20을 설정
한다.

▶그림 2.82 세 번째 Horizontal Stack
View의 Stack View 속성 설정

❷⓪ 마지막으로 Button 컨트롤을 선택한 상태에서 Attributes 인스펙터를 사용하여 그 Title 속성을 각각 Save와 Cancel로 변경해준다.

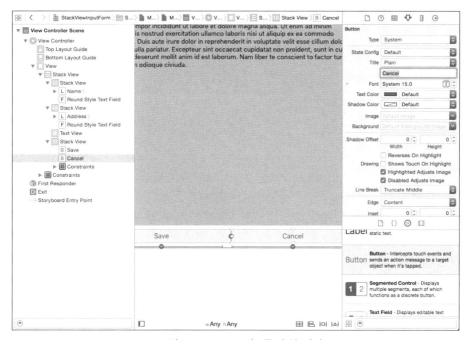

▶그림 2.83 Button 컨트롤 속성 변경

❷① 모든 입력이 끝났다면 Command-R을 눌러 실행시켜본다.

▶그림 2.84 StackViewInputForm 프로젝트 실행

▌원리 설명

이번 절에서는 스택 뷰stack view를 사용하여 일반적으로 가장 자주 사용되는 자료 입력 폼 형태를 만들어 보았다. 먼저 ViewController에 다음과 같이 Vertical Stack View를 추가하였다.

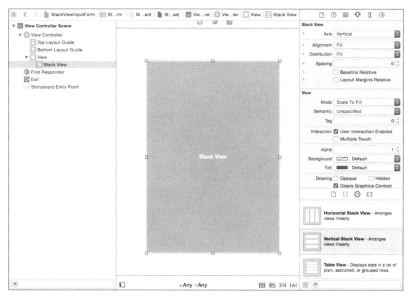

▶그림 2.85 Vertical Stack View를 추가

위와 같이 Vertical Stack View를 추가함으로써 이 스택 뷰에 추가되는 모든 컨트롤을 위에서 아래쪽으로 배치시킬 수 있다. 이 Vertical Stack View에 Horizontal Stack View, Horizontal Stack View, Text View, Horizontal Stack View 순으로 추가하면 추가되는 순서대로 위에서 아래로 배치된다.

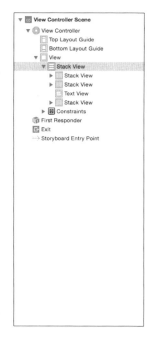

▶그림 2.86 컨트롤 배치 순서

첫 번째와 두 번째 Horizontal Stack View에는 Label과 Text Field를 추가시키는데, 다음과 같이 Horizontal Stack View 속성의 Spacing에 20을 지정하여 Label과 Text Field 사이를 20픽셀의 공백을 지정한다.

▶그림 2.87 첫 번째와 두 번째 Horizontal Stack View 속성

또한, 오토 레이아웃 메뉴 중 세 번째 Pin을 사용하여 라벨의 Width를 80으로 지정하고 Width, Height 항목을 모두 체크하여 라벨이 일정한 크기를 갖도록 지정한다.

▶그림 2.88 Label 컨트롤의 Width와 Height 크기 고정

마지막으로 세 번째 Horizontal Stack View에 지정되는 버튼은 첫 번째와 두 번째 Horizontal Stack View와 같이 Spacing에 20을 지정하여 버튼과 버튼 사이에 일정한 간격을 유지한다(그림 2.87 참조). 이어서 다음과 같이 오토 레이아웃 메뉴 중 세 번째 Pin을 선택하여 메뉴 항목 중 Equal Widths와 Equal Heights를 선택하여 이 두 버튼의 너비와 높이를 같이 지정한다.

▶그림 2.89 두 버튼의 제약조건 설정

다음 표는 여기서 사용된 오토 레이아웃 명령을 보여준다.

▣ 표 2.9 사용된 오토 레이아웃 명령

컨트롤	사용된 오토 레이아웃 명령	설명
Vertical Stack View	Vertical Space	위쪽으로 50만큼 유지
	Vertical Space	아래쪽으로 50만큼 유지
	Horizontal Space	왼쪽으로 0만큼 유지
	Horizontal Space	오른쪽으로 0만큼 유지
Label1	Width	너비 고정(80)
	Height	높이 고정
Label2	Width	너비 고정(80)
	Height	높이 고정
Button1 + Button2	Equal Widths	두 버튼 동일한 크기 고정
	Equal Heights	두 버튼 동일한 크기 고정

아이폰 6/6+의 아이폰의 사이즈가 다양해짐으로 인하여 오토 레이아웃의 기능은 반드시 사용해야 하는 중요한 기능이 되었다. 오토 레이아웃 기능은 아이폰, 아이패드의 모든 해상도뿐만 아니라 기기의 세로와 가로 모드를 모두 지원하는 강력한 기능이다. 하지만 잠깐만 생각해보면 한 가지 커다란 문제점을 발견할 수 있다. 즉, 간단한 화면은 문제가 없겠지만, 화면이 복잡하게 구성되는 경우에는 아이폰과 아이패드의 화면을 동일하게 구성할 수 없다는 점이다. 굳이 아이패드는 생각하지 않고 아이폰만 보더라도 5/5s, 6/6s, 6+/6s+ 모든 해상도 크기가 다른데, 이 모든 화면을 만족하는 화면 구성을 어떻게 할 수 있을까? 더욱이 세로 화면 크기와 가로 화면 크기는 완전히 다른데 이러한 문제 역시 어떻게 해결할 수 있을까?

그 해결책이 바로 이 오토 레이아웃과 함께 자주 사용되는 강력한 기능 중 하나인 사이즈 클래스Size Classes이다. 사이즈 클래스를 사용하면 아이폰과 아이패드의 모든 크기와 가로 및 세로 화면에서 원하는 형식을 별도로 디자인할 수 있어 위의 문제를 모든 해결할 수 있다.

2.2.1 사이즈 클래스(Size Classes) 첫 번째 예제

사이즈 클래스 역시 앱을 작성해보면서 어떤 기능이 제공되고 있고 어떻게 아이폰과 아이패드의 모든 해상도에서 디자인할 수 있는지를 배워 볼 것이다. 사이즈 클래스의 첫 번째 예제로 사이즈 클래스Size Classes를 사용하여 모든 아이폰의 가로 방향과 세로 방향에서 서로 다른 크기의 Text View 컨트롤을 표시하는 방법을 배워본다.

┃그대로 따라 하기

❶ Xcode에서 File-New-Project를 선택한다. 계속해서 왼쪽에서 iOS-Application을 선택하고 오른쪽에서 Single View Application을 선택한다. 이어서 Next

버튼을 누르고 Product Name에 "SizeClassExample1"이라고 지정한다. 아래쪽에 있는 Language 항목은 "Objective-C", Devices 항목은 "iPhone"으로 설정한다. 그 아래 Include Unit Tests 항목과 Include UI Tests 항목은 체크한 상태로 그대로 둔다. 이어서 Next 버튼을 누르고 Create 버튼을 눌러 프로젝트를 생성한다.

▶그림 2.90 SizeClassExample1 프로젝트 생성

❷ 먼저 프로젝트 탐색기에서 Main.storyboard 파일을 선택하고 캔버스에 View Controller를 표시한다. 오른쪽 아래 Object 라이브러리에서 Text View를 선택하고 드래그-앤-드롭으로 캔버스의 ViewController에 떨어뜨린다.

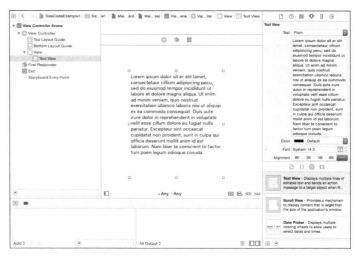
▶그림 2.91 Text View 컨트롤 추가

❸ 캔버스 중앙 아래쪽에 있는 wAny hAny를 클릭하면 사이즈 클래스 변경 창이
나타나는데 그림과 같이 왼쪽 방향의 3개의 그리드를 선택하고 선택된 그리드를
클릭한다. 이렇게 3개의 그리드를 선택하면 일반 아이폰의 세로portrait 방향의 화
면으로 지정된다.

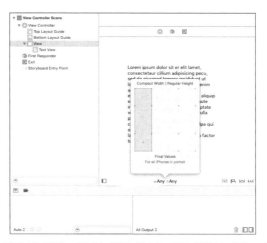
▶그림 2.92 사이즈 클래스 변경 창으로 세로 방향의 해상도 설정

❹ 다시 캔버스에서 Text View 컨트롤을 선택한 상태에서 오른쪽 아래에 있는 오토 레이아웃Auto Layout 메뉴 중 세 번째 Pin을 선택하고 "제약조건 설정" 창이 나타나면 다음 그림과 같이 동, 서, 남, 북 위치 상자에 각각 100, 100, 100, 100을 입력하고 I 빔에 체크한다. 처리가 끝나면 아래쪽 "Add 4 Constraints" 버튼을 클릭한다.

▶그림 2.93 Text View 제약조건 설정

❺ 이어서 캔버스 아래 오토 레이아웃 메뉴의 네 번째 Resolve Auto Layout Issues를 선택하고 All Views in ViewController의 Update Frames를 선택한다.

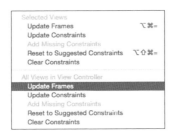

▶그림 2.94 Updates Frames 항목 선택

❻ 이제 다시 캔버스 아래쪽 wCompact hRegular를 선택하여 사이즈 클래스 변경 창을 불러낸다. 이번에는 왼쪽 위에 있는 그리드 2개를 선택하고 그 그리드를 선택한다. 이 그리드를 선택하여 모든 아이폰의 가로landscape 방향의 화면에서 지정할 수 있다. 이때 화면이 wAny hCompact로 변경된다.

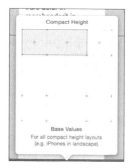

▶그림 2.95 사이즈 클래스 변경 창으로 가로 방향의 해상도 설정

❼ 이제 도큐먼트 아웃라인 창에서 TextView를 선택한 상태에서 오른쪽 아래 있는 오토 레이아웃 메뉴 중 세 번째 Pin을 선택하고 "제약조건 설정" 창이 나타나면 다음 그림과 같이 동, 서, 남, 북 위치 상자에 각각 50, 50, 50, 50을 입력하고 I 빔에 체크한다. 처리가 끝나면 아래쪽 "Add 4 Constraints" 버튼을 클릭한다.

▶그림 2.96 Text View 제약조건 설정

❽ 이어시 갠버스 아래 오토 레이아웃 메뉴의 네 번째 Resolve Auto Layout Issues를 선택하고 All Views in View Controller의 Update Frames를 선택한다.

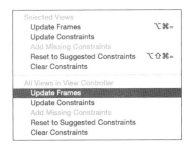

▶그림 2.97 Updates Frames 항목 선택

❾ Command-R을 눌러 시뮬레이터를 실행시켜본다. 먼저 세로 방향의 화면이 나타나는데 Text Field의 동, 서 남, 북의 간격이 각각 100픽셀인지 확인해본다.

▶그림 2.98 SizeClassExample1 프로젝트의 세로 방향 실행

⑩ 이어서 Command + 오른쪽 화살표 버튼을 눌러 아이폰 시뮬레이터 방향을 가로 방향으로 변경해본다. 이때 Text Field의 동, 서, 남, 북의 간격이 각각 50픽셀인지 확인해본다.

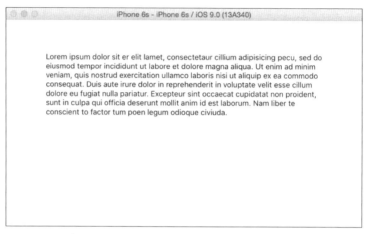

iPhone 6s - iPhone 6s / iOS 9.0 (13A340)

Lorem ipsum dolor sit er elit lamet, consectetaur cillium adipisicing pecu, sed do eiusmod tempor incididunt ut labore et dolore magna aliqua. Ut enim ad minim veniam, quis nostrud exercitation ullamco laboris nisi ut aliquip ex ea commodo consequat. Duis aute irure dolor in reprehenderit in voluptate velit esse cillum dolore eu fugiat nulla pariatur. Excepteur sint occaecat cupidatat non proident, sunt in culpa qui officia deserunt mollit anim id est laborum. Nam liber te conscient to factor tum poen legum odioque civiuda.

▶그림 2.99 SizeClassExample1 프로젝트의 가로 방향 실행

▌원리 설명

사이즈 클래스는 아이폰 혹은 아이패드의 모든 해상도뿐만 아니라 각 기기의 세로 방향과 가로 방향에 따라 달라지는 크기에 별도로 원하는 형태를 작성할 수도 있도록 하는 기능이다.

사이즈 클래스 사용을 설정하기 위해서는 프로젝트 탐색기에서 Main.storyboard 를 선택한 상태에서 File 인스펙터를 선택한다. File 인스펙터의 Interface Builder Document 안에 있는 Use Size Classes 체크 상자에 체크해야 한다. 이 체크는 프로젝트 생성 시 기본적으로 되어 있는 상태이므로 일부러 체크할 필요는 없다.

▶그림 2.100 Use Size Classes 체크 상자 체크

Xcode에서는 이를 위해 Any, Regular, Compact 3개의 사이즈 클래스를 지원하는데 이 세 클래스의 조합에 따라 아이폰과 아이패드에서 지원하는 모든 화면을 결정할 수 있다.

다음 표는 이 두 클래스를 지정하여 사용할 수 있는 아이패드와 아이폰의 화면 종류이다.

📲 표 2.10 사이즈 클래스를 지정해 사용할 수 있는 화면 종류

	수평 크기 사이즈	수직 크기 사이즈
기본값(모든 크기 지원)	Any	Any
모든 아이폰 세로 방향	Compact	Regular
모든 아이폰 가로 방향	Any	Compact
아이폰 세로 방향(6s/6s+ 제외)	Compact	Any
아이폰 가로 방향(6s/6s+ 제외)	Compact	Compact
아이폰 6s/6s+ 가로 방향	Regular	Compact
아이패드 세로, 가로 방향	Regular	Regular

프로젝트를 처음 열었을 때 캔버스 아래쪽에 wAny hAny라는 표시가 있다. 이

표시는 width Any, height Any라는 의미로 바로 위의 표의 첫 번째 항목인 기본값을 의미한다. 즉, 이 화면에서 작성된 제약조건들은 모든 기기의 가로 및 세로 방향에 적용될 수 있다는 의미이다.

이 표시를 클릭하면 다음과 같이 왼쪽과 위쪽으로 4개의 그리드가 선택된 것을 볼 수 있다. 이처럼 4개의 그리드를 선택하면 모든 화면에 적용되는 표준 화면을 설정할 수 있다.

▶그림 2.101 모든 화면의 기본값 설정

만일 다음과 같이 왼쪽 줄 그리드 3개를 선택한다면, wCompact hRegular 화면으로 변경되고 여기서 작성된 모든 제약조건은 모든 아이폰의 세로 방향에 적용된다는 의미이다.

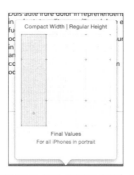

▶그림 2.102 모든 아이폰의 세로 방향에 적용(wCompact hRegular)

또한, 다음과 같이 왼쪽 위 첫 번째 줄 그리드 2개를 선택한다면, wAny hCompact 화면으로 변경되고 여기서 작성된 모든 제약조건은 모든 아이폰의 가로 방향에 적용된다는 의미이다.

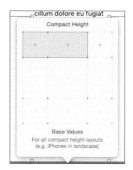

▶그림 2.103 모든 아이폰의 가로 방향에 적용(wAny hCompact)

이번에는 다음과 같이 왼쪽 줄 그리드 2개를 선택한다면, wCompact hAny 화면으로 변경되고 여기서 작성된 모든 제약조건은 아이폰 6s/6s+를 제외한 모든 아이폰의 세로 방향에 적용된다는 의미이다.

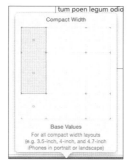

▶그림 2.104 아이폰 6s/6s+를 제외한 모든 아이폰의 세로 방향에 적용(wCompact hAny)

또한, 다음과 같이 왼쪽 위 첫 번째 줄 그리드 1개를 선택한다면, wCompact hCompact 화면으로 변경되고 여기서 작성된 모든 제약조건은 아이폰 6s/6s+를 제외한 모든 아이폰의 가로 방향에 적용된다는 의미이다.

▶그림 2.105 모든 아이폰의 가로 방향에 적용(wCompact hCompact)

마지막으로 다음과 같이 왼쪽 위 첫 번째 줄 그리드 3개를 선택한다면, wRegular hCompact 화면으로 변경되고 여기서 작성된 모든 제약조건은 아이폰 6s/6s+의 가로 방향에 적용된다는 의미이다.

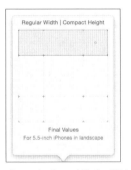

▶그림 2.106 아이폰 6s/6s+의 가로 방향에 적용(wRegular hCompact)

이러한 방법으로 9개의 그리드 중 원하는 그리드를 선택하여 원하는 기기에 대한 특정한 화면을 구성할 수 있다.

예를 들어, 그림 2.102에서 보여주는 모든 아이폰의 세로 방향의 그리드를 설정했다고 가정해보자. 이어서 Text View 컨트롤을 선택하고 Pin 메뉴를 사용하여 다음과 같은 제약조건을 지정해준다. 즉, 세로 방향에서는 동, 서, 남, 북 모두 100픽셀의 간격을 유지한다는 조건을 설정한 것이다.

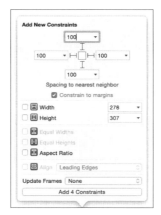

▶그림 2.107 Text Field의 세로 방향 제약조건 설정

이어서 오토 레이아웃 메뉴의 네 번째 Resolve Auto Layout Issues를 선택하여 Update Frames을 클릭하면 다음과 같이 4개의 제약조건이 표시된다.

▶그림 2.108 Text View의 세로 방향 제약조건 표시

이번에는 다시 그림 2.103에서 보여주는 모든 아이폰의 가로 방향의 그리드를 설정한다고 가정해보자. 이어서 Text View 컨트롤을 선택하고 Pin 메뉴를 사용하여 다음과 같은 제약조건을 지정해준다. 즉, 가로 방향에서는 동, 서, 남, 북 모두 50픽셀의 간격을 유지한다는 조건을 설정한 것이다.

▶그림 2.109 Text Field의 가로 방향 제약조건 설정

이어서 오토 레이아웃 메뉴의 네 번째 Resolve Auto Layout Issues를 선택하여 Update Frames을 클릭하면 이번에는 다음과 같이 8개의 제약조건이 표시된다.

▶그림 2.110 Text Field의 가로 방향 제약조건 표시

앞의 그림을 자세히 살펴보면 4개 제약조건은 희미하게 표시되고 4개의 제약조건이 정상대로 표시됨을 알 수 있다. 즉, 희미하게 표시된 4개의 제약조건은 이전 세로 방향 제약조건이고 가로 방향 제약조건만이 정상적으로 표시된 것이다. 즉, 각 그리드를 설정하여 지정한 화면마다 별도의 제약조건이 나타나는 것을 알 수 있다.

만일 그림 2.111의 Constraints 아래쪽에 정상적으로 표시되는 첫 번째 제약조건을 선택하고 오른쪽 위 Size 인스펙터를 클릭하면 다음과 같은 Horizontal Space 제약조건을 볼 수 있다.

▶그림 2.111 "wAny hC"의 첫 번째 제약조건 속성

위 그림의 가장 아래쪽에 install 체크 상자에 체크 표시가 없는데, 이는 전체 화면에 적용되는 wAny hAny에서 제약조건을 지정하지 않았다는 의미이다. 그 아래 줄 "wAny hC" install 체크 상자에는 체크되어 있는데, 이는 모든 아이폰의 가로 방향 화면을 의미하는 Any Wide | Compact Height 화면에 위 제약조건이 설정되어 있다는 의미이다.

다시 그림 2.112에서 보여주듯이 왼쪽 위 첫 번째 줄 그리드 2개를 선택하여 wAny hCompact 화면으로 변경한 뒤 Constraints 아래쪽에 정상적으로 표시되는 첫 번째

제약조건을 선택하고 오른쪽 위 Size 인스펙터를 클릭해본다. 이때 다음과 같은 Vertical Space 제약조건을 볼 수 있다. 이번에는 wC hR에 체크되어 있는데, Wide Compact | Regular Height 화면에 제약조건이 설정되어 있다는 의미이다.

▶그림 2.112 "wC hR"의 첫 번째 제약조건 속성

다음 표는 여기서 사용된 오토 레이아웃 명령을 보여준다.

▶ 표 2.11 사용된 오토 레이아웃 명령

컨트롤	사용된 오토 레이아웃 명령	설명
Text View (wCompact hRegular)	Vertical Space	위쪽으로 100만큼 유지
	Vertical Space	아래쪽으로 100만큼 유지
	Horizontal Space	왼쪽으로 100만큼 유지
	Horizontal Space	오른쪽으로 100만큼 유지
Text View (wAny hCompact)	Vertical Space	위쪽으로 50만큼 유지
	Vertical Space	아래쪽으로 50만큼 유지
	Horizontal Space	왼쪽으로 50만큼 유지
	Horizontal Space	오른쪽으로 50만큼 유지

2.2.2 사이즈 클래스를 사용한 Image View와 Text View 배치

위에서 사이즈 클래스가 무엇인지 대략 알았으니 좀 더 응용하여 위에서 사용한
Text View 디자인에 Image View 컨트롤을 추가해보자. 우선 모든 기기에서 Image
View와 Text View를 위에서 아래 방향으로 배치하는 디자인을 적용해 볼 것이다.
그다음, 모든 아이폰 가로 모드에서는 Image View와 Text View를 왼쪽에서 오른쪽
으로 배치하는 디자인 처리 방법을 추가하는 기능을 처리해볼 것이다.

▌그대로 따라 하기

❶ Xcode에서 File-New-Project를 선택한다. 계속해서 왼쪽에서 iOS-Application
을 선택하고 오른쪽에서 Single View Application을 선택한다. 이어서 Next 버
튼을 누르고 Product Name에 "SizeClassExmaple2"라고 지정한다. 아래쪽에 있
는 Language 항목은 "Objective-C", Devices 항목은 "iPhone"으로 설정한다.
그 아래 Include Unit Tests 항목과 Include UI Tests 항목은 체크한 상태로 그
대로 둔다. 이어서 Next 버튼을 누르고 Create 버튼을 눌러 프로젝트를 생성한다.

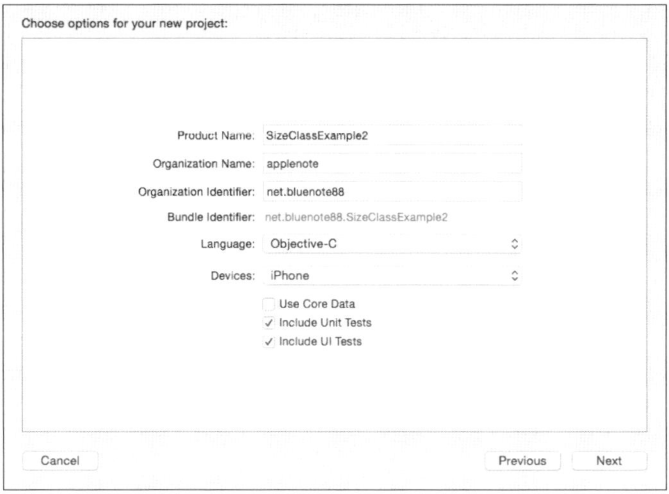

▶그림 2.113 SizeClassExmaple2 프로젝트 생성

❷ 프로젝트 탐색기에서 가장 위쪽 SizeClassExample2 프로젝트 이름(파란색 아이콘)을 선택하고 오른쪽 마우스 버튼을 눌러 New Group을 선택한다. 이어서 그룹 이름을 Resources로 변경한다. 이 그룹에 "사과나무.jpg" 파일을 드래그-앤-드롭으로 복사한다(소스 코드 참고).

▶그림 2.114 Resources 폴더 생성과 그림 파일 복사

❸ 먼저 프로젝트 탐색기에서 Main.storyboard 파일을 선택하고 캔버스에 View Controller를 표시한다. 오른쪽 아래 Object 라이브러리에서 Image View와 Text View 한 개씩 선택하고 드래그-앤-드롭으로 캔버스의 ViewController에 다음 그림과 같이 떨어뜨린다.

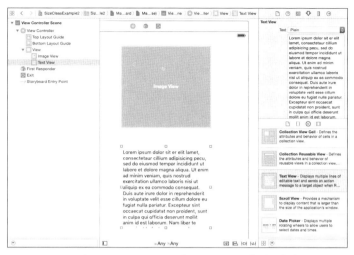

▶그림 2.115 Image View와 Text View 컨트롤 추가

❹ 그다음, 위쪽 Image View 컨트롤을 선택한 상태에서 오른쪽 위 Attributes 인스펙터를 선택한다. Image View 항목의 Image 속성에 위에서 지정한 사과 나무.jpg 파일을 지정한다.

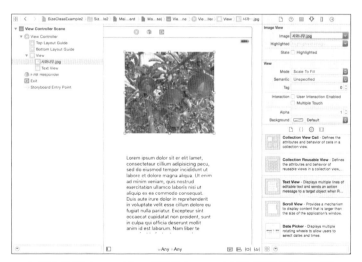

▶그림 2.116 Image View 항목의 Image 속성에 사과나무.jpg 지정

❺ 이번에는 캔버스에서 위쪽 Image View 컨트롤을 선택한 상태에서 오른쪽 아래 있는 오토 레이아웃 메뉴 중 세 번째 Pin을 선택하고 "제약조건 설정" 창이 나타나면 다음 그림과 같이 북쪽 위치 상자에 25를 입력하고 I 빔에 체크한다. 또한, 그 아래 Width와 Height에 각각 250, 250을 입력하고 체크한다. 처리가 끝나면 아래쪽 "Add 3 Constraints" 버튼을 클릭한다.

▶그림 2.117 Image View 제약조건 설정

❻ 이번에는 캔버스의 아래쪽 Text View 컨트롤을 선택한 상태에서 오른쪽 아래 있는 오토 레이아웃 메뉴 중 세 번째 Pin을 선택하고 "제약조건 설정" 창이 나타나면 다음 그림과 같이 남쪽 위치 상자에 25를 입력하고 I 빔에 체크한다. 또한, 그 아래 Width와 Height에 각각 250, 250을 입력하고 체크한다. 처리가 끝나면 아래쪽 "Add 3 Constraints" 버튼을 클릭한다.

▶그림 2.118 Text View 제약조건 설정

❼ 마우스를 사용하여 먼저 Image View 컨트롤을 선택하고 이어서 Command 키와 함께 Text View 컨트롤을 선택한다. 그다음, 오른쪽 아래 있는 오토 레이아웃 메뉴 중 두 번째 Align을 선택하고 "제약조건 설정" 창이 나타나면 다음 그림과 같이 Horizontally in Container를 선택한다. 처리가 끝나면 아래쪽 "Add 2 Constraints" 버튼을 클릭한다.

▶그림 2.119 Image View와 Text View의 수평적 중앙 제약조건

❽ 캔버스 중앙 아래쪽에 있는 wAny hAny를 클릭하면 사이즈 클래스 변경 창이 나타나는데 그림과 같이 왼쪽 위 방향의 2개의 그리드(wAny hCompact)를 선택하고 선택된 그리드를 클릭한다. 이렇게 2개의 그리드를 선택하면 모든 아이폰의 가로landscape 방향의 제약 설정 화면으로 변경된다.

▶그림 2.120 사이즈 클래스 변경 창으로 가로 방향의 화면 설정

❾ 이제 도큐먼트 아웃라인 창의 View 아래 Constraints 중 첫 번째 제약조건(사과나무.jpg.centerX=centerX)을 선택한 상태에서 오른쪽 Attributes 인스펙터를 클릭한다. Vertical Space Constant 항목에 있는 파란색 install 상자 왼쪽에 있는 +를 누른다. 이때 Add Size Class 설정 창에 나타나는데 가장 위의 Any Width | Compact Height(current)를 클릭한다.

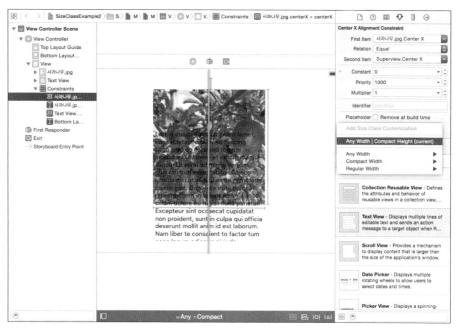

▶그림 2.121 Any Width | Compact Height(current) 클릭

❿ 이때 Attributes 속성 창에는 wAny hC 항목이 나타나면서 디폴트로 체크 상자에 체크되어 있는데, 그 체크를 삭제한다.

▶그림 2.122 wAny hC 체크 삭제

⓫ 동일한 방법으로 도큐먼트 아웃라인 창의 View 아래 Constraints의 두 번째, 세 번째, 네 번째 줄 제약조건을 각각 선택하고 Any Width | Compact Height(current)를 클릭한 뒤, wAny hC 항목의 체크를 각각 삭제한다.

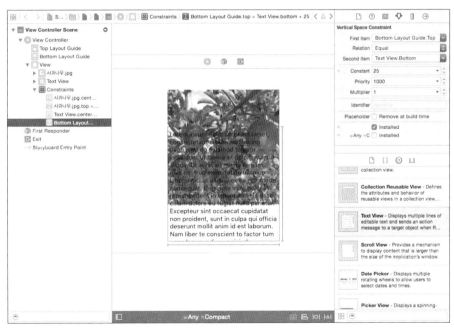

▶그림 2.123 나머지 제약조건에 대한 wAny hC 체크 삭제

⓬ 이제 마우스를 사용하여 왼쪽에 Image View, 오른쪽에 Text View를 재배치한다.

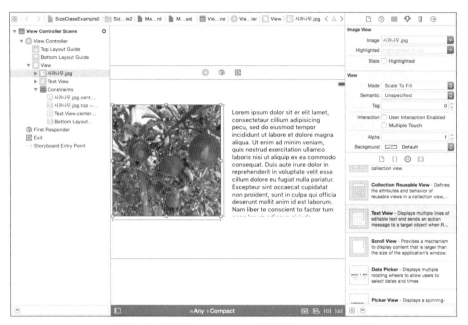

▶그림 2.124 왼쪽에 Image View, 오른쪽에 Text View 배치

⓭ 캔버스에서 왼쪽 Image View 컨트롤을 선택한 상태에서 오른쪽 아래 있는 오토 레이아웃 메뉴 중 세 번째 Pin을 선택하고 "제약조건 설정" 창이 나타나면 다음 그림과 같이 서쪽 위치 상자에 25를 입력하고 I 빔에 체크한다. 처리가 끝나면 아래쪽 "Add 1 Constraint" 버튼을 클릭한다.

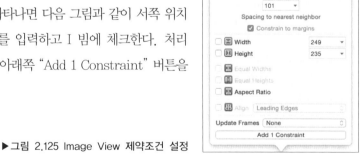

▶그림 2.125 Image View 제약조건 설정

❹ 이번에는 캔버스의 오른쪽 Text View 컨트롤을 선택한 상태에서 오른쪽 아래 있는 오토 레이아웃 메뉴 중 세 번째 Pin을 선택하고 "제약조건 설정" 창이 나타나면 다음 그림과 같이 동쪽 위치 상자에 25를 입력하고 I 빔에 체크한다. 처리가 끝나면 아래쪽 "Add 1 Constraint" 버튼을 클릭한다.

▶그림 2.126 Text View 제약조건 설정

❺ 마우스를 사용하여 먼저 Image View 컨트롤을 선택하고 이어서 Command 키와 함께 Text View 컨트롤을 선택한다. 그다음, 오른쪽 아래 있는 오토 레이아웃 메뉴 중 두 번째 Align을 선택하고 "제약소선 설정" 창이 니티나면 다음 그림과 같이 Vertically in Container를 신택한다. 처리가 끝나면 아래쪽 "Add 2 Constraints" 버튼을 클릭한다.

▶그림 2.127 Image View와 Text View의
수직적 중앙 제약조건

⑯ 마지막으로 캔버스 아래 오토 레이아웃 메뉴의 네 번째 Resolve Auto Layout Issues를 선택하고 All Views in View Controller의 Update Frames를 선택한다.

▶그림 2.128 Updates Frames 항목 선택

⑰ Command—R을 눌러 시뮬레이터를 실행시켜본다. 먼저 세로 방향의 모드에서 Image View와 Text View가 위에서 아래 방향으로 위치되었는지 확인해본다.

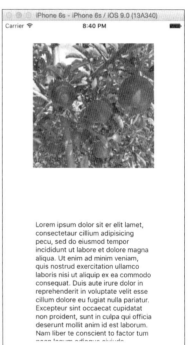

▶그림 2.129 SizeClassExample2 프로젝트의 세로 방향 실행

⓲ 이어서 Command + 오른쪽 화살표 버튼을 눌러 아이폰 시뮬레이터 방향을 가로 방향으로 변경해본다. 이때 Image View와 Text View가 왼쪽에서 오른쪽 방향으로 위치되었는지 확인해본다.

▶그림 2.130 SizeClassExample2 프로젝트의 가로 방향 실행

▌원리 설명

사이즈 클래스는 위에서 설명하였듯이 아이폰 혹은 아이패드의 모든 화면뿐만 아니라 각 기기의 세로 방향과 가로 방향에 따라 달라지는 화면에 별도로 원하는 형태를 작성할 수도 있도록 하는 기능이다. 이번에는 기본으로 제공한 wAny hAny를 사용하여 모든 화면을 지원하는 제약조건을 설정하고 모든 아이폰의 가로 화면에 제공되는 별도의 화면을 추가해 보았다.

먼저 wAny hAny 화면 상태에서 다음과 같이 Image View와 Text View를 위치시킨다. 위에서 설명하였지만, wAny hAny 화면은 왼쪽 위를 중심으로 그리드 4개를 선택할 때 지정된다. 이때 ImageView는 위쪽으로 25픽셀로 고정하고 ImageView의 너비와 높이를 250픽셀로 고정한다. 아래쪽 Text View는 아래쪽으로 25픽셀로 고정하고 Text View의 너비와 높이를 250픽셀로 고정한다. 또한,

두 컨트롤 모두 중앙에 위치하도록 지정한다. 이것을 도큐먼트 아웃라인 창에서 보면 다음과 같은 4개의 제약조건이 추가되어 나타난다.

▶그림 2.131 wAny hAny 화면 상태에서의 제약조건들

이번에는 wAny hAny 화면 상태에서 wAny hCompact(모든 아이폰의 가로 방향)로 변경한 상태에서 위의 제약조건 중 첫 번째(사과나무.jpg.centerX)를 선택하고 오른쪽 위 Attributes 인스펙터를 클릭한다. 이때 속성 아래쪽에는 install 항목이 표시되고 체크 표시에 체크되어 있다. 이는 wAny hCompact 화면에서도 wAny hAny 화면 상태에서 지정한 제약조건이 동작된다는 의미이다. 참고로 이 제약 조건은 ❼번에서 처리한 것으로 두 개의 컨트롤을 세로 방향으로 수평 중앙에 위치시키는 기능이다.

▶그림 2.132 install 항목 체크 표시

계속해서 install 앞쪽에 있는 +를 누르고 Any Width | Compact Height(current)를 선택하여 wAny hC를 별도로 표시한다. 마찬가지로 체크 표시에 체크되어 있는데, 이는 wAny hCompact 화면에서만 별도로 동작하는 제약조건이란 의미이다. 즉, 만일 wAny hC 표시가 없다면, wAny hC뿐만 아니라 다른 화면에서도 무조건 동작하지만, 이처럼 wAny hC를 별도로 표시하면 wAny hC 화면에서만 동작하는 조건을 설정할 수 있다는 의미이다.

이제 wAny hC 다음에 있는 체크를 삭제하면 현재 선택된 제약조건은 wAny hC 화면에서 동작하지 않는다. 도큐먼트 아웃라인 창의 첫 번째 제약조건을 보면 회색으로 변경된 것을 볼 수 있다.

▶그림 2.133 wAny hC 화면에서 제약조건 제거

나머지 세 개의 제약조건 모두 동일하게 처리해주면, 모든 제약조건이 wAny hC 화면에서 동작하지 않는다. 그리고 모든 제약조건이 회색으로 변경된다.

이 상태에서 wAny hC 화면의 컨트롤을 재배치하고 새로운 제약조건을 지정하면 다음과 같이 새로운 제약조건이 추가된다. 추가된 제약조건은 wAny hC 화면에서만 동작하고 그 제약조건 아이콘은 회색이 아닌 파란색을 가지게 된다. 여기서 한 가지 중요한 것은 Width와 Height 크기를 250으로 고정하는 것은 별도의 제약조건으로 지정하지 않았는데, 이 제약은 각각의 컨트롤에서 설정되는 것이므로 View의 제약에서 지정할 필요가 없기 때문이다.

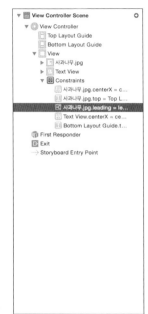

▶그림 2.134 wAny hC 화면에서 제약조건 추가

나머지 제약조건을 추가한 상태에서 도큐먼트 아웃라인 창을 살펴보면 wAny hC 화면에서 동작하는 제약조건은 파란색이고, 동작하지 않는 제약조건은 회색임을 알 수 있다.

▶그림 2.135 wAny hC 화면에서 제약조건 추가

만일 wAny hC 화면에서 기본 wAny hAny 화면으로 변경하면 위의 제약조건이 반대로 변경됨을 알 수 있다. 즉, 회색은 파란색으로 변경되고 파란색은 회색으로 변경되어 wAny hC 화면에서 삭제된 제약조건이 그대로 기본 wAny hAny 화면에서 복구된다.

다음 표는 여기서 사용된 오토 레이아웃 명령을 보여준다.

▶ 표 2.12 사용된 오토 레이아웃 명령

컨트롤	사용된 오토 레이아웃 명령	설명
Image View (wAny hAny)	Vertical Space	위쪽에서 25만큼 유지
	Width	250 크기 설정
	Height	250 크기 설정
Text View (wAny hAny)	Vertical Space	아래쪽에서 25만큼 유지
	Width	250 크기 설정
	Height	250 크기 설정
Image View + Text View (wAny hAny)	Horizontally in Container	수평 방향으로 중앙에 위치
Image View (wAny hCompact)	Horizontal Space	왼쪽에서 25만큼 유지
Text View (wAny hCompact)	Horizontal Space	오른쪽에서 25만큼 유지
Image View + Text View (wAny hCompact)	Vertically in Container	수직 방향으로 중앙에 위치

이 장에서는 한 번에 여러 해상도를 작성할 수 있는 방법인 오토 레이아웃(Auto Layout)과 가로 혹은 세로 방향에서 원하는 화면 처리가 가능한 사이즈 클래스(Size Classes) 기능에 대하여 알아보았다. 먼저 이장 첫 부분에서는 오토 레이아웃 기능에 대한 예제를 소개하였는데, 이 기능은 여러 가지 제한 조건을 지정하여 어떤 화면에서도 동일한 모양을 보여주는 기능을 제공하여 사용자가 쉽게 여러 기기의 화면에서 동일한 사용자 인터페이스를 구현하게 해준다. 또한, 이 장에서는 iOS 9에서 처음으로 도입된 것으로 컨트롤들을 자동으로 수평 혹은 수정으로 배열하는 컨테이너 컨트롤인 스택 뷰에 대한 예제도 소개하였다. 마지막 부분에서는 5/5s, 6/6s, 6+/6s+ 모든 해상도 크기가 다른 경우, 이 모든 화면의 사용자 인터페이스를 해결할 수 있는 사이즈 클래스(Size Classes)에 대한 예제를 소개하여 아이폰과 아이패드의 모든 크기와 가로 및 세로 화면에서 원하는 형식을 별도로 디자인할 수 있는 방법에 대하여 알아보았다.

테이블 뷰 컨트롤러

아이폰에서 많이 사용되는 컨트롤러에는 탭 바 컨트롤러^{Tar Bar Controller}, 내비게이션 컨트롤러^{Navigation Controller}, 테이블 뷰 컨트롤러^{Table ViewController} 등이 있는데, 이들 중 가장 많은 앱에서 사용되는 것은 테이블 뷰 컨트롤러라고 할 수 있다.

테이블 뷰 컨트롤러는 많은 자료를 출력하고자 할 때 사용되는 기능으로 테이블 형식으로 정렬하여 원하는 자료를 깔끔하게 정리해준다. 또한, 텍스트뿐만 아니라 이미지도 함께 출력할 수 있어 출력할 자료를 멋지게 꾸밀 수 있다. 이 장에서는 이러한 테이블에 내비게이션 기능을 추가하여 원하는 자료를 찾을 수 있는 검색 기능을 구현해볼 것이다. 또한, 후반부에는 테이블 뷰 애플리케이션에 새로운 자료를 추가할 수 있는, 끌어서 새로 고침 기능을 소개할 것이다.

위에서 설명하였듯이 테이블 뷰 컨트롤러는 줄 쳐진 노트와 같이 많은 자료를 테이블 형식으로 깔끔하게 나열하는 기능을 제공한다. 또한, 테이블 뷰에는 많은 자료가 포함되므로 이러한 자료를 찾기 위한 검색 기능은 필 수 있다. 이러한 검색 기능은 일반적으로 뷰를 클릭한 뒤 아래쪽으로 내릴 때 자동으로 나타난다.

▶그림 3.1 테이블 뷰 검색 애플리케이션

일반적으로 테이블 뷰 컨트롤러는 단독으로 사용되는 것이 아니라 주로 내비게이션 컨트롤러와 함께 사용되어 원하는 항목을 선택하였을 때 그다음 페이지로 이동하여 선택된 항목에 대한 세부적인 내용을 보여주는 기능을 제공한다.

테이블 뷰 컨트롤러를 사용하여 간단한 단어 검색 기능 처리에 대하여 설명하기 전에 먼저 간단히 1에서 10까지 출력되는 테이블 뷰를 만들어보고 테이블 위쪽에 검색 바Search Bar를 표시하는 간단한 예제를 살펴보자. 이 검색 바는 표시만 되고 실제 검색 기능을 처리되지 않는다.

▌그대로 따라 하기

❶ Xcode에서 File–New–Project를 선택한다. 계속해서 왼쪽에서 iOS–Application 을 선택하고 오른쪽에서 Single View Application을 선택한다. 이어서 Next 버튼을 누르고 Product Name에 "SearchBarExample"이라고 지정한다. 아래 쪽에 있는 Language 항목은 "Objective–C", Devices 항목은 "iPhone"으로 설정한다. 그 아래 Include Unit Tests 항목과 Include UI Tests 항목은 체크 한 상태로 그대로 둔다. 이어서 Next 버튼을 누르고 Create 버튼을 눌러 프로 젝트를 생성한다.

▶그림 3.2 SearchBarExample 프로젝트 생성

❷ 왼쪽 프로젝트 탐색기에서 Main.storyboard 파일을 클릭하고 오른쪽 아래 Object 라이브러리에서 TableView 하나를 캔버스의 View Controller 임의의

위치에 떨어뜨리고 그 너비를 적당하게 늘려준다.

▶그림 3.3 뷰 컨트롤러에 TableView 컨트롤 추가

❸ TableView 컨트롤을 선택한 상태에서 캔버스 아래 오토 레이아웃 메뉴에서
세 번째 Pin을 선택한다. 이때 "제약조건 설정"
창이 나타나는데, 먼저 Constrain to margins
체크를 삭제한다. 이어서 다음 그림과 같이 동,
서, 남, 북 위치 상자에 각각 0, 0, 0, 0을 입력
하고 각각의 I 빔에 체크한 뒤, 가장 아래쪽
"Add 4 Constraints" 버튼을 클릭한다.

▶그림 3.4 TableView 제약조건 설정

140

❹ 이번에는 캔버스 아래 오토 레이아웃 메뉴의 네 번째 Resolve Auto Layout Issues를 선택하고 "All Views"의 "Update Frames"를 선택한다. 혹시 선택할 수 없다면 도큐먼트 아웃라인 창에서 View 항목을 선택한 상태에서 다시 선택하면 된다.

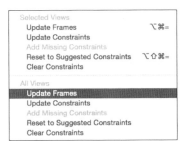

▶그림 3.5 Update Frames 항목 선택

❺ 도큐먼트 아웃라인 창에서 TableView를 선택한 상태에서 오른쪽 위에 있는 Attributes 인스펙터를 선택한다. 이때 TableView 속성이 나타나는데, 위쪽 Prototype Cells 오른쪽에 있는 위쪽 화살표를 눌러 셀의 숫자를 하나 증가시킨다. 이때 캔버스의 View의 위쪽에 Prototype Cells가 표시된다.

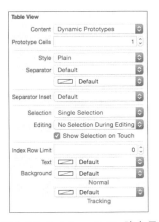

▶그림 3.6 Prototype Cells 하나 증가

❻ 오른쪽 아래 Object 라이브러리로부터 Search Bar 컨트롤을 선택하고 드래그
–앤–드롭으로 도큐먼트 아웃라인 창의 Table View Cell 위쪽에 떨어드린다.
이때 파란색의 동그란 부분이 Table View Cell과 동일한 시작점을 갖도록 한
다.

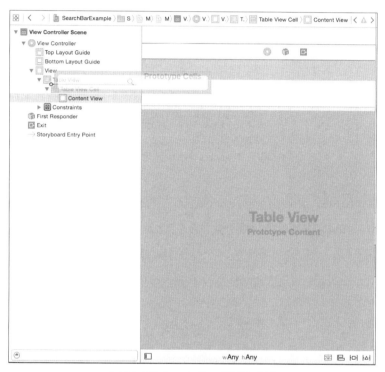

▶그림 3.7 Search Bar 컨트롤 추가

❼ 프로젝트 탐색기에서 Main.storyboard 파일을 선택한 상태에서 오른쪽 위에
있는 도움 에디터Assistant Editor를 선택하여 화면을 변경한다. 도움 에디터의 오
른쪽 화살표를 선택하여 ViewController.h 파일이 표시되도록 한다. 이어서
캔버스에서 Search Bar를 Ctrl 키와 함께 마우스로 선택하고 소스 파일의
@interface 아래쪽으로 드래그–앤–드롭 처리하여 코드를 생성한다. 이때 도

움 패널이 나타나는데, Name 항목에 searchBar라고 입력하고 Connect 버튼
을 눌러 객체 변수를 생성한다.

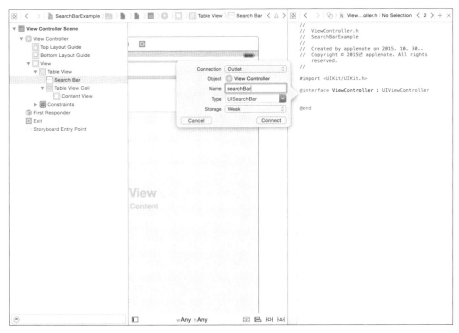

▶그림 3.8 Search Bar 객체 변수 생성

❽ 이번에는 캔버스에서 TableView를 Ctrl 키와 함께 마우스로 선택하고 소스 파
일의 @interface 아래쪽으로 드래그-앤-드롭 처리하여 코드를 생성한다. 이
때 도움 패널이 나타나는데, Name 항목에 tbView라고 입력하고 Connect 버
튼을 눌러 객체 변수를 생성한다.

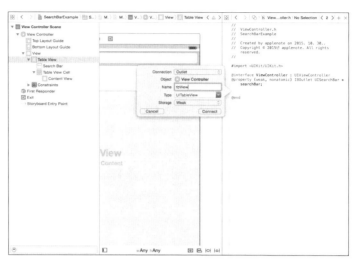

▶그림 3.9 TableView 객체 변수

❾ 이제 다시 오른쪽 위 표준 에디터 버튼을 눌러 표준 에디터로 변경한다. 도큐먼트 아웃라인 창에서 Table View Cell을 선택한 상태에서 오른쪽 위 Identity 인스펙터를 선택한다. 그 둘째 줄 Identifier 항목에 "MyCell"이라고 입력한다.

▶그림 3.10 Identifier 항목에 "MyCell" 입력

⑩ 다시 캔버스에서 Table View를 선택하고 오른쪽 위 Connections 인스펙터를
선택한다. 마우스를 사용하여 Outlets의 dataSource를 선택하고 도큐먼트 아
웃라인 창의 View Controller에 떨어뜨린다. 그 아래 delegate 역시 도큐먼트
아웃라인 창의 View Controller와 연결한다.

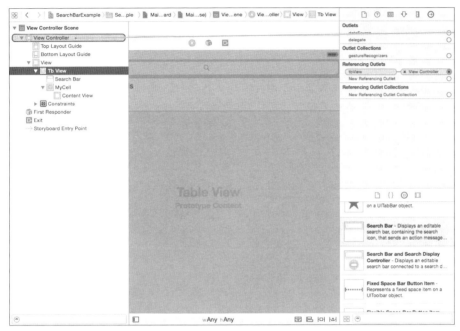

▶ 그림 3.11 Outlets의 dataSource와 도큐먼트 아웃라인 창의 View Controller 연결

⑪ 마지막으로 프로젝트 탐색기에서 ViewController.m 파일을 선택하고 다음과
같이 수정한다.

```
#import "ViewController.h"

@interface ViewController ()

@end
```

```
@implementation ViewController

- (void)viewDidLoad {
    [super viewDidLoad];
    // Do any additional setup after loading the view, typically from a nib.
}

- (void)viewDidAppear:(BOOL)animated{
    [super viewDidAppear:animated];

    CGRect newBounds;

    newBounds = self.tbView.bounds;
    newBounds.origin.y = newBounds.origin.y + self.searchBar.bounds.size.height;

    self.tbView.bounds = newBounds;
}


- (void)didReceiveMemoryWarning {
    [super didReceiveMemoryWarning];
    // Dispose of any resources that can be recreated.
}

#pragma mark - Table view data source

- (NSInteger)numberOfSectionsInTableView:(UITableView *)tableView
{
    // Return the number of sections.
    return 1;
}

- (NSInteger)tableView:(UITableView *)tableView
           numberOfRowsInSection:(NSInteger)section
{
    // Return the number of rows in the section.
    return 10;
}

- (UITableViewCell *)tableView:(UITableView *)tableView
           cellForRowAtIndexPath:(NSIndexPath *)indexPath
```

```
{
    static NSString *CellIdentifier = @"MyCell";

    UITableViewCell *cell =
                [tableView dequeueReusableCellWithIdentifier:CellIdentifier];
    if (cell == nil) {
        cell = [[UITableViewCell alloc]
initWithStyle:UITableViewCellStyleDefault reuseIdentifier:CellIdentifier];
    }

    // Configure the cell...

    cell.textLabel.text = [NSString stringWithFormat:@"Row %ld", indexPath.row];
    return cell;
}

@end
```

⓬ 이제 왼쪽에 있는 Run 혹은 Command-R 버튼을 눌러 실행하면 다음 그림 3.12와 같이 1부터 10까지 출력되는 View Controller가 실행된다. 또한, 뷰를 선택한 뒤, 아래쪽으로 내리면 뷰 위쪽에 검색 바 Search Bar가 표시되는 것을 알 수 있다(그림 3.13 참조).

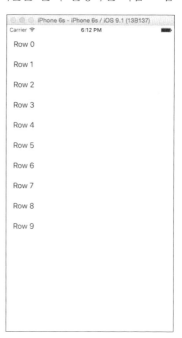

▶그림 3.12 SearchBarExample 프로젝트 실행

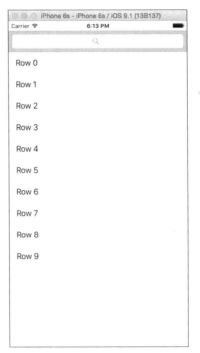

▶그림 3.13 SearchBarExample 실행 시 검색 바 표시

▌원리 설명

이번 절에서는 테이블 뷰 컨트롤러에 검색 바를 추가하는 방법에 대해서 알아볼 것이다. 테이블 뷰에 검색 바를 추가하기 전에 먼저 테이블 뷰 컨트롤러 동작 방법에 대해 알아보자.

일반적으로 테이블 뷰 컨트롤러에서는 자동으로 UITableViewDelegate와 UITableViewDataSource 프로토콜이 사용된다. 프로토콜은 자바의 인터페이스 기능과 비슷한 것으로 지정된 이벤트가 발생할 수 있도록 만들어 놓은 메소드를 구현하는 기능이다. 즉, 다음 그림과 같이 Connections 인스펙터를 사용하여 도큐먼트 아웃라인 창의 ViewController에 Delegate와 DataSource를 연결한 뒤, 이러한 프로토콜에 해당하는 메소드를 작성해주면 자동으로 작성된 메소드가 실행되면서 테이블 기능을 처리하게 된다.

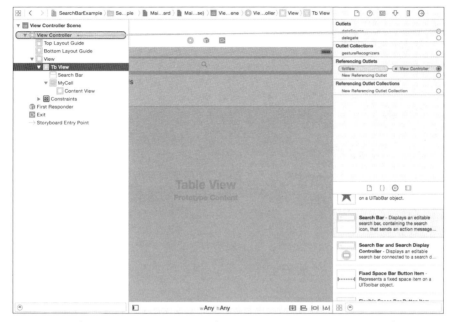

▶그림 3.14 UITableViewDelegate와 UITableViewDataSource 프로토콜 설정

먼저, UITableViewDelegate 객체 프로토콜은 테이블 높이, 헤더header, 푸터footer 출력 등의 작업을 처리하는데, 이 객체에서 제공하는 주요 메소드 핸들러는 다음과 같다. 즉, 이 메소드를 만들어주면 자동으로 테이블의 항목 높이, 선택한 항목을 처리할 수 있는 기능이 실행된다는 의미이다.

▶ 표 3.1 UITableViewDelegate 객체의 주요 메소드

메소드 이름	설명
tableView:heightForRowAtIndexPath:	테이블의 항목 높이 설정
tableView:willSelectRowAtIndexPath:	선택될 테이블 항목 처리
tableView:didSelectRowAtIndexPath:	선택한 테이블 항목 처리
tableView:editStyleForRowAtIndexPath:	행 편집 스타일 지정

또 다른 프로토콜인 UITableViewDataSource는 섹션의 개수, 출력할 항목의 개수, 테이블 제목 등 실제 테이블의 출력에 대한 여러 메소드 핸들러를 제공한다. 이 객체에서 제공하는 주요 메소드는 다음과 같다. 역시 만들어주면 자동으로 섹션의 개수, 출력할 항목을 개수, 테이블 제목 등을 처리하는 기능이 실행된다.

▶ 표 3.2 UITableViewDataSource 객체의 주요 메소드

메소드 이름	설명
numberOfRowsInSection:	각 섹션당 항목의 개수 리턴
cellForRowAtIndexPath:	인덱스에 해당하는 항목의 셀 정보 리턴
numberOfSectionsInTableView:	현재 테이블 뷰의 섹션 수 리턴
titleForHeaderInSection	현재 테이블 뷰의 제목 리턴

테이블은 다음 그림과 같이 여러 개의 섹션section으로 구성된다. 섹션은 다시 헤더header, 본문, 푸터footer 등으로 나누어진다.

▶그림 3.15 테이블의 구조

즉, 위의 메소드를 작성하면 관련된 프로토콜 메소드가 수행되고 위에서 보여주는 여러 헤더, 본문, 푸터 등이 생성되면서 테이블 뷰가 만들어진다. 이제 소스 코드

ViewController.m을 살펴보자

먼저, 뷰 내용을 메모리에 로드시켜 화면에 표시하는 ViewDidLoad 메소드에는 별다른 초기화할 것이 없으므로 다음과 같이 빈 상태로 둔다.

```
- (void)viewDidLoad {
    [super viewDidLoad];
    // Do any additional setup after loading the view, typically from a nib.
}
```

이제 UITableViewDataSource 프로토콜에 대한 객체 이벤트 함수를 하나씩 작성 해보자. 위에서 설명했듯이 프로토콜 이벤트 함수는 작성하면 자동으로 수행되는 함 수이다.

먼저, 테이블을 구성하는 섹션의 수를 지정하는 numberOfSectionsInTableView 를 다음과 같이 작성한다. 섹션은 테이블 자료를 출력하는 일종의 그룹 데이터이다. 여기서는 숫자 1에서 10까지 출력을 사용하는 1개의 섹션으로 구성된다.

```
- (NSInteger)numberOfSectionsInTableView:(UITableView *)tableView
{
    // Return the number of sections.
    return 1;
}
```

그다음, 테이블에 몇 개의 자료를 출력할지 결정해보자. numberOfRowsInSection 을 사용하여 출력할 자료의 개수를 지정할 수 있다. 여기서는 10을 지정하고 10개의 자료를 테이블에 출력한다.

```
- (NSInteger)tableView:(UITableView *)tableView
            numberOfRowsInSection:(NSInteger)section
{
    // Return the number of rows in the section.
```

```
    return 10;
}
```

그다음, 실제로 자료를 출력하는 cellForRowAtIndexPath 메소드를 살펴보자.
즉, 이 메소드는 (섹션 수 * 자료의 수)만큼 자동 반복 호출된다.

먼저, 테이블 뷰의 dequeueReusableCellWithIdentifier를 사용하여 셀을 재활용
할 수 있도록 하는 UITableViewCell 객체를 생성한다. 테이블에서 셀을 구성할 때
거의 동일한 셀 형태를 사용하므로 한번 생성된 셀 객체는 재사용하여 별도로 생성할
필요 없이 그대로 사용할 수 있다.

```
- (UITableViewCell *)tableView:(UITableView *)tableView
     cellForRowAtIndexPath:(NSIndexPath *)indexPath
{
    static NSString *CellIdentifier = @"MyCell";
    UITableViewCell *cell = [tableView
              dequeueReusableCellWithIdentifier:CellIdentifier];
    ...
```

이때 파라미터값으로 "MyCell"이 사용되는데, 이 값은
도큐먼트 아웃라인 창에서 테이블 셀을 선택한 상태에서
Attributes 인스펙터를 선택하였을 때 표시되는 Table
View Cell 속성의 Identifier 값에 지정된 문자 값이다.

▶그림 3.16 Table View Cell 속성의 Identifier 값

그다음, 테이블 셀에 자료를 출력하기 위해서는 원하는 값을 UITableVIewCell 객
체의 textLabel의 text 속성에 지정하면 된다. 예를 들어, 테이블에 Row 0부터 Row

9까지 출력하기를 원한다면, 다음과 같이 stringWithFormat 메소드로 원하는 출력 형식을 만들어 UITableVIewCell 객체의 textLabel의 text 속성에 지정한다. 이때 파라미터값으로 전달되는 indexPath 객체의 row를 이용하여 현재 출력되는 테이터의 인덱스 순서를 알 수 있다.

```
    cell.textLabel.text = [NSString stringWithFormat:@"Row %ld", indexPath.row];
    return cell;
}
```

　여기서는 UITableViewDelegate 객체 프로토콜은 설정되었지만, 그 관련 메소드는 사용하지 않았다. 검색 바는 테이블 뷰 위쪽에 위치하는데, 캔버스에 직접 위치시키는 것보다는 다음 그림과 같이 도큐먼트 아웃라인 창을 사용하여 테이블 뷰 아래쪽 테이블 셀 위에 드래그-앤-드롭으로 위치시키는 것이 좋다.

▶그림 3.17 검색 바의 위치

지금까지 처리한 것을 실행하면 검색 바는 테이블 뷰와 함께 위쪽에 표시되는 데, 이것을 숨기고 테이블 뷰를 아래쪽으로 당겼을 때 표시되도록 변경해보자.

이를 위해 viewDidAppear 이벤트 함수를 이용한다. 일반적으로 자주 사용되는 viewDidLoad 이벤트 함수는 뷰 컨트롤러에서 뷰를 로드하고자 할 때 사용되는 반면, viewDidAppear 이벤트 함수는 뷰를 완전히 로드한 뒤에 호출되는 함수이다. 당연히 viewDidLoad 이벤트 함수 다음에 호출된다.

먼저 현재 테이블 뷰의 크기를 newBounds라는 변수에 지정한다. 타입이 CGRect 이므로 테이블의 시작 위치와 크기, 너비 등이 모두 지정된다.

```
- (void)viewDidAppear:(BOOL)animated{
    [super viewDidAppear:animated];

    CGRect newBounds;
    newBounds = self.tbView.bounds;
    ...
```

테이블이 시작되는 y 좌표를 검색 바의 높이 길이만큼 아래쪽으로 내린 새로운 newBounds를 테이블 뷰에 새로 지정한다. 이렇게 처리함으로써 위쪽에 있는 검색 바는 스크롤되어 위로 올라가 화면에 보이지 않게 된다.

```
    newBounds.origin.y = newBounds.origin.y + self.searchBar.bounds.size.height;
    self.tbView.bounds = newBounds;
}
```

검색 바는 위쪽으로 올라가 있는 상태이므로 테이블 뷰를 아래쪽으로 당겨주면 다시 나타나게 된다.

3-2 단어 검색 처리

위에 배운 검색 바 기능을 사용하여 영어 단어 검색 기능을 처리하는 간단한 앱을 만들어보자. 이번에는 검색되었을 때 자료를 보여주기 위해 내비게이션 컨트롤러도 추가해보고 실제로 검색이 어떻게 처리되는지 대해서 알아보자.

▌그대로 따라 하기

❶ Xcode에서 File-New-Project를 선택한다. 계속해서 왼쪽에서 iOS-Application을 선택하고 오른쪽에서 Single View Application을 선택한다. 이어서 Next 버튼을 누르고 Product Name에 "DictionaryExample"이라고 지정한다. 아래쪽에 있는 Language 항목은 "Objective-C", Devices 항목은 "iPhone"으로 설정한다. 그 아래 Include Unit Tests 항목과 Include UI Tests 항목은 체크한 상태로 그대로 둔다. 이어서 Next 버튼을 누르고 Create 버튼을 눌러 프로젝트를 생성한다.

▶그림 3.18 DictionaryExample 프로젝트 생성

❷ 프로젝트 탐색기의 Supporting Files에서 오른쪽 마우스 버튼을 누르고 New File을 선택하면 다음과 같이 템플리트 선택 창이 나타난다. 이때 왼쪽 iOS-Resource를 선택한 뒤, 오른쪽에서 Property List 항목을 선택한다. 이어서 Next 버튼을 선택한다.

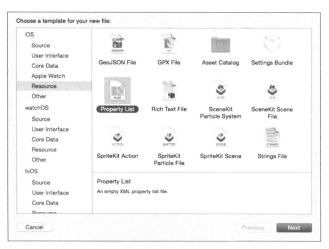

▶그림 3.19 Property List 항목 선택

❸ 이때 자료 저장 창이 나타나는데, Save As 항목에 Data01.plist를 입력하고 Create 버튼을 눌러 사전 기능을 처리할 단어를 작성한다.

▶그림 3.20 Data01.plist 이름으로 저장

❹ 이어서 캔버스 위치에는 자료 입력 창이 나타나는데, Root를 선택한 상태에서 오른쪽 마우스 버튼을 누르고 AddRow를 선택한다. 이때 다음과 같이 New item 항목이 추가된다.

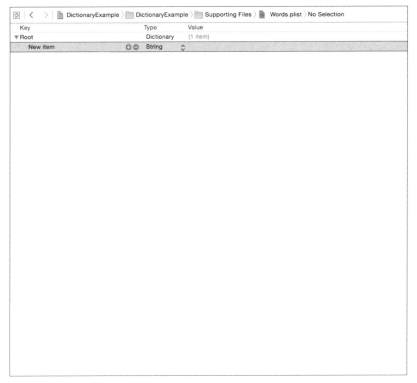

▶그림 3.21 New item 항목 추가

❺ 이제 New item 부분을 클릭하여 "hand"를 입력하고 Value 부분에 "손"을 입력한다.

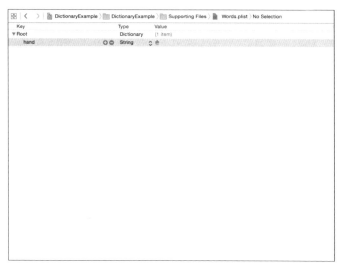
▶그림 3.22 첫 번째 단어 입력

❻ 다시 오른쪽 마우스 버튼을 누르고 AddRow를 선택하여 다른 자료를 다음 표와
같이 입력한다.

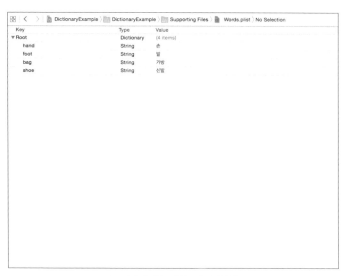
▶그림 3.23 다른 자료 입력

표 3.3 지금까지 입력된 단어 자료

Key	Type	Value
hand	String	손
foot	String	발
bag	String	가방
shoe	String	신발

❼ 이제 다시 왼쪽 프로젝트 탐색기에서 Main.storyboard 파일을 클릭하고 도
큐먼트 아웃라인 창에서 View Controller를 선택한 상태에서 Editor 메뉴의
Embed In-Navigation Controller 항목을 선택하여 내비게이션 컨트롤러를
추가한다.

▶그림 3.24 내비게이션 컨트롤러 추가

❽ 이어서 오른쪽 아래 Object 라이브러리에서 TableView 하나를 캔버스의 View Controller 임의의 위치에 떨어뜨리고 그 너비를 적당하게 늘려준다.

▶그림 3.25 뷰 컨트롤러에 TableView 컨트롤 추가

❾ TableView 컨트롤을 선택한 상태에서 캔버스 아래 오토 레이아웃 메뉴에서 세 번째 Pin을 선택한다. 이때 "제약조건 설정" 창이 나타나는데, 먼저 Constrain to margins 체크를 삭제한다. 이어서 다음 그림과 같이 동, 서, 남, 북 위치 상자에 각각 0, 0, 0, 0를 입력하고 각각의 I 빔에 체크한 뒤, 가장 아래쪽 "Add 4 Constraints" 버튼을 클릭한다.

▶그림 3.26 TableView 제약조건 설정

⑩ 이번에는 캔버스 아래 오토 레이아웃 메뉴의 네 번째 Resolve Auto Layout Issues를 선택하고 "All Views"의 "Update Frames"를 선택한다. 혹시 선택할 수 없다면 도큐먼트 아웃라인 창에서 View 항목을 선택한 상태에서 다시 선택하면 된다.

▶그림 3.27 Update Frames 항목 선택

⑪ 도큐먼트 아웃라인 창에서 TableView를 선택한 상태에서 오른쪽 위에 있는 Attributes 인스펙터를 선택한다. 이때 TableView 속성이 나타나는 데, 위쪽 Prototype Cells 오른쪽에 있는 위쪽 화살표를 눌러 셀의 숫자를 하나 증가시킨다. 이때 캔버스의 View의 위쪽에 Prototype Cells가 표시된다.

▶그림 3.28 Prototype Cells 하나 증가

⑫ 오른쪽 아래 Object 라이브러리로부터 Search Bar 컨트롤을 선택하고 드래그-
앤-드롭으로 도큐먼트 아웃라인 창의 Table View Cell 위쪽에 떨어드린다. 이
때 파란색의 동그란 부분이 Table View Cell과 동일한 시작점을 갖도록 한다.

▶그림 3.29 Search Bar 컨트롤 추가

⑬ 이제 도큐먼트 아웃라인에서 Table View를 선택하고 오른쪽 Size 인스펙터를 선택한다. 그 View 속성 중 Y에 0, Height에 600을 지정한다.

▶그림 3.30 Table View의 Y 값과 Height 값 속성 수정

⑭ 도큐먼트 아웃라인에서 View를 선택한 상태에서 오토 레이아웃 메뉴의 네 번째 Resolve Auto Layout Issues에 있는 Reset to Suggested Constraints 항목을 선택한다.

▶그림 3.31 Reset to Suggested Constraints 항목을 선택

⑮ 프로젝트 탐색기에서 Main.storyboard 파일을 선택한 상태에서 오른쪽 위에 있는 도움 에디터Assistant Editor를 선택하여 화면을 변경한다. 도움 에디터의 오른

쪽 화살표를 선택하여 ViewController.h 파일이 표시되도록 한다. 이어서 캔버스에서 Search Bar를 Ctrl 키와 함께 마우스로 선택하고 소스 파일의 @interface 아래쪽으로 드래그–앤–드롭 처리하여 코드를 생성한다. 이때 도움 패널이 나타나는데, Name 항목에 searchBar라고 입력하고 Connect 버튼을 눌러 객체 변수를 생성한다.

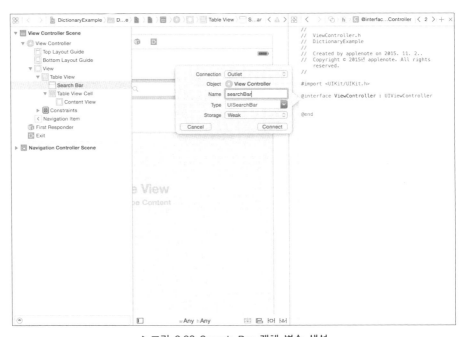

▶그림 3.32 Search Bar 객체 변수 생성

⑯ 이번에는 캔버스에서 TableView를 Ctrl 키와 함께 마우스로 선택하고 소스 파일의 @interface 아래쪽으로 드래그–앤–드롭 처리하여 코드를 생성한다. 이때 도움 패널이 나타나는데 Name 항목에 tbView라고 입력하고 Connect 버튼을 눌러 객체 변수를 생성한다.

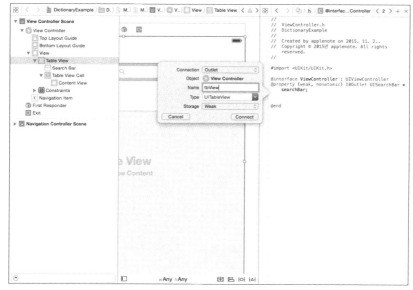

▶그림 3.33 TableView 객체 변수

⑰ 이제 다시 오른쪽 위 표준 에디터 버튼을 눌러 표준 에디터로 변경한다. 도큐먼트 아웃라인 창에서 Table View Cell을 선택한 상태에서 오른쪽 위 Identity 인스펙터를 선택한다. 그 둘째 줄 Identifier 항목에 "MyCell"이라고 입력한다.

▶그림 3.34 Identifier 항목에 "MyCell" 입력

⓲ 다시 캔버스에서 Table View(Tb View)를 선택하고 오른쪽 위 Connections 인스펙터를 선택한다. 마우스를 사용하여 Outlets의 dataSource를 선택하고 도큐먼트 아웃라인 창의 View Controller에 떨어뜨린다. 그 아래 delegate 역시 도큐먼트 아웃라인 창의 View Controller와 연결한다.

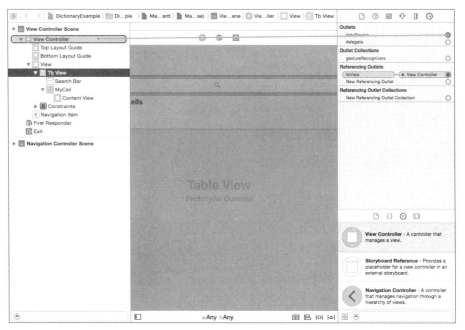

▶그림 3.35 Outlets의 dataSource와 도큐먼트 아웃라인 창의 View Controller 연결

⓳ 이제 오른쪽 아래 Object 라이브러리에서 View Controller 하나를 캔버스의 View Controller 오른쪽에 위치시킨다.

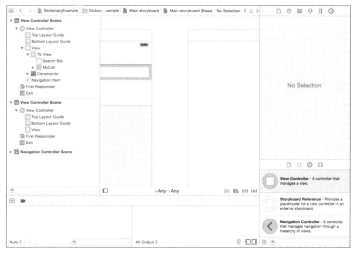

▶그림 3.36 두 번째 View Controller 추가

⓴ 이어서 도큐먼트 아웃라인 창에서 TableView Cell(MyCell)을 선택하고 그대로 드래그–앤–드롭으로 새로운 두 번째 View Controller에 떨어뜨린다. 이때 다음과 같이 세구에 연결 상자가 나타나면 Selection Segue의 Show 항목을 선택한다.

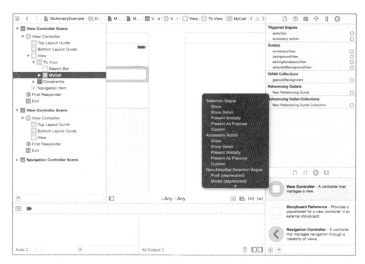

▶그림 3.37 세구에 연결 상자

㉑ 계속해서 오른쪽 아래 Object 라이브러리에서 2개의 Label 컨트롤을 선택하고 두 번째 View Controller에 떨어뜨린다.

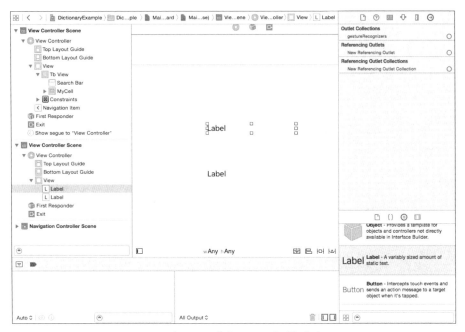

▶그림 3.38 2개의 Label 컨트롤 추가

㉒ 먼저 첫 번째 Label을 선택한 상태에서 캔버스 아래 오토 레이아웃 메뉴의 세 번째 Pin을 선택한다. 이때 "제약조건 설정" 창이 나타나는데, 북쪽 위치 상자에 120을 입력하고 Width, Height에 체크한다. 이어서 그 아래 Add 3 Constraints를 클릭한다.

▶그림 3.39 첫 번째 라벨의 Pin 메뉴 제약조건

㉓ 계속 첫 번째 라벨을 선택한 상태에서 캔버스 아래 오토 레이아웃 메뉴의 두 번째 Align을 선택한다. 제약조건이 설정 창이 나타나면 Horizontally in Container에 체크하고 아래쪽 Add 1 Constraint를 클릭한다.

▶그림 3.40 첫 번째 라벨의 Align 메뉴 제약조건

㉔ 동일한 방법으로 두 번째 Label을 선택한 상태에서 Pin 메뉴를 선택하고 북쪽 위치 상자에 60을 입력하고 Width, Height에 체크한다. 이어서 그 아래 Add 3 Constraints를 클릭한다. 또한, 오토 레이아웃 메뉴의 두 번째 Align을 선택하여 제약조건이 설정 창이 나타나면 역시 Horizontally in Container에 체크하고 아래쪽 Add 1 Constraint를 클릭한다.

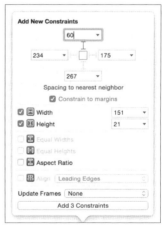

▶그림 3.41 두 번째 라벨의 Pin 메뉴 제약조건

㉕ 이어서 캔버스 아래 오토 레이아웃 메뉴의 네 번째 Resolve Auto Layout Issues를 선택하고 "All Views in View Controller"의 "Update Frames"를 선택한다.

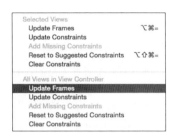

```
Selected Views
    Update Frames                          ⌥⌘=
    Update Constraints
    Add Missing Constraints
    Reset to Suggested Constraints         ⌥⇧⌘=
    Clear Constraints

All Views in View Controller
    Update Frames
    Update Constraints
    Add Missing Constraints
    Reset to Suggested Constraints
    Clear Constraints
```

▶그림 3.42 Update Frames 항목 선택

❷❻ 프로젝트 탐색기의 DictionaryExample(노란색 아이콘)에서 오른쪽 마우스
버튼을 누르고 New File 항목을 선택한다. 이때 템플릿 선택 대화상자가 나타
나면, 왼쪽에서 iOS-Source를 선택하고 오른쪽에서 Cocoa Touch Class를
선택한 뒤, Next 버튼을 누른다. 이때 새 파일 이름을 입력하라는 대화상자가
나타나면, 다음 그림과 같이 SecondViewController를 입력한다. 이때 그 아
래 Subclass of 항목에 UIViewController를 지정하도록 하고 "Also create
XIB file" 체크 상자에는 체크하지 않도록 한다. 그 아래 Language 항목은
Objective-C를 선택한다. 이상이 없으면 Next 버튼을 눌러 파일을 생성한다.

▶그림 3.43 SecondViewController 파일 생성

㉗ 도큐먼트 아웃라인 창에서 새로 생성한 View Controller를 선택하고 오른쪽 위 Identity 인스펙터를 선택한다. 이때 Custom Class 항목의 Class 상자에 위에서 생성한 SecondViewController를 입력하거나 지정한다.

▶그림 3.44 Class 상자에 SecondViewController 지정

㉘ 프로젝트 탐색기에서 Main.storyboard 파일을 선택한 상태에서 오른쪽 위에 있는 도움 에디터Assistant Editor를 선택하여 화면을 변경한다. 도움 에디터의 오른쪽 화살표 선택 혹은 파일 이름을 선택하여 SecondViewController.h 파일이 표시되도록 한다. 이어서 캔버스에서 첫 번째 Label 컨트롤을 Ctrl 키와 함께 마우스로 선택하고 소스 파일의 @interface 아래쪽으로 드래그-앤-드롭 처리하여 코드를 생성한다. 이때 도움 패널이 나타나는데, Name 항목에 findWord 라고 입력하고 Connect 버튼을 눌러 객체 변수를 생성한다.

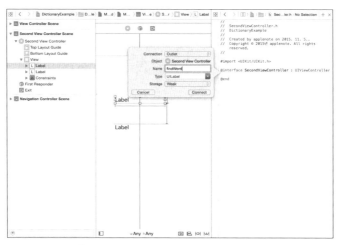

▶그림 3.45 첫 번째 Label에 대한 객체 변수 생성

㉙ 동일한 방법으로 두 번째 Label 컨트롤을 Ctrl 키와 함께 마우스로 선택하고 위에서 생성된 객체 변수 아래쪽으로 드래그-앤-드롭 처리하여 코드를 생성한다. 이때 도움 패널이 나타나는데, Name 항목에 resultWord라고 입력하고 Connect 버튼을 눌러 객체 변수를 생성한다.

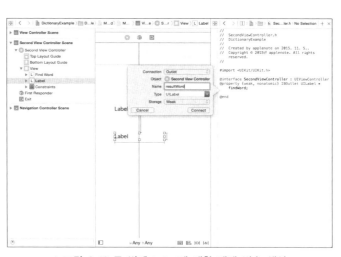

▶그림 3.46 두 번째 Label에 대한 객체 변수 생성

⑳ 다시 오른쪽 위에 있는 표준 에디터Standard Editor 아이콘을 선택하여 표준 에디터로 화면을 변경한다. 프로젝트 탐색기에서 ViewController.h 파일을 선택하고 다음과 같이 수정한다.

```
#import <UIKit/UIKit.h>

@interface ViewController : UIViewController <UISearchResultsUpdating>
@property (weak, nonatomic) IBOutlet UISearchBar *searchBar;
@property (weak, nonatomic) IBOutlet UITableView *tbView;

@property (strong, nonatomic) UISearchController *searchController;

@end
```

㉛ 이어서 프로젝트 탐색기에서 ViewController.m 파일을 선택하고 다음과 같이 수정한다.

```
#import "ViewController.h"
#import "SecondViewController.h"

@interface ViewController ()
{
    CGRect orgBounds;
    NSArray *allwords;
    NSArray *searchResults;
    NSDictionary *mainDic;
}
@end

@implementation ViewController

- (void)viewDidLoad {
    [super viewDidLoad];
    // Do any additional setup after loading the view, typically from a nib.

    NSString *path = [[NSBundle mainBundle] pathForResource: @"Data01"
ofType:@"plist"];
```

```objc
    mainDic = [[NSDictionary alloc] initWithContentsOfFile:path];
    allwords = [mainDic allKeys];

    self.searchController = [[UISearchController alloc]
                initWithSearchResultsController:nil];
    self.searchController.searchResultsUpdater = self;
    self.searchController.dimsBackgroundDuringPresentation = NO;
    self.searchController.searchBar.scopeButtonTitles = nil;
    [self.searchController.searchBar sizeToFit];

    self.tbView.tableHeaderView = self.searchController.searchBar;
}

- (void)updateSearchResultsForSearchController:
        (UISearchController *) searchController
{
    NSString * searchtext = searchController.searchBar.text;
    NSPredicate *resultPredicate =
        [NSPredicate predicateWithFormat:@"SELF CONTAINS[c] %@", searchtext];
    searchResults = [allwords filteredArrayUsingPredicate:resultPredicate];
    [self.tbView reloadData];
}

- (void)viewDidAppear:(BOOL)animated{
    [super viewDidAppear:animated];

    CGRect newBounds;
    if (CGRectIsEmpty(orgBounds))
        orgBounds = self.tbView.bounds;
    newBounds = orgBounds;
    float searchbarHeight = 44;
    newBounds.origin.y = newBounds.origin.y + searchbarHeight;
    self.tbView.bounds = newBounds;
}

- (void)didReceiveMemoryWarning {
    [super didReceiveMemoryWarning];
    // Dispose of any resources that can be recreated.
}

#pragma mark - Table view data source
```

```objc
- (NSInteger)numberOfSectionsInTableView:(UITableView *)tableView
{
    return 1;
}


- (NSInteger)tableView:(UITableView *)tableView
        numberOfRowsInSection:(NSInteger)section
{
    if (self.searchController.active)
    {
        return searchResults.count;
    }
    else
    {
        return allwords.count;
    }
}

- (UITableViewCell *)tableView:(UITableView *)tableView
        cellForRowAtIndexPath:(NSIndexPath *)indexPath
{
    static NSString *CellIdentifier = @"MyCell";

    UITableViewCell *cell =
        [tableView dequeueReusableCellWithIdentifier:CellIdentifier];
    cell.accessoryType = UITableViewCellAccessoryDisclosureIndicator;

    if (self.searchController.active)
    {
        cell.textLabel.text = searchResults[indexPath.row];

    }
    else
    {
        cell.textLabel.text = allwords[indexPath.row];
    }
    return cell;
}

#pragma mark - Navigation
```

```objc
// In a storyboard-based application, you will often want to do a little
preparation before navigation

- (void)prepareForSegue:(UIStoryboardSegue *)segue sender:(id)sender
{
    SecondViewController *viewController = [segue destinationViewController];
    NSIndexPath *currentIndex = [self.tbView indexPathForSelectedRow];

    NSString *cellValue;

    if (self.searchController.active)
    {
        cellValue = [searchResults objectAtIndex:currentIndex.row];
        viewController.findData = cellValue;
        viewController.resultData = mainDic[cellValue];
    }
    else
    {
        cellValue = [allwords objectAtIndex:currentIndex.row];
        viewController.findData = cellValue;
        viewController.resultData = mainDic[cellValue];
    }
}

@end
```

㉜ 이번에는 프로젝트 탐색기에서 SecondViewController.h 파일을 선택하고 다
음과 같이 수정한다.

```objc
#import <UIKit/UIKit.h>

@interface SecondViewController : UIViewController
@property (weak, nonatomic) IBOutlet UILabel *findWord;
@property (weak, nonatomic) IBOutlet UILabel *resultWord;

@property (strong, nonatomic) NSString *findData;
@property (strong, nonatomic) NSString *resultData;

@end
```

③③ 마지막으로 프로젝트 탐색기에서 SecondViewController.m 파일을 선택하고 다음과 같이 수정한다.

```
#import "SecondViewController.h"

@interface SecondViewController ()

@end

@implementation SecondViewController
@synthesize findWord, resultWord;
@synthesize findData, resultData;

- (void)viewDidLoad {
    [super viewDidLoad];
    // Do any additional setup after loading the view.
    findWord.text = findData;
    resultWord.text = resultData;
}

- (void)didReceiveMemoryWarning {
    [super didReceiveMemoryWarning];
    // Dispose of any resources that can be recreated.
}

@end
```

③④ 이제 Xcode 왼쪽에 있는 Run 혹은 Command-R 버튼을 눌러 실행한다. 뷰를 아래쪽으로 내리고 검색 바에 리스트에 있는 단어를 입력하여 단어를 검색해본다.

▶그림 3.47 DictionaryExample 프로젝트 실행

▌원리 설명

이번 절에서는 테이블 뷰 컨트롤러에 검색 바를 추가하여 실제로 검색 처리를 어떻게 하는지에 대하여 알아본다. 여기서 만들어 볼 것은 영어단어를 입력하면 그 단어의 뜻을 그다음 페이지에 보여주는 간단한 사전이다.

먼저 단어를 저장하는 plist 파일에 대하여 알아보자. plist 파일은 property list 파일의 약자로 앱에서 사용되는 주요 정보를 보관하는 텍스트 파일이다. 이 파일은 유니코드 UTF-8로 인코딩되어 있고 그 파일 내용은 XML 구조를 사용하고 있다.

이 plist 파일은 일반적으로 프로젝트 탐색기의 Supporting File 폴더에 위치시키고 Xcode의 New File 항목을 선택하여 템플리트 선택 창이 나타나면, 다음과 같이 왼쪽에서 iOS-Resource를 선택하고 오른쪽에서 Property List를 선택하여 plist

파일을 생성할 수 있다.

▶그림 3.48 Propery List 선택

plist 파일의 구조는 key와 value로 구성되는데 이 value에 지정할 수 있는 자료 타입은 Array와 Dictionary 두 가지가 있다. Array는 하나의 key 값에 대응하는 여러 개의 동일한 객체를 지정할 때 사용되고 Dictionary는 하나의 key 값에 일대일로 대응되는 value 하나를 지정하고자 할 때 사용된다. 여기서는 사전 기능을 사용할 것이므로 Dictionary 타입으로 지정한다.

▶그림 3.49 Dictionary 구조

즉, Dictionary에서 key에 "hand"라는 단어를 지정하면 value에는 "손"이라는 값이 지정된다. 다음 그림은 작성된 plist 파일에서 Dictionary 선택을 보여준다.

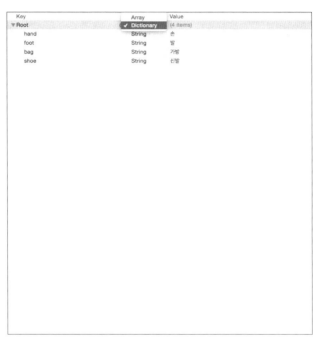

Key	Array	Value
▼ Root	✓ Dictionary	(4 items)
hand	String	손
foot	String	발
bag	String	가방
shoe	String	신발

▶ 그림 3.50 plist 파일에서 Dictionary 타입 선택

또한, Root 키 아래쪽에 하부 키를 지정할 수도 있지만, 여기서는 간단한 단어 검색 기능만 사용할 것이므로 Root 키 레벨에서 처리하면 충분하다. 최종적으로 각각의 단어 데이터는 문자열이므로 String으로 지정한다.

데이터 저장이 끝났다면 이제 첫 번째 ViewController부터 시작해보자. 데이터 파일은 "Data01.plist"라는 이름으로 저장되는데, 이 파일을 첫 번째 ViewController의 viewDidLoad 이벤트 함수에서 다음과 같이 NSBundle 객체를 사용하여 저장된 자료를 불러낼 수 있다. 즉, pathForResource에 저장된 파일의 이름을 지정하고 ofType에 확장자 "plist"를 지정하면 이 파일이 있는 전체 패스를 돌려준다.

```
- (void)viewDidLoad {
    [super viewDidLoad];
    // Do any additional setup after loading the view, typically from a nib.
    NSString *path = [[NSBundle mainBundle] pathForResource: @"Data01"
ofType:@"plist"];
    ...
```

이제 이 패스를 NSDictionary 객체의 initWithContentsOfFile에 지정하여 NSDictionary 객체를 초기화하여 객체 변수 mainDic을 생성한다. NSDictionary 객체는 key와 value 값을 연결하는 기능을 관리하는 인터페이스를 제공하여 유용한 검색 기능을 제공한다.

```
mainDic = [[NSDictionary alloc] initWithContentsOfFile:path];
    ...
```

이어서 다음과 같이 NSDictionary 객체의 allKeys 속성을 사용하여 "Data01. plist" 파일에 지정된 딕셔너리의 모든 키 값을 얻어 NSArray 타입의 allwords에 저장한다.

```
allwords = [mainDic allKeys];
```

NSDictionary 객체에서 사용할 수 있는 주요 속성과 메소드는 다음 표와 같다.

▶ 표 3.4 주요 NSDictionary 속성 및 메소드

NSDictionary 객체 속성 및 메소드	설명
allKey	딕셔너리의 모든 key를 배열로 돌려준다.
allValues	딕셔너리의 모든 value를 배열로 돌려준다.
objectForKey	지정된 key에 대한 객체 value를 돌려준다.
valueForKey	지정된 key에 대한 value를 돌려준다.

그다음, 검색 바에 입력된 자료를 실제로 처리하여 자료를 보여주기 위해 다음과 같이 UISearchController 객체를 생성하고 초기화한다.

```
self.searchController =
    [[UISearchController alloc] initWithSearchResultsController:nil];
    ...
```

다음 표는 UISearchController 객체의 주요 속성이다.

➡ 표 3.5 UISearchController 객체의 주요 속성

UISearchController 객체 속성	설명
searchBar	이 객체와 함께 사용되는 검색 바를 의미한다. 여기서 사용되는 searchBar 객체의 속성으로 scopeButtonTitles가 있는데, 이는 검색 바 아래 위치하는 스코프 버튼 타이틀을 표시할 때 사용된다. 또한, sizeToFit는 검색 바를 알맞은 크기로 위치시킬 때 사용된다.
searchBarResultsUpdater	UISearchResultsUpdating 프로토콜을 처리할 객체를 지정한다. self 값을 지정하는 경우, 현재 클래스에서 이벤트 함수를 처리한다는 의미이다.
dimsBackgroundDuringPresentation	검색하는 동안 내용을 희미하게 표시할지를 결정하여 지정한다.
valueForKey	지정된 key에 대한 value를 돌려준다.

이어서, UISearchContoller 객체의 searchResultUpdater를 사용하여 UISearch ResultsUpdating 프로토콜을 처리할 객체를 지정한다. 여기서는 self 값을 지정하여 현재 클래스에서 updateSearchResultsForSearchControlle() 이벤트 함수를 작성한다. 즉, 검색 바에 지정된 버튼을 누르면 바로 이 함수가 실행된다.

```
self.searchController.searchResultsUpdater = self;
...
```

그다음, dimsBackgroundDuringPresentation 속성을 사용하여 검색하는 동안 내용을 희미하게 표시할지를 결정한다. 여기서는 NO를 지정하여 내용이 표시되지 않도록 한다.

```
self.searchController.dimsBackgroundDuringPresentation = NO;
```

계속해서 searchBar 속성으로 scopeButtnTitles에 nil을 지정하여 스코프 버튼이 표시되지 않도록 한다. 스코프 버튼 검색 바 아래쪽에 표시되는 버튼으로 버튼을 누를 때마다 자료를 종류별로 구분하여 표시할 수 있다. 또한, sizeToFit를 호출하여 검색 바를 알맞은 크기로 위치시킨다.

```
self.searchController.searchBar.scopeButtonTitles = nil;
[self.searchController.searchBar sizeToFit];
```

마지막으로 searchBar 속성을 UITableView의 tableHeaderView에 지정하여 검색 기능을 동작하도록 한다.

```
    self.tbView.tableHeaderView = self.searchController.searchBar;
}
```

그다음, 검색 바의 버튼을 눌렀을 때 실행되는 updateSearchResultsForSearch Controller 함수를 살펴보자. 이 이벤트 함수는 UISearchResultsUpdating 프로토콜 함수이기도 하다.

```
- (void)updateSearchResultsForSearchController:
                (UISearchController *)searchController
{
...
```

먼저, searchController.searchBar의 text 속성으로 검색 바에 입력된 값을 가지고 온다.

```
NSString * searchtext = searchController.searchBar.text;
...
```

자료를 검색하기 위해서 NSPredicate 객체를 사용한다. 이 객체는 마치 SQL 문장 검색처럼 원하는 조건을 지정하는 논리적 조건문을 만들 수 있다.

▶ 표 3.6 NSPredicate의 Format String 문법

Format String 문법	설명
%@	객체 값으로 지정할 수 있는 대체 문자
@K	키 패스를 지정할 수 있는 대체 문자
CONTAINS	원하는 문자열을 포함하는 값을 체크
LIKE	와일드카드 혹은 *을 사용하여 해당하는 값 체크
SELF	배열의 여러 값 중 각각의 객체를 참조하고자 할 때 사용
[c]	case-insensitive 즉, 소, 대문자 구별 없이 처리

먼저 NSPredicate 객체의 predicateWithFormat를 사용하여 조건문을 만든다. 조건문은 SQL 문장과 비슷한 것으로 여기서 searchtext는 검색 문자열이므로 이 문자열을 지정하는 %@를 사용하고 CONTAINS를 지정하여 원하는 문자열을 검색하도록 한다. 또한, CONTAINS 앞쪽에는 SELF를 지정하여 검색된 배열 값에서 각각의 객체를 하나씩 참조하도록 처리한다. CONTAINS 뒤쪽에는 [c]를 지정하여 소, 대문자 구별 없이 검색하도록 지정한다.

```
NSPredicate *resultPredicate = [NSPredicate predicateWithFormat:@"SELF
CONTAINS[c] %@", searchtext];
...
```

아이폰 프로그래밍 앱 개발 쉽게 따라 하기

184

원하는 프레드키트 조건을 만들었으니 이 조건문을 사용하여 NSArray의 filtered ArrayUsingPredicate를 호출하여 원하는 자료를 검색한다. 이 메소드는 NSArray 배열 중 원하는 자료를 검색하여 검색된 자료만 NSArray 형태로 돌려주는 함수이다. 여기서는 searchResults라는 NSArray 변수에 그 값을 지정한다.

```
searchResults = [allwords filteredArrayUsingPredicate:resultPredicate];
...
```

검색된 새로운 자료를 출력하기 위해서는 UITableView의 reloadData 메소드를 호출하여 화면을 업데이트한다.

```
    [self.tbView reloadData];
}
```

reloadData 메소드를 호출하면 UITableViewDataSource 프로토콜에 대한 객체 이벤트 함수들이 하나씩 수행되면서 테이블 뷰에 자료가 출력된다. 이러한 UITable ViewDataSource 프로토콜 이벤트 함수에는 테이블 뷰 구성을 처리하는 함수로 섹션의 수, 섹션당 출력 데이터 수, 자료 수만큼 반복하는 출력 메소드 등이 있다.

먼저, 테이블을 구성하는 섹션의 수를 지정하는 numberOfSectionsInTableView를 다음과 같이 작성한다. 섹션은 테이블 자료를 출력하는 일종의 그룹 데이터이다. 테이블 뷰에서는 여러 종류의 데이터 그룹을 출력할 수 있는데, 여기서는 단어를 출력하는 1개의 섹션으로만 구성한다.

```
- (NSInteger)numberOfSectionsInTableView:(UITableView *)tableView
{
    return 1;
}
```

그다음, 테이블에 몇 개의 자료를 출력할지 결정해보자. numberOfRowsInSection을 사용하여 섹션당 출력할 자료의 개수를 지정할 수 있다.

```
- (NSInteger)tableView:(UITableView *)tableView
    numberOfRowsInSection:(NSInteger)section
{
  ...
```

여기서는 두 가지 경우가 있는데, 첫 번째는 검색하지 않은 상태에서 모든 단어를 출력하는 경우이고 두 번째는 검색하여 검색된 단어만을 출력하는 경우이다.

먼저, 출력되는 상태가 검색된 상태인지 아니면 검색하지 않은 일반적인 상태인지를 다음 UISearchController의 active 속성으로 알아낼 수 있다. 즉, active 속성의 값이 true이면, 검색된 상태에서 자료가 출력된 것이므로 검색된 자료를 가지고 있는 searchResults의 개수를 돌려준다. 만일 false인 경우에는 검색되지 않은 일반적인 출력이므로 모든 자료를 가지고 있는 allwords의 개수를 돌려준다.

```
    if (self.searchController.active)
    {
        return searchResults.count;
    }
    else
    {
        return allwords.count;
    }
}
```

그다음, 실제로 자료를 출력하는 cellForRowAtIndexPath 메소드를 살펴보자. 즉, 이 메소드는 (섹션 수 * 자료의 수)만큼 자동 반복 호출된다.

```
- (UITableViewCell *)tableView:(UITableView *)tableView
    cellForRowAtIndexPath:(NSIndexPath *)indexPath
```

```
{
...
```

먼저, 테이블 뷰의 dequeueReusableCellWithIdentifier를 사용하여 셀을 재활용할 수 있게 하는 UITableViewCell 객체를 생성한다. 테이블에서 셀을 구성할 때 거의 동일한 셀 형태를 사용하므로 한번 생성된 셀 객체는 재사용하여 별도로 생성할 필요 없이 그대로 사용할 수 있다. 이때 파라미터값으로 MyCell이 지정되는데, 이 값은 〈그대로 따라 하기〉 ❶에서 지정한 TableViewCell의 identifier 값과 동일해야 한다.

```
static NSString *CellIdentifier = @"MyCell";
UITableViewCell *cell =
    [tableView dequeueReusableCellWithIdentifier:CellIdentifier];
    ...
```

그다음, UITableCell의 accessoryType에 UITableViewCellAccessoryDisclosureIndicator 값을 지정하여 각 테이블 셀 끝쪽에 ">" 표시를 하여 셀을 눌렀을 때 자료가 있음을 표시한다.

```
cell.accessoryType = UITableViewCellAccessoryDisclosureIndicator;
    ...
```

이전 numberOfRowsInSection 이벤트 함수와 마찬가지로 여기서도 현재 모드가 검색 바를 사용하는 검색 모드인지 아니면 일반 출력 모드인지를 구별하여 처리해야만 한다. 출력되는 상태가 검색된 상태인지 아니면 검색되지 않은 일반적인 상태인지를 다음과 같이 UISearchController의 active 속성으로 알아낼 수 있다.

active 값이 true이면 자료가 검색된 상태이므로 검색된 자료를 가지고 있는 searchResult 있는 값을 그대로 UITableViewCell의 textLable.text에 지정한다. 이때 NSIndexPath 객체의 row를 사용하여 현재 출력되는 인덱스 번호를 알 수 있다.

```
    if (self.searchController.active)
    {
        cell.textLabel.text = searchResults[indexPath.row];
    }
    ...
```

active 값이 false인 경우, 검색되지 않은 일반적 모드이므로 모든 단어를 가지고 있는 allwords에서 자료를 출력한다.

```
    else
    {
        cell.textLabel.text = allwords[indexPath.row];
    }
    return cell;
}
```

이제 테이블 셀의 원하는 단어를 클릭하였을 때 그 단어에 해당하는 의미를 출력하는 기능을 처리해보자. 일반적으로 UITableView에서는 UITableViewDelegate 객체 프로토콜인 tableView:didSelectRowAtIndexPath를 사용하여 선택한 테이블 항목을 처리한다. 그러나 스토리보드를 사용한 경우, 클릭했을 때 자동으로 호출되는 prepareForSegue 메소드를 사용하여 동일한 기능을 처리할 수 있다.

먼저 prepareForSegue 메소드에서는 파라미터값으로 전달되는 UIStoryboard Segue의 객체 변수 segue를 이용하여 destinationViewController를 호출한다. 이 때 이 메소드에서는 다음 컨트롤러 즉, SecondViewController 클래스에 대한 주소 값을 돌려준다.

```
- (void)prepareForSegue:(UIStoryboardSegue *)segue sender:(id)sender
{
    SecondViewController *viewController = [segue destinationViewController];
    ...
```

이어서 UITableView의 indexPathForSelectedRow를 호출하여 현재 선택된 자료의 인덱스 정보를 얻는다.

```
NSIndexPath *currentIndex = [self.tbView indexPathForSelectedRow];
....
```

여기서도 현재 모드가 검색 바를 사용하는 검색 모드인지 아니면 일반 출력 모드인지 구별하여 처리해야만 한다. 출력되는 상태가 검색된 상태인지 아니면 검색되지 않은 일반적인 상태인지를 다음과 같이 UISearchController의 active 속성으로 알아낼 수 있다.

active 값이 true이면 자료가 검색된 상태이므로 검색된 자료를 가지고 있는 searchResult에 현재 선택된 인덱스 번호인 currentIndex.row를 사용하여 선택된 셀의 값 cellValue를 알아낸다.

```
if (self.searchController.active)
{
    cellValue = [searchResults objectAtIndex:currentIndex.row];
    ...
```

이 선택된 셀 값(단어)은 두 번째 컨트롤러의 findData 변수에 넘겨주고 단어에 해당하는 의미는 두 번째 컨트롤러의 resultData에 넘겨준다. 여기서 NSDictionary 객체의 중요한 기능을 사용하였는데 즉, 객체 변수[키 번호]를 지정하여 설정된 키key 번호에 해당하는 값value을 얻을 수 있는 기능이다.

```
    viewController.findData = cellValue;
    viewController.resultData = mainDic[cellValue];
}
...
```

active 값이 false인 경우, 검색되지 않은 일반적 모드이므로 모든 단어를 가지고 있는 allwords에서 선택된 셀의 값 cellValue를 알아낸다. 이 선택된 셀 값(단어)은 두 번째 컨트롤러의 findData 변수에 넘겨주고 단어에 해당하는 의미는 두 번째 컨트롤러의 resultData에 넘겨지게 된다.

```
else
{
    cellValue = [allwords objectAtIndex:currentIndex.row];
    viewController.findData = cellValue;
    viewController.resultData = mainDic[cellValue];
}
```

이러한 코드 처리가 끝나면 바로 두 번째 컨트롤러인 SecondViewController로 이동된다.

두 번째 컨트롤러에서는 뷰를 메모리에 로드시킬 때 호출되는 viewDidLoad 이벤트 함수에 다음과 같이 findData와 resultData 값을 각각 라벨 컨트롤 findWord와 resultWord에 지정한다. 이미 findData에는 선택된 단어가 지정되어 있고 resultData는 단어에 대한 뜻이 지정되어 화면에 단어와 의미가 각각 출력된다.

```
- (void)viewDidLoad {
    [super viewDidLoad];
    // Do any additional setup after loading the view.
    findWord.text = findData;
    resultWord.text = resultData;
}
```

3-3 끌어서 새로 고침(full-down-refresh) 기능

테이블 뷰에서 제공하는 또 다른 기능은 끌어서 새로 고침^{full-down-refresh}이다. 즉, 테이블 뷰를 클릭한 상태에서 아래쪽으로 내려면 자동으로 그다음 자료가 아래쪽에 추가되어 보여주는 기능이다. 스마트 폰을 이용할 때 이 기능은 매우 편리하여 자료를 보여주는 대부분의 앱에서 사용하고 있다.

끌어서 새로 고침 기능은 애플사에서 iOS6부터 UIRefreshControl이라는 클래스를 제공하여 구현할 수 있는데, 개발자들은 iOS6 이전에도 여러 가지 방법을 사용하여 제공하고 있던 기능이다. 여기서는 iOS6부터 정식으로 제공하는 UIRefeshControl 클래스와 UITableView를 사용하여 0부터 15개씩 테이블 뷰에 계속 추가하는 기능을 구현해본다. 즉, 처음에는 0부터 14까지 출력되고 뷰를 끌어서 당기면, 15에서 29가 추가되고 계속 당길 때마다 15개씩 추가된다.

▌그대로 따라 하기

❶ Xcode에서 File-New-Project를 선택한다. 계속해서 왼쪽에서 iOS-Application 을 선택하고 오른쪽에서 Single View Application을 선택한다. 이어서 Next 버튼을 누르고 Product Name에 "FullDownViewExample"이라고 지정한다. 아래쪽에 있는 Language 항목은 "Objective-C", Devices 항목은 "iPhone"으로 설정한다. 그 아래 Include Unit Tests 항목과 Include UI Tests 항목은 체크한 상태로 그대로 둔다. 이어서 Next 버튼을 누르고 Create 버튼을 눌러 프로젝트를 생성한다.

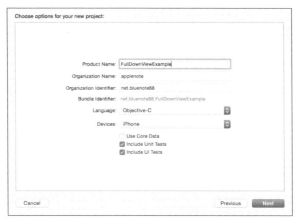

▶그림 3.51 FullDownViewExample 프로젝트 생성

❷ 먼저 왼쪽 프로젝트 탐색기에서 ViewController.h와 ViewController.m을 선택하고 Delete 키를 눌러 삭제한다. 이때 삭제 확인 창이 나타나면, 3번째 Move to Trash 버튼을 선택한다.

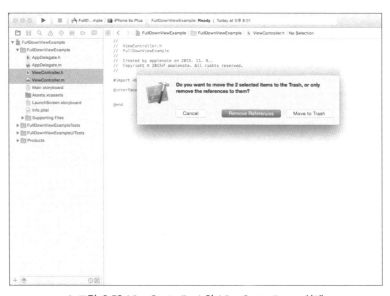

▶그림 3.52 ViewController.h와 ViewController.m 삭제

❸ 프로젝트 탐색기의 FullDownViewExample노란색 아이콘에서 오른쪽 마우스 버튼을 누르고 New File 항목을 선택한다. 이때 템플릿 선택 대화상자가 나타나면, 왼쪽에서 iOS-Source를 선택하고 오른쪽에서 Cocoa Touch Class를 선택한 뒤, Next 버튼을 누른다. 이때 새 파일 이름을 입력하라는 대화상자가 나타나면 다음 그림과 같이 FullDownViewController를 입력한다. 이때 그 아래쪽 Subclass of 항목에 UITableViewController를 지정하도록 하고 "Also create XIB file" 체크 상자에는 체크하지 않도록 한다. 그 아래 Language 항목은 Objective-C를 선택한다. 이상이 없으면 Next 버튼을 눌러 파일을 생성한다.

▶그림 3.53 FullDownViewController 파일 생성

❹ 이번에는 왼쪽 프로젝트 탐색기에서 Main.storyboard 파일을 클릭하고 캔버스의 ViewController를 선택하고 삭제한다.

▶그림 3.54 ViewController 삭제

❺ 이어서 오른쪽 아래 Object 라이브러리에서 Table View Controller를 선택하고 드래그-앤-드롭으로 캔버스에 떨어뜨린다.

▶그림 3.55 Table View Controller 추가

❻ 도큐먼트 아웃라인 창에서 Table View Controller 를 선택한 상태에서 오른쪽 위 Attributes 인스펙 터를 선택한다. Attributes 인스펙터 설정 항목 중 Refreshing 항목을 Enabled로 설정한다. 이때 도 큐먼트 아웃라인 창에는 Refresh Control이 추가 된다.

▶그림 3.56 Refreshing 항목을 Enabled로 설정

❼ 계속해서 도큐먼트 아웃라인 창에서 Table View Controller를 선택한 상태에 서 오른쪽 위 Identity 인스펙터를 선택한다. 첫 번째 Custom Class의 Class 항목에 FullDownViewController를 지정하거나 입력한다.

▶그림 3.57 Class 항목에 FullDownViewController를 지정

❽ 도큐먼트 아웃라인 창에서 Table View Controller를 선택한 상태에서 Editor
메뉴의 Embed In-Navigation Controller 항목을 선택하여 내비게이션 컨트
롤러를 추가한다.

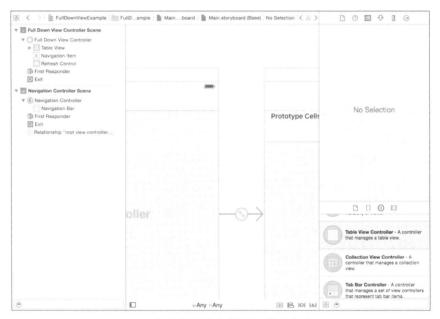

▶그림 3.58 내비게이션 컨트롤러 추가

❾ 도큐먼트 아웃라인 창에서 Table View Cell을 선택
한 상태에서 오른쪽 Attributes 인스펙터를 선택한
다. Table View Cell의 Identifier 항목에 MyCell
이라고 입력한다.

▶그림 3.59 Table View Cell의 Identifier 항목에 MyCell 입력

⑩ 이번에는 도큐먼트 아웃라인 창에서 Navigation Controller를 선택한 상태에서 오른쪽 위 Attributes 인스펙터를 선택한다. View Controller의 "Is Initial View Controler" 항목에 체크한다.

▶그림 3.60 View Controller의 "is Initial View Controler" 항목에 체크

⑪ 이제 Object 라이브러리에서 View Controller를 선택하고 드래그-앤-드롭으로 Full Down View Controller 오른쪽에 떨어뜨린다.

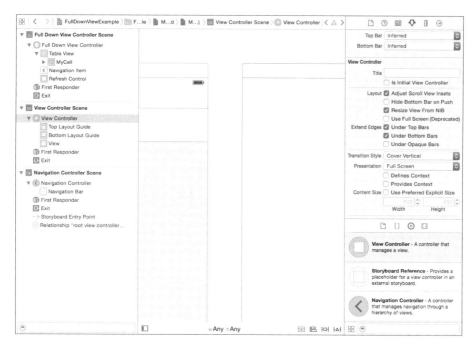

▶그림 3.61 View Controller 컨트롤 추가

⓬ 도큐먼트 아웃라인 창에서 Full Down View Controller의 Table View Cell (My Cell)을 선택하고 드래그-앤-드롭으로 새로 생성한 View Controller에 떨어뜨린다.

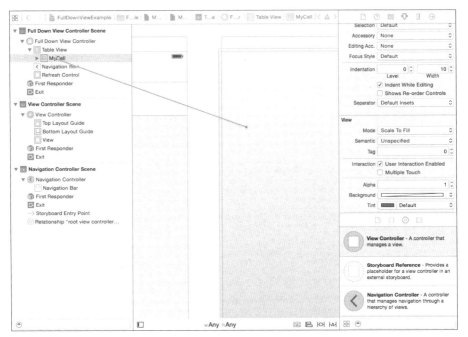

▶그림 3.62 My Cell과 View Controller 연결

⓭ 이때 다음과 같이 세구에 연결 상자가 나타나면, Selection Segue의 Show 항목을 선택한다.

▶그림 3.63 세구에 연결 상자

⓮ 프로젝트 탐색기의 FullDownViewExample(노란색 아이콘)에서 오른쪽 마우
스 버튼을 누르고 New File 항목을 선택한다. 이때 템플릿 선택 대화상자가
나타나면, 왼쪽에서 iOS-Source를 선택하고 오른쪽에서 Cocoa Touch Class
를 선택한 뒤, Next 버튼을 누른다. 이때 새 파일 이름을 입력하라는 대화상
자가 나타나면 다음 그림과 같이 SecondViewController를 입력한다. 이때
그 아래쪽 Subclass of 항목에 UIViewController를 지정하도록 하고 "Also
create XIB file" 체크 상자에는 체크하지 않도록 한다. 그 아래 Language 항
목은 Objective-C를 선택한다. 이상이 없으면 Next 버튼을 눌러 파일을 생성
한다.

▶그림 3.64 SecondViewController 파일 생성

⑮ 계속해서 도큐먼트 아웃라인 창에서 새로 생성한 View Controller를 선택한 상태에서 오른쪽 위 Identity 인스펙터를 선택한다. 첫 번째 Custom Class의 Class 항목에 SecondController를 지정하거나 입력한다.

▶그림 3.65 Class 항목에 SecondViewController를 지정

⓰ 이제 오른쪽 아래 Object 라이브러리로부터 Label 컨트롤을 선택하고 이 드래그-앤-드롭으로 SecondViewController에 떨어뜨린다.

▶그림 3.66 Label 컨트롤 추가

⓱ 계속 라벨을 선택한 상태에서 캔버스 아래 오토 레이아웃 메뉴의 두 번째 Align을 선택한다. 제약조건이 설정 창이 나타나면, Horizontally in Container와 Vertically in Container에 체크하고 아래쪽 Add 2 Constraints를 클릭한다.

▶그림 3.67 Label 제약조건 설정

⓲ 계속해서 캔버스 아래 오토 레이아웃 메뉴의 네
번째 Resolve Auto Layout Issues를 선택하고
"All Views"의 "Update Frames"를 선택한다.

▶그림 3.68 Update Frames 항목 선택

⓳ 이제 오른쪽 위에 있는 도움 에디터Assistant Editor를 선택하여 화면을 변경한다.
도움 에디터의 오른쪽 화살표를 선택하여 SecondViewController.h 파일이
표시되도록 한다. 이어서 캔버스에서 Label을 Ctrl 키와 함께 마우스로 선택하
고 소스 파일의 @interface 아래쪽으로 드래그-앤-드롭 처리하여 코드를 생
성한다. 이때 도움 패널이 나타나는데, Name 항목에 lblPrint라고 입력하고
Connect 버튼을 눌러 객체 변수를 생성한다.

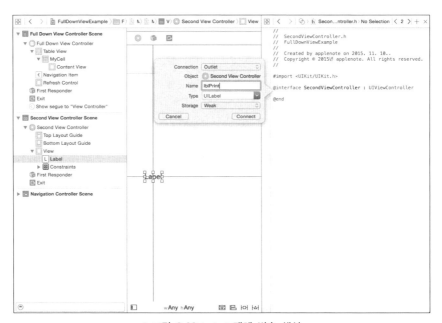

▶그림 3.69 Label 객체 변수 생성

202

⑳ 이제 오른쪽 위 표준 에디터 버튼을 눌러 표준 에디터로 변경한다. 이어서 오른쪽에 있는 프로젝트 탐색기에서 FullDownViewController.m 파일을 선택하고 다음과 같이 수정한다.

```
#import "FullDownViewController.h"
#import "SecondViewController.h"

@interface FullDownViewController ()
{
    NSMutableArray *mainDataList, *reverseDataList;
    int end;
}
@end

@implementation FullDownViewController

- (void)viewDidLoad {
    [super viewDidLoad];

    end = 0;
    mainDataList = [[NSMutableArray alloc] init];

    for (int i=0;i<=14;i++)
    {
        NSString *data = [NSString stringWithFormat:@"%i", i];
        [mainDataList addObject:data];
        end++;
    }

    reverseDataList = (NSMutableArray *)[[mainDataList
reverseObjectEnumerator] allObjects];

    self.refreshControl.tintColor = [UIColor blueColor];
    [self.refreshControl addTarget:self
                        action:@selector(refreshView)
            forControlEvents:UIControlEventValueChanged];

}
```

```objc
- (void)didReceiveMemoryWarning {
    [super didReceiveMemoryWarning];
    // Dispose of any resources that can be recreated.
}

#pragma mark - Table view data source

- (NSInteger)numberOfSectionsInTableView:(UITableView *)tableView {
    return 1;
}

- (NSInteger)tableView:(UITableView *)tableView
        numberOfRowsInSection:(NSInteger)section {
    return reverseDataList.count;
}

- (UITableViewCell *)tableView:(UITableView *)tableView
        cellForRowAtIndexPath:(NSIndexPath *)indexPath {
    static NSString *CellIdentifier = @"MyCell";

    UITableViewCell *cell =
        [tableView dequeueReusableCellWithIdentifier:CellIdentifier];
    cell.textLabel.text = reverseDataList[indexPath.row];

    return cell;
}


- (void)refreshView
{
    self.refreshControl.attributedTitle =
        [[NSAttributedString alloc] initWithString:@"Refreshing data..."];
    [self.refreshControl beginRefreshing];
    NSDateFormatter *formatter = [[NSDateFormatter alloc] init];
    [formatter setDateFormat:@"MM/dd, h:mm a"];
    NSString *lastUpdatedDate = [NSString stringWithFormat:@"Last updated on
%@", [formatter stringFromDate:[NSDate date]]];
    self.refreshControl.attributedTitle =
        [[NSAttributedString alloc] initWithString: lastUpdatedDate];
    [self performSelector:@selector(dataProcess) withObject:nil
afterDelay:2.0f];
```

```
}

- (void) dataProcess
{
    int j = end;
    for (int i=j;i<=j+14;i++)
    {
        NSString *data = [NSString stringWithFormat:@"%i", i];
        [mainDataList addObject:data];
        end++;
    }
    reverseDataList = (NSMutableArray *)[[mainDataList reverseObjectEnumerator]
allObjects];
    [self.tableView reloadData];
    [self.refreshControl endRefreshing];
}

#pragma mark - Navigation

- (void)prepareForSegue:(UIStoryboardSegue *)segue sender:(id)sender
{
    SecondViewController *viewController = [segue destinationViewController];
    NSIndexPath *currentIndex = [self.tableView indexPathForSelectedRow];

    NSString *cellValue = [reverseDataList objectAtIndex:currentIndex.row];
    viewController.passData = cellValue;
}

@end
```

㉑ 계속해서 프로젝트 탐색기에서 SecondViewController.h 파일을 선택하고 다음과 같이 수정한다.

```
#import <UIKit/UIKit.h>

@interface SecondViewController : UIViewController

@property (weak, nonatomic) IBOutlet UILabel *lblPrint;
```

```
@property (strong, nonatomic) NSString *passData;

@end
```

㉒ 마지막으로 프로젝트 탐색기에서 SecondViewController.m 파일을 선택하고
  다음과 같이 수정한다.

```
#import "SecondViewController.h"

@interface SecondViewController ()
@end

@implementation SecondViewController
@synthesize lblPrint;
@synthesize passData;

- (void)viewDidLoad {
    [super viewDidLoad];

    lblPrint.text = passData;
}

- (void)didReceiveMemoryWarning {
    [super didReceiveMemoryWarning];
    // Dispose of any resources that can be recreated.
}

@end
```

㉓ 이제 Xcode 왼쪽에 있는 Run 혹은 Command-R 버튼을 눌러 실행한다. 뷰
  를 클릭하여 아래쪽으로 당길 때마다 숫자가 앞쪽에 15개씩 추가되는지 살펴
  본다.

▶그림 3.70 FullDownViewExample 프로젝트 실행

▌원리 설명

이번 절에서는 테이블 뷰 컨트롤러에서 자주 사용되는 기능인, 끌어서 새로 고침 full-down-refresh 혹은 full-to-refresh 기능을 구현해보았다.

끌어서 새로 고침을 사용하기 위해서는 iOS6에서부터 제공하는 UIRefreshControl 이라는 클래스를 사용해야 한다. 이 클래스는 Object 라이브러리에서 추가하는 것이 아니라 스토리보드의 UITableViewController 클래스의 옵션을 변경해야 한다.

UIRefreshControl이라는 컨트롤을 사용하기 위해서는 도큐먼트 아웃라인 창에서 Table View Controller를 선택한 상태에서 오른쪽 위 Attributes 인스펙터를 선택한다. 이때 Attributes 인스펙터 설정 항목 중 Refreshing 항목이 있는데, 이 항목의 값을 Enabled로 변경하면 UIRefreshControl이 자동으로 도큐먼트 아웃라인 창에 생성된다.

▶그림 3.71 UIRefreshControl 생성을 위한 값 변경

다음은 UIRefreshControl의 주요 속성과 메소드이다.

📑 표 3.7 UIRefreshControl 주요 속성 및 메소드

UIRefreshControl 속성 및 메소드	설명
tintColor	리플래시 컨트롤의 색깔 설정
attributedTitle	리플래시 컨트롤에서 표시되는 정보 타이틀 출력
beginRefreshing	리플래시 처리 시작
endRefreshing	리플래시 처리 종료

UIRefreshControl이 생성한 상태에서 자료를 초기화하는 FullDownViewController의 viewDidLoad() 함수에서는 다음과 같이 출력할 자료의 마지막 수 end와 숫자를 보관할 mainDataList를 다음과 같이 초기화한다.

```
- (void)viewDidLoad {
    [super viewDidLoad];

    end = 0;
    mainDataList = [[NSMutableArray alloc] init];
    ...
```

이어서 NSMuableArray의 addObject를 호출하여 0부터 14까지 숫자를 main DataList에 추가한다. mainDataList에 추가할 때 stringWithFormat을 사용하여 숫자를 NSString 타입으로 변경하여 저장한다. 또한, end 값을 하나씩 증가하여 end에 mainDataList의 마지막 숫자가 보관되도록 한다.

```
for (int i=0;i<=14;i++)
{
    NSString *data = [NSString stringWithFormat:@"%i", i];
    [mainDataList addObject:data];
    end++;
}
...
```

끝어서 새로 고침 기능을 사용하는 대부분의 앱에서는 자료를 위에서 아래쪽으로 출력하는 것이 아니라 테이블 아래쪽에서 위쪽으로 출력한다. 즉, 새로운 자료는 항상 위쪽에 출력하게 된다. 위와 같이 mainDataList에 숫사를 추가하는 경우, 숫자는 테이블 위에서 아래쪽으로 하나씩 증가하면서 출력하게 된다. 그러므로 반대로 아래쪽에서 위쪽으로 출력하기 위해서는 다음과 같이 reverseObjectEnumerator를 사용하여 자료 출력을 반대로 바꾸어 지정하는 reverseDataList를 사용하여 출력해준다.

```
reverseDataList = (NSMutableArray *)[[mainDataList
reverseObjectEnumerator] allObjects];

    ...
```

이제 추가된 UIRefreshControl을 제어 처리를 해보자. 뷰를 당기면 뷰 위쪽에는 날짜와 자료가 업데이트 중이라는 의미의 업데이트 아이콘이 표시되는데 아이콘의 색을 파란색으로 설정한다.

```
    self.refreshControl.tintColor = [UIColor blueColor];

    ...
```

이어서 뷰를 당겼을 때 처리되는 이벤트 함수 refreshView()를 forControlEvents 에 컨트롤 값이 변경되었을 때 이벤트가 발생되도록 하는 UIControlEventValue Changed를 지정하여 자동 실행되도록 한다. 즉, UIRefreshControl의 경우, 뷰를 아래쪽으로 당겼을 때 자료가 변경되므로 이때 refreshView() 메소드가 자동으로 실행된다.

```
    [self.refreshControl addTarget:self action:@selector(refreshView)
            forControlEvents:UIControlEventValueChanged];

}
```

이제 뷰를 당겼을 때 실행되는 refreshView()를 살펴보자. 뷰를 당겼을 때, 자료가 추가되기 전에 몇 초 동안 첫 번째 테이블 셀은 추가될 데이터의 여러 정보를 출력해 준다. 다음과 같이 NSAttributedString 객체를 사용하여 원하는 문자열을 만들어준 뒤, NSAttributedString 객체 생성 값을 UIRefreshControl의 attributedTitle에 지정해주면 지정된 문자열 "Refreshing data..."가 타이틀로 출력된다.

```
- (void)refreshView
{
    self.refreshControl.attributedTitle =
        [[NSAttributedString alloc] initWithString:@"Refreshing data..."];
        ...
```

그다음, beginRefreshing 메소드를 사용하여 UIRefreshContol 처리를 시작한다. 즉, 리플래시 처리를 위해서는 항상 beginRefreshing 메소드로 시작하고 endRefrshing으로 종료해야 한다.

```
[self.refreshControl beginRefreshing];
...
```

리플래시 컨트롤의 첫 번째 처리는 현재 업데이트된 날짜와 시간을 출력하는 일이다. 먼저 다음과 같이 NSDateFormatter 객체를 사용하여 원하는 날짜와 시간의 포맷을 작성한다. 이 NSDateFormatter 객체의 setDateFormat를 사용하여 원하는 모든 형태의 날짜 시간 형식을 출력할 수 있다. 여기서는 형식 파라미터 "MM/dd, h:mm a"를 사용하여 "11/13 8:30 PM"과 같은 형식으로 날짜와 시간을 출력할 수 있다.

```
NSDateFormatter *formatter = [[NSDateFormatter alloc] init];
[formatter setDateFormat:@"MM/dd, h:mm a"];
...
```

NSDateFormatter 객체의 setDateFormat에서 사용할 수 있는 파라미터 패턴은 다음과 같다.

➡ 표 3.8 setDateFormat에서 사용되는 파라미터 패턴

setDateFormat 패턴	설명
yyyy	연도 ex) 2015
MM	월 ex) 11
dd	일 ex) 04
E	요일 ex) Tus
hh	시간 (12시간 단위) ex) 11
mm	분 ex) 12
ss	초 ex) 20
a	AM 혹은 PM

원하는 출력 형식 formatter를 작성하였다면, stringFromDate 메소드를 사용하여 원하는 날짜에 대한 날짜를 스트링으로 만들 수 있다. 여기서는 지금 현재 날짜와 시간을 얻는 [NSDate date]를 사용하여 현재 날짜와 시간에 대한 출력 형식을 스트링으로 작성한다.

```
    NSString *lastUpdatedDate = [NSString stringWithFormat: @"Last updated on
%@", [formatter stringFromDate:[NSDate date]]];
    ....
```

스트링으로 작성된 날짜는 다시 NSAttributedString 메소드를 사용하여 문자열을 작성하고 UIRefreshControl의 attributedTitle 속성에 지정하여 타이틀로 출력한다. 즉, 테이블 뷰 첫 번째 셀에 업데이트되는 날짜와 시간이 출력된다.

```
    self.refreshControl.attributedTitle =
                [[NSAttributedString alloc] initWithString:lastUpdatedDate];
    ...
```

그다음, performSelector 메소드를 사용하여 2초 뒤에 dataProcess 메소드를 호출하여 숫자를 출력하도록 한다. 원하는 함수를 실행하는 performSelector 메소드는 두 개의 파라미터를 지정할 수 있는데, 첫 번째 파라미터 withObject는 전달하고자 하는 파라미터를 넘길 때 사용되고 두 번째 파라미터 afterDelay에는 초 단위의 시간이 지정되는데, 이 시간이 지난 뒤에 @selector(function)에 지정된 function 함수가 실행된다. 여기서 일정 시간을 두는 이유는 뷰를 바로 당겼을 때 자료가 추가되기보다는 약간의 시간 뒤에 자료를 표시하는 것이 좋기 때문이다.

```
    [self performSelector:@selector(dataProcess) withObject:nil afterDelay:2.0f];
}
```

이제 자료를 출력하는 dataProcess를 살펴보자. 먼저 항상 출력 마지막 위치를 가지고 있는 end부터 end + 14까지 15개 자료를 mainDataList에 추가한다. mainDataList에 자료를 추가하면서 end를 하나씩 증가하여 다음에는 마지막 위치 다음부터 출력될 수 있도록 지정한다.

```
- (void) dataProcess
{
    int j = end;
    for (int i=j;i<=j+14;i++)
    {
        NSString *data = [NSString stringWithFormat:@"%i", i];
        [mainDataList addObject:data];
        end++;
    }
    ...
```

그다음, viewDidLoad() 함수에서 처리하였듯이 NSMutableArray 객체의 reverse ObjectEnumerator를 사용하여 출력 방향으로 아래쪽에서 위쪽으로 방향을 반대로 변경한다.

```
    reverseDataList = (NSMutableArray *)[[mainDataList reverseObjectEnumerator] allObjects];
    ...
```

마지막으로 UITableView의 reloadData 메소드를 호출하여 테이블 뷰를 업데이트해주고 UIRefreshControl의 endRefreshing을 호출하여 리플래시 작업을 종료한다.

```
    [self.tableView reloadData];
    [self.refreshControl endRefreshing];
}
```

reloadData 메소드를 호출하면 UITableViewDataSource 프로토콜에 대한 객체 이벤트 함수들이 하나씩 수행되면서 테이블 뷰에 자료가 출력된다.

먼저, 테이블을 구성하는 섹션의 수를 지정하는 numberOfSectionsInTableView 를 다음과 같이 작성한다. 숫자를 출력하는 하나의 섹션으로 구성된다.

```
- (NSInteger)numberOfSectionsInTableView:(UITableView *)tableView
{
    return 1;
}
```

그다음, numberOfRowsInSection을 사용하여 테이블에 몇 개의 자료를 출력할 지 지정할 수 있다. 여기서는 자료를 아래에서 위 방향으로 출력할 수 있도록 설정한 reverseDataList 객체의 count를 사용하여 개수를 설정한다.

```
- (NSInteger)tableView:(UITableView *)tableView
        numberOfRowsInSection:(NSInteger)section {
    return reverseDataList.count;
}
```

그다음, 실제로 자료를 출력하는 cellForRowAtIndexPath 메소드를 살펴보자. 즉, 이 메소드는 (섹션 수 * 자료의 수)만큼 자동 반복 호출된다.

```
- (UITableViewCell *)tableView:(UITableView *)tableView
        cellForRowAtIndexPath:(NSIndexPath *)indexPath {
...
```

먼저, 테이블 뷰의 dequeueReusableCellWithIdentifier를 사용하여 셀을 재활용 할 수 있게 하는 UITableViewCell 객체를 생성한다. 테이블에서 셀을 구성할 때 거의 동일한 셀 형태를 사용하므로 한번 생성된 셀 객체는 재사용하여 별도로 생성할 필요 없이 그대로 사용할 수 있다. 이때 파라미터값으로 MyCell이 지정되는데, 스토리보드에서 지정한 TableViewCell의 identifier 값과 동일해야 한다.

```
static NSString *CellIdentifier = @"MyCell";
UITableViewCell *cell =
    [tableView dequeueReusableCellWithIdentifier:CellIdentifier];
...
```

이제 연속된 숫자로 구성된 reverseDataList 각각의 값을 그대로 UITableViewCell
의 textLable.text에 지정하여 숫자를 테이블에 출력한다. 이때 NSIndexPath 객체
의 row를 사용하여 현재 출력되는 인덱스 번호를 알 수 있다.

```
cell.textLabel.text = reverseDataList[indexPath.row];
return cell;
}
```

이제 테이블 뷰 셀의 숫자를 클릭했을 때 다음 페이지로 이동하여 선택된 숫자를
처리하는 기능을 처리해보자. 스토리보드를 사용하는 경우, 테이블 뷰 셀을 클릭했을
때 다음과 같이 prepareForSegue() 메소드를 실행한다.

```
- (void)prepareForSegue:(UIStoryboardSegue *)segue sender:(id)sender
{
...
```

prepareForSegue 메소드에서는 파라미터값으로 전달되는 UIStoryboardSegue
의 객체 변수 segue를 이용하여 destinationViewController를 호출한다. 이때 이
메소드에서는 다음 컨트롤러 즉, SecondViewController 클래스에 대한 주소 값을
돌려준다.

```
SecondViewController *viewController = [segue destinationViewController];
...
```

이어서 UITableView의 indexPathForSelectedRow를 호출하여 현재 선택된 자료의 인덱스 정보 NSIndexPath 객체 타입의 currentIndex를 얻는다.

```
    NSIndexPath *currentIndex = [self.tableView indexPathForSelectedRow];
    ...
```

이제 NSIndexPath 객체의 row 속성을 이용하여 현재 선택된 셀의 인덱스를 알아내고 이 인덱스를 파라미터로 reversDataList에 있는 값을 SecondViewController 객체의 passData에 지정한다.

```
    NSString *cellValue = [reverseDataList objectAtIndex:currentIndex.row];
    viewController.passData = cellValue;
}
```

이러한 코드 처리가 끝나면 바로 두 번째 컨트롤러인 SecondViewController로 이동된다.

두 번째 컨트롤러에서는 뷰를 메모리에 로드시킬 때 호출되는 viewDidLoad 이벤트 함수에서 다음과 같이 FullDownViewController에서 전달받는 passData 값을 lbPrint.text에 지정하여 선택된 셀의 숫자를 화면에 출력한다.

```
- (void)viewDidLoad {
    [super viewDidLoad];

    lblPrint.text = passData;
}
```

테이블 뷰 컨트롤러는 탭 바 뷰 컨트롤러과 내비게이션 컨트롤러와 함께 자주 사용되는 뷰 컨트롤러 중 하나이다. 테이블 뷰 컨트롤러는 단독으로 사용되기보다는 주로 내비게이션 컨트롤러와 함께 사용되어 원하는 항목을 선택하였을 때 그다음 페이지로 이동하여 선택된 항목에 대한 세부적인 내용을 보여주는 기능을 제공한다. 이 장에서는 먼저 테이블 뷰 컨트롤러를 사용하여 간단히 Row 0에서 Row 9까지 출력되는 테이블 뷰를 만들어 보았고 그다음 테이블 위쪽에 검색 바(Search Bar)를 표시하는 간단한 예제를 살펴보았다.

이어서, 이 검색 바를 통하여 원하는 단어를 쉽게 검색하는 예제에 대하여 설명하였다. 또 이 장 뒷부분에서는 테이블 뷰를 클릭한 상태에서 아래쪽으로 내려면 자동으로 그다음 자료가 아래쪽에 추가되어 보여주는 곳에서 새로 고침(full-down-refresh) 기능에 대한 구현 방법을 설명하였다. 이 기능은 iOS6에는 여러 가지 방법으로 사용자들이 개발한 방법으로 사용하였으나, iOS6부터 애플사에서 제공하는 UIRefreshControl이라는 클래스를 정식으로 제공하여 이 클래스를 이용하여 0부터 15개씩 테이블 뷰에 계속 추가하는 기능을 구현해보았다.

Sqlite3를 사용한 데이터베이스 관리

정보가 많아짐에 따라 원하는 자료를 바로 검색하고 처리하는 기능은 자료 관리의 기본이 되었다. 정보 처리의 주체가 PC에서 스마트폰으로 이동함에 따라 스마트폰에서도 자료 관리는 처리해야 할 중요한 요소가 되었다. 다행히도 일반적인 스마트폰에서도 PC와 거의 동일한 데이터베이스 기능을 관리할 수 있는 여러 가지 툴을 제공하고 있다. 그중 하나가 바로 Sqlite3이다. 이 장에서는 Sqlite3를 이용하여 데이터베이스 파일을 생성해보고 이 데이터베이스 파일을 앱에서 처리하는 예제를 작성해 볼 것이다.

4-1 Sqlite3의 특징

Sqlite3은 임베디드용 SQL 데이터 엔진으로 비록 크기는 작지만, 일반적인 데이터베이스에서 제공하는 기본적인 기능을 사용할 수 있다. 또한, 오픈 소스이므로 원하는 프로그램에 제한 없이 사용할 수 있고 상업적, 개인적으로 자유롭게 사용할 수 있다.

그리고 Sqlite3의 트랜잭션은 스마트폰의 시스템 전원 이상과 상관없이 원자성, 일관성, 독립성, 지속성을 유지하는 기능을 제공한다. 또한, 안드로이드, iOS, 블랙베리 등 여러 플랫폼에서 동작하는 크로스 플랫폼을 지원한다. 단점으로는 SQL 데이터 엔진으로만 구성되므로 독립적인 서버 프로세스를 가지고 있지 않고 일반 RDBMS처럼 클라이언트/서버를 지원하는 네트워크 기능을 지원하지 않는 로컬에서만 사용 가능하다는 점이다.

4-2 Sqlite3를 이용한 데이터베이스 생성

이제 Mac에서 Sqlite3를 이용하여 데이터베이스 파일을 만들어보자. Mac에는 기본적으로 Sqlite3가 설치되어 있으므로 별도로 설치할 필요는 없다.

┃ 그대로 따라 하기

❶ Mac에서 Finder—이동—유틸리티를 선택한 뒤, 터미널을 실행한다.

▶그림 4.1 터미널 실행

❷ 터미널에 실행되면 기본적으로 사용자 폴더에 위치하는 데, "cd Downloads"
명령어를 사용하여 그 아래 Downloads 폴더로 이동한다. 혹시 Downloads 폴
더가 없다면 mkdir 명령어를 사용하여 생성한다.

▶그림 4.2 Downloads 폴더로 이동

❸ 이제 Sqlite3를 사용하여 데이터베이스 파일을 생성해본다. 데이터베이스 파일
을 생성하는 명령어는 다음과 같다.

여기서는 student.db라는 이름으로 데이터베이스 파일을 생성해본다.

$ sqlite3 student.db

Last login: Mon Nov 16 18:37:02 on ttys000
applenote-ui-MacBook-Pro:~ applenote$ cd Downloads
applenote-ui-MacBook-Pro:Downloads applenote$ sqlite3 student.db
SQLite version 3.8.5 2014-08-15 22:37:57
Enter ".help" for usage hints.
sqlite>

▶그림 4.3 student.db 데이터베이스 파일 생성

참고   Sqlite3의 도움말 및 종료

Sqlite3를 사용하는 데 필요한 모든 명령어를 외울 필요는 없다. 모르는 명령어가 있다면, Sqlite3를 실행한 뒤에 .help 명령어를 이용하여 원하는 도움말을 알아볼 수 있다.

```
sqlite> .help
```

Sqlite3를 모두 사용하고 종료하기를 원한다면, 다음과 같이 .quit 혹은 .exit 명령어를 사용하여 Sqlite3를 종료시킬 수 있다.

```
SQLsqlite> .exit
```

Sqlite3으로 데이터베이스 파일을 생성할 때, 파일 뒤에 다음과 같은 확장자를 사용할 수 있다.

```
.sql
.sqlite
.db
```

물론 위 확장자를 제외한 다른 확장자도 붙일 수 있지만, 대부분 위 3개 확장자 중 하나를 선택해
서 사용하는 것이 일반적이다.

❹ 다음과 같이 테이블 생성 명령어 create table을 사용하여 학생 테이블 student
를 생성한다.

```
sqlite> create table 테이블 이름(컬럼1, 테이터형, 컬럼2, 테이터형,...,PRIMARY KEY(컬럼));
```

여기서 작성할 테이블 student는 다음과 같다.

▶ 표 4.1 student 테이블

컬럼 이름	데이터형	비고
studentid	int	기본 키(primary key)
name	varchar(30)	
email	varchar(30)	
address	varchar(50)	
phone	varchar(30)	

sqlite 프롬프트 다음에 다음 코드를 입력하여 student 테이블 생성한다.

```
create table student
 (studentid int,
 name varchar(30),
 email varchar(30),
address varchar(50),
phone varchar(30),
```

```
PRIMARY KEY(studentid)
);
```

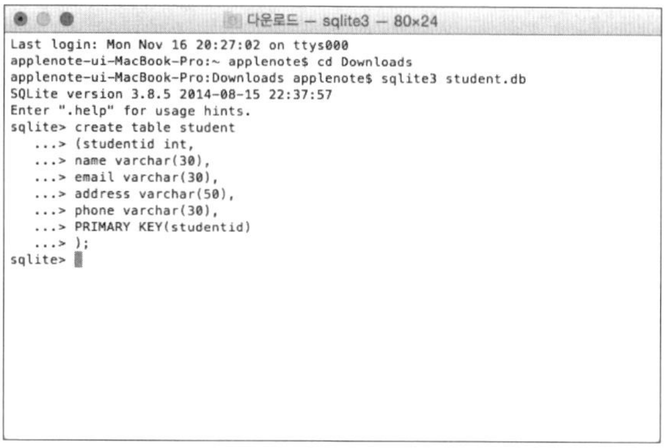

▶그림 4.4 student 테이블 생성

❺ 테이블이 정상적으로 생성되었는지 확인하기 위해서 다음과 같이 .table 명령을
입력해본다. 또한, 테이블에 입력한 스키마의 내용을 확인하기 위하여 .schema
student라고 입력해본다.

```
sqlite> .table
sqlite> .schema student
```

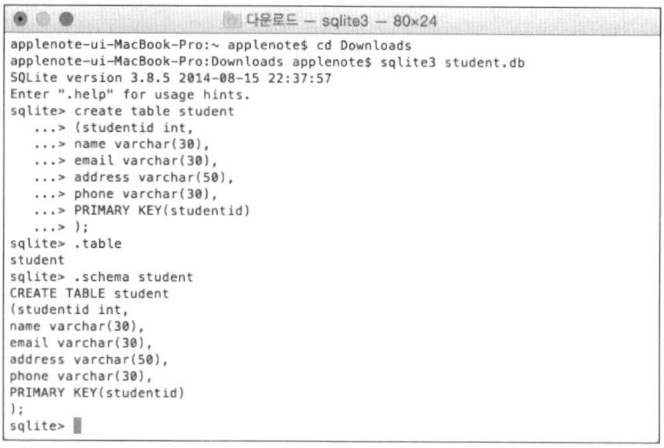

▶그림 4.5 테이블과 스키마 확인

❻ 다음과 같이 insert into 입력 문장을 이용하여 자료를 추가해본다.

```
sqlite> insert into 테이블 이름(필드 이름,..) values(필드 값,...);
```

<table>
<tr><td>참고</td><td>Insert SQL 문장에서 모든 필드 사용</td></tr>
</table>

만일 모든 필드 이름을 모두 사용한다면, 별도로 명시할 필요 없이 필드 이름을 생략하고 바로
values 값만 입력할 수도 있다.

```
sqlite> insert into 테이블 이름 values(필드 값,...);
```

또한, 입력된 자료 확인은 다음과 같이 select from 문장을 사용한다.

```
sqlite> select 필드 이름 from 테이블 이름;
```

이제 실제로 테이블에 자료를 입력해보고 입력된 자료를 확인해보자.

student 테이블에 입력할 값은 다음과 같다.

▶ 표 4.2 테이블에 입력할 값

학번	이름	E-Mail	주소	전화번호
1001	김영호	abc@asf.com	서울시	02-3453-8932
1002	전창영	uwe@rdfg.com	대구시	053-845-6734
1003	홍기상	rty@uiro.com	대전시	042-234-2358

위의 자료와 함께 다음과 같은 SQL 문장을 사용하여 입력한다.

```
Sqlite> insert into student values(1001, "김영호", "abc@asdf.com", "서울시",
"02-3453-8932");
Sqlite> insert into student values(1002, "전창영", "uwe@rdfg.com", "대구시",
```

```
"053-845-6734");

Sqlite> insert into student values(1003, "홍기상", "rty@uiro.com", "대전시",
"042-234-2358");
```

입력된 자료를 확인하기 위해 다음과 같이 select from 문장을 사용한다.

```
Sqlite> select * from student;
```

```
● ● ●                    다운로드 — sqlite3 — 80×24
Last login: Thu Nov 19 17:31:20 on ttys000
applenote-ui-MacBook-Pro:~ applenote$ cd Downloads
applenote-ui-MacBook-Pro:Downloads applenote$ sqlite3 student.db
SQLite version 3.8.5 2014-08-15 22:37:57
Enter ".help" for usage hints.
sqlite> .table
student
sqlite> insert into student values(1001, '김영호 ','abc@asf.com','서울시 ','02-345
3-8932');
sqlite> insert into student values(1002, '전창명 ','uwe@rdfg.com','대구시 ','053-8
45-6734');
sqlite> insert into student values(1003, '홍기상 ','rty@uiro.com','대전시 ','042-2
34-2358');
sqlite> select * from student;
1001|김영호 |abc@asf.com|서울시 |02-3453-8932
1002|전창명 |uwe@rdfg.com|대구시 |053-845-6734
1003|홍기상 |rty@uiro.com|대전시 |042-234-2358
sqlite> ▊
```

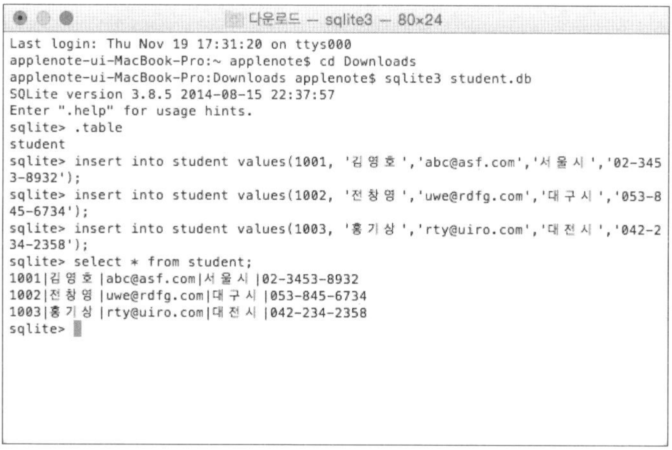

▶그림 4.6 테이블에 데이터 입력과 입력된 값 확인

❼ 테이블 자료의 내용을 변경하기 위해서는 다음과 같이 update set 문장을 사용
한다.

```
Sqlite> update 테이블 이름 set 필드명='필드 값' where 조건
```

만일 student 테이블의 학번 1003의 전화번호를 042−345−8342로 변경하려면
다음과 같은 update 문장을 사용한다.

```
Sqlite> update student set phone="042-345-8342" where studentid=1003;
```

자료 변경이 되었는지 확인하기 위해서 다음과 같이 select from where 문장을
사용하여 검색해본다.

```
Sqlite> select * from student where studentid=1003;
```

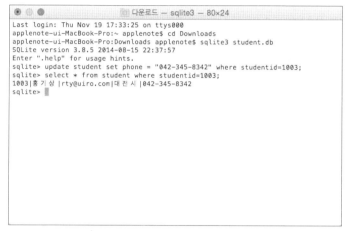

```
Last login: Thu Nov 19 17:33:25 on ttys000
applenote-ui-MacBook-Pro:~ applenote$ cd Downloads
applenote-ui-MacBook-Pro:Downloads applenote$ sqlite3 student.db
SQLite version 3.8.5 2014-08-15 22:37:57
Enter ".help" for usage hints.
sqlite> update student set phone = "042-345-8342" where studentid=1003;
sqlite> select * from student where studentid=1003;
1003|홍기상|rty@uiro.com|대전시|042-345-8342
sqlite>
```

▶그림 4.7 테이블 자료 수정 및 확인

❽ 마지막으로 delete from 문장을 사용하여 원하는 자료를 삭제해본다.

```
Sqlite> delete from 테이블 이름 where 조건문;
```

예를 들어, student 테이블에서 학번이 1003인 학생의 자료를 삭제하려면 다음과
같이 delete from 문장을 사용한다.

```
Sqlite> delete from student where studentid=1003;
```

이상 없이 삭제되었는지 확인하기 위해서 다음과 같이 select from 문장으로 확인
한다.

```
Sqlite> select * from student;
```

```
Last login: Thu Nov 19 19:40:17 on ttys000
applenote-ui-MacBook-Pro:~ applenote$ cd Downloads
applenote-ui-MacBook-Pro:Downloads applenote$ sqlite3 student.db
SQLite version 3.8.5 2014-08-15 22:37:57
Enter ".help" for usage hints.
sqlite> delete from student where studentid=1003;
sqlite> select * from student;
1001|김 영 호 |abc@asf.com|서 울 시 |02-3453-8932
1002|전 창 영 |uwe@rdfg.com|대 구 시 |053-845-6734
sqlite>
```

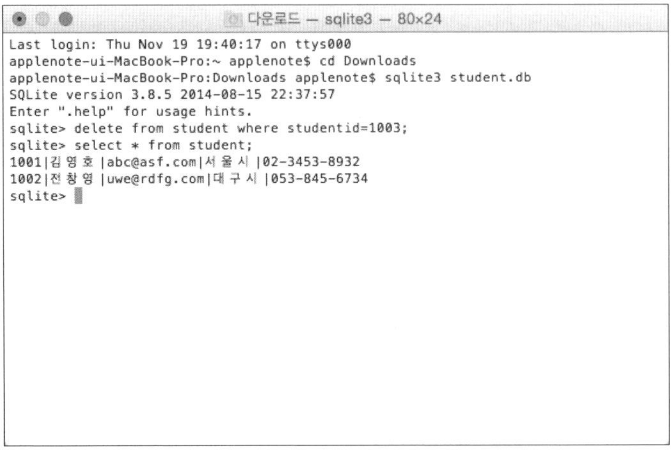

▶그림 4.8 테이블 자료 삭제 및 확인

4-3 Sqlite3를 이용한 자료 출력

이제 실제로 위에서 생성한 student.db 파일을 읽어 화면에 출력하는 앱을 만들어 보자. 여기서는 테이블 뷰를 사용하여 student.db에서 읽은 자료를 테이블 형식으로 출력해 볼 것이다.

▌그대로 따라 하기

❶ Xcode에서 File-New-Project를 선택한다. 계속해서 왼쪽에서 iOS-Application 을 선택하고 오른쪽에서 Single View Application을 선택한다. 이어서 Next 버튼을 누르고 Product Name에 "SqliteReadExample"이라고 지정한다. 아래 쪽에 있는 Language 항목은 "Objective-C", Devices 항목은 "iPhone"으로

설정한다. 그 아래 Include Unit Tests 항목과 Include UI Tests 항목은 체크
한 상태로 그대로 둔다. 이어서 Next 버튼을 누르고 Create 버튼을 눌러 프로
젝트를 생성한다.

▶그림 4.9 SqliteReadExample 프로젝트 생성

❷ 프로젝트가 생성되면 기본적으로 SqliteInputExample 프로젝트의 첫 번째 탭
General 속성을 보여주는데, 6번째 탭인 Build Phases을 선택한다. 그 안에서
다시 세 번째 Link Binary With Libraries를 선택했을 때 나타나는 + 버튼을
눌러준다. 이때 라이브러리 선택 창에서 libsqlite3.tbd 파일을 선택하고 아래쪽
Add 버튼을 눌러 추가한다.

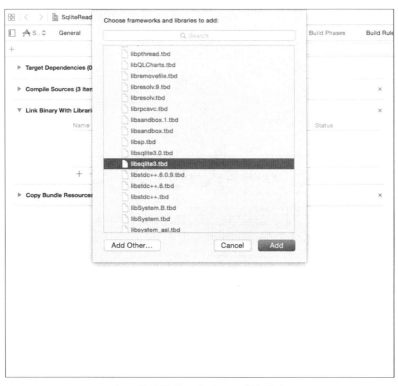

▶그림 4.10 libsqlite3.tbd 파일 추가

❸ 또한, 위에서 생성한 student.db 파일을 드래그-앤-드롭으로 프로젝트 탐색기의 SqliteReadExample노란색 아이콘 아래쪽에 떨어뜨린다. 이때 다음 그림과 같이 파일 추가 옵션 상자가 나타나는데, "Destination"의 "Copy items if needed" 항목과 "Add to targets"의 SqliteReadExample 항목에 체크하고 오른쪽 아래 Finish 버튼을 눌러 파일을 추가한다.

▶그림 4.11 파일 추가 옵션 상자

❹ 왼쪽 프로젝트 탐색기에서 Main.storyboard 파일을 클릭하고 오른쪽 아래 Object 라이브러리에서 TableView 하나를 캔버스의 View Controller 임의의 위치에 떨어뜨리고 그 너비를 적당하게 늘려준다.

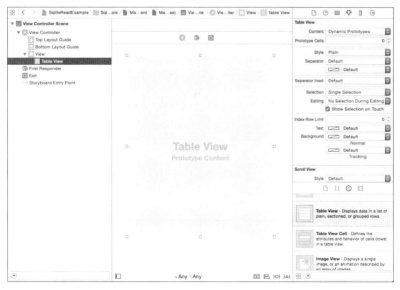

▶그림 4.12 뷰 컨트롤러에 TableView 컨트롤 추가

❺ 캔버스에서 TableView 컨트롤을 선택한 상태에서 캔버스 아래 오토 레이아웃 메뉴에서 세 번째 Pin을 선택한다. 이때 "제약조건 설정" 창이 나타나는데, 먼저 Constrain to margins 체크를 삭제한다. 이어서 다음 그림과 같이 동, 서, 남, 북 위치 상자에 각각 0, 0, 0, 0을 입력하고 각각의 I 빔에 체크한 뒤, 가장 아래쪽 "Add 4 Constraints" 버튼을 클릭한다.

▶그림 4.13 TableView 제약조건 설정

❻ 이번에는 캔버스 아래 오토 레이아웃 메뉴의 네 번째 Resolve Auto Layout Issues를 선택하고 "All Views"의 "Update Frames"를 선택한다.

▶그림 4.14 Update Frames 항목 선택

❼ 도큐먼트 아웃라인 창에서 Table View를 선택한 상태에서 오른쪽 위 Connections 인스펙터를 선택한다. Outlets 항목에 있는 dataSource를 선택하고 드래그-앤-드롭으로 도큐먼트 아웃라인 창의 View Controller에 떨어뜨린다.

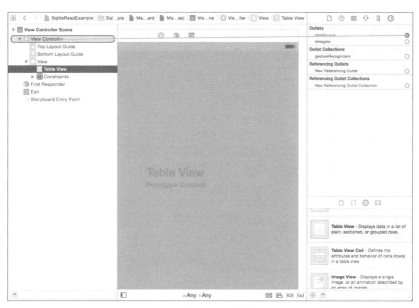

▶그림 4.15 dataSource와 도큐먼트 아웃라인 창의 View Controller의 연결

❽ 동일한 방법으로 delegate와 도큐먼트의 아웃라인 창의 View Controller도 연결한다. 다음 그림은 dataSource와 delegate 모두 연결된 Connections 인스펙터를 보여준다.

▶그림 4.16 delegate와 도큐먼트의 아웃라인 창의 View Controller도 연결

❾ 프로젝트 탐색기의 SqliteReadExample(노란색 아이콘)에서 오른쪽 마우스 버튼을 누르고 New File 항목을 선택한다. 이때 템플릿 선택 대화상자가 나타나면 왼쪽에서 iOS-Source를 선택하고 오른쪽에서 Cocoa Touch Class를 선택한 뒤, Next 버튼을 누른다. 이때 새 파일 이름을 입력하라는 대화상자가 나타나면 다음 그림과 같이 Student를 입력한다. 이때 그 아래쪽 Subclass of 항목에 NSObject를 지정한다. 그 아래 Language 항목은 Objective-C를 선택한다. 이상이 없으면 Next 버튼을 눌러 파일을 생성한다.

▶그림 4.17 Student 파일 생성

❿ 이제 왼쪽 프로젝트 탐색기에서 Student.h 파일을 선택하고 다음을 입력한다.

```
#import <Foundation/Foundation.h>

@interface Student : NSObject {
    NSNumber *studentid;
    NSString *name;
    NSString *email;
```

```
    NSString *address;
    NSString *phone;
}

@property NSNumber *studentid;
@property NSString *name;
@property NSString *email;
@property NSString *address;
@property NSString *phone;

@end
```

⑪ 이어서 왼쪽 프로젝트 탐색기에서 Student.m 파일을 선택하고 다음을 입력한다.

```
#import "Student.h"

@implementation Student
@synthesize studentid, name, email, address, phone;
@end
```

⑫ 마지막으로 왼쪽 프로젝트 탐색기에서 ViewController.m 파일을 선택하고 다음과 같이 수정한다.

```
#import <sqlite3.h>
#import "ViewController.h"
#import "Student.h"

@interface ViewController ()
{
    NSString        *dbName;
    NSString        *dbPath;
    NSMutableArray  *dataList;
}

@end

@implementation ViewController
```

```objc
- (void)viewDidLoad {
    [super viewDidLoad];

    dbName = @"student.db";
    NSArray *documentPaths =
        NSSearchPathForDirectoriesInDomains(NSDocumentDirectory,
        NSUserDomainMask, YES);
    NSString *documentsDir = [documentPaths objectAtIndex:0];
    dbPath = [documentsDir stringByAppendingPathComponent:dbName];

    [self checkAndCreateDatabase];
    [self readFilesFromDatabase];

}

- (void)didReceiveMemoryWarning {
    [super didReceiveMemoryWarning];
    // Dispose of any resources that can be recreated.
}

-(void) checkAndCreateDatabase
{
    NSFileManager *fileManager = [NSFileManager defaultManager];

    if (![fileManager fileExistsAtPath:dbPath])
    {
        NSString *dbPathFromApp = [[[NSBundle mainBundle] resourcePath]
                stringByAppendingPathComponent:dbName];

        NSError *error;
        [fileManager copyItemAtPath:dbPathFromApp toPath:dbPath error:nil];
        if (error != nil) {
            NSLog(@"%@", [error localizedDescription]);
        }
    }
}

-(void) readFilesFromDatabase {
    sqlite3 *database;
    if(sqlite3_open([dbPath UTF8String], &database) == SQLITE_OK)
    {
```

```
        const char *sqlStatement = "select * from student;";
        sqlite3_stmt *compiledStatement;
        dataList = [[NSMutableArray alloc] init];

        if(sqlite3_prepare_v2(database, sqlStatement, -1,
                        &compiledStatement, NULL) == SQLITE_OK)
        {
            while(sqlite3_step(compiledStatement) == SQLITE_ROW)
            {
                Student *student = [Student alloc];

                int stid = sqlite3_column_int(compiledStatement, 0);
                NSNumber *studentid = [NSNumber numberWithInt: stid];
                [student setStudentid: studentid];

                NSString *name = [NSString stringWithUTF8String:
                            (char *)sqlite3_column_text(compiledStatement, 1)];
                [student setName:name];

                NSString *email = [NSString stringWithUTF8String:
                            (char *)sqlite3_column_text(compiledStatement, 2)];
                [student setEmail:email];

                NSString *address = [NSString stringWithUTF8String:
                            (char *)sqlite3_column_text(compiledStatement, 3)];
                [student setAddress:address];

                NSString *phone = [NSString stringWithUTF8String:
                            (char *)sqlite3_column_text(compiledStatement, 4)];
                [student setPhone:phone];

                [dataList addObject: student];
            }
        }
        else
        {
            NSLog(@"Database returned error %d: %s", sqlite3_errcode(database),
sqlite3_errmsg(database));
        }
        sqlite3_finalize(compiledStatement);
    }
```

```
    sqlite3_close(database);
}

#pragma mark - Table view data source

- (NSInteger)numberOfSectionsInTableView:(UITableView *)tableView {
    // Return the number of sections.
    return 1;
}

- (NSInteger)tableView:(UITableView *)tableView
        numberOfRowsInSection:(NSInteger)section {
    // Return the number of rows in the section.
    return dataList.count;
}

- (UITableViewCell *)tableView:(UITableView *)tableView
        cellForRowAtIndexPath:(NSIndexPath *)indexPath {
    static NSString *CellIdentifier = @"Cell";

    UITableViewCell *cell = [tableView
        dequeueReusableCellWithIdentifier:CellIdentifier];
    if (cell == nil) {
        cell = [[UITableViewCell alloc]
initWithStyle:UITableViewCellStyleDefault
                reuseIdentifier:CellIdentifier];

    }

    Student *studentdata = dataList[indexPath.row];
    cell.textLabel.text = [self DisplayAllData: studentdata withCell: cell];

    return cell;
}

- (NSString *) DisplayAllData:(Student *) studentdata withCell:(UITableViewCell
*) cell
{
    NSString *stid = [studentdata.studentid stringValue];
    NSString *name = studentdata.name;
    NSString *email = studentdata.email;
```

```
    NSString *address = studentdata.address;
    NSString *phone = studentdata.phone;
    return [NSString stringWithFormat:@"%@ %@ %@ %@ %@", stid, name, email,
address, phone];
}

@end
```

⓭ 이제 Xcode 왼쪽에 있는 Run 혹은 Command-R 버튼을 눌러 실행한다.

▶그림 4.18 SqliteReadExample 프로젝트 실행

▌원리 설명

이번 절에서 테이블 뷰 컨트롤러에 Sqlite3를 이용하여 생성한 student.db를 읽는 기능을 처리해보자. 먼저 studetn.db를 프로젝트 탐색기의 임의의 위치에 드래그-

앤–드롭으로 떨어뜨리면 다음과 같은 파일 추가 설정 창이 나타난다.

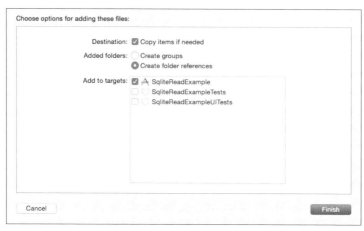

Choose options for adding these files:

Destination: ☑ Copy items if needed
Added folders: ○ Create groups
　　　　　　　 ◉ Create folder references
Add to targets: ☑ 🅰 SqliteReadExample
　　　　　　　　 ☐ ○ SqliteReadExampleTests
　　　　　　　　 ☐ ○ SqliteReadExampleUITests

Cancel　　　　　　　　　　　　　　　　　　　　　　Finish

▶그림 4.19 파일 추가 설정 창

위 파일 추가 설정 창에서 보여주듯이 반드시 "Destination: Copy items if needed" 항목과 "Add to targets: SqliteReadExample" 항목에 체크하여 번들 디렉터리에 데이터베이스 파일이 복사되도록 지정해주어야 한다.

| 참고 | 번들(Bundle) |
iOS에서는 애플리케이션에서 사용하는 실행파일, 동적 라이브러리, 실행에 필요한 이미지, 데이터 베이스 파일과 같은 여러 리소스 파일을 위치시킬 수 있는 물리적 공간을 제공하는데, 이것이 바로 번들(bundle)이다. NSBundle 클래스를 사용하면 이 번들에 있는 파일을 참조할 수 있다.

애플리케이션의 소스 코드에 대하여 설명하기 전에 먼저 아이폰에서 사용되는 앱의 디렉터리 구조를 간단히 살펴보자. iOS에서는 실행에 필요한 여러 리소스를 보관할 수 있는 번들이라는 디렉터리를 제공하는데 실제 앱을 실행할 때는 이 번들 디렉터리를 사용할 수 없고 앱 내부 디렉터리로 이동해야 한다.

아이폰 앱의 내부 디렉터리는 일반적으로 다음 3개의 폴더로 구성된다.

- Documents
- Library
- Tmp

Documents 디렉터리는 사용자가 작성한 파일 및 자료를 보관하는 디렉터리로서 자동으로 iTuneiOS에 의해 백업된다. Library 디렉터리는 애플리케이션 지원과 캐시 처리를 위해 시스템에서 사용되는 디렉터리로 사용자 자료를 이곳에 두지 않는 것이 좋다. Libray 디렉터리 역시 iTunes에 의해 백업된다. 마지막 Tmp 디렉터리는 앱 실행에 필요한 임시 파일을 보관하는 장소이다. 만일 사용될 필요가 없다면 언제든지 삭제된다.

SqliteReadExample은 먼저 뷰를 메모리에 로드하는 viewDidLoad() 함수부터 시작한다.

```
- (void)viewDidLoad {
    [super viewDidLoad];
    ...
```

검색하고자 하는 데이터베이스 이름을 dbName 변수에 지정한다.

```
    dbName = @"student.db";
    ...
```

그다음, NSSearchPathForDirectoriesInDomains()를 호출하여 데이터베이스 파일을 시정할 도규먼드 디렉티리의 루트를 얻는다.

```
    NSArray *documentPaths =
        NSSearchPathForDirectoriesInDomains(NSDocumentDirectory,
        NSUserDomainMask, YES);
    ...
```

사실 이 함수는 리턴 값으로 도큐먼트 디렉터리의 위치를 NSArray 타입의 배열 값으로 돌려주는데, 여기서 필요한 것은 현재 사용 중인 도큐먼트 디렉터리로 이 정보는 첫 번째 배열에 있다. 그러므로 objectAtIndex : 0를 사용하여 첫 번째 배열 값을 얻는다.

```
NSString *documentsDir = [documentPaths objectAtIndex:0];
...
```

여기까지 처리하면 아이폰 시뮬레이터에서는 다음과 같은 값이 리턴된다. 여기서 ⟨user name⟩ 맥 OS에 로그인한 이름이고 ⟨app id1⟩과 ⟨app id2⟩는 현재 앱에 대한 유일한 ID 값이다.

```
/Users/<user name>/Library/Developer/CoreSimulator/Devices/<app id1>/data/
Containers/Data/Application/<app id2>/Documents
```

그다음, stringByAppendingPathComponent()를 호출하여 데이터베이스 이름을 패스 뒤에 붙여 데이터베이스 파일을 전체 패스를 생성한다.

```
dbPath = [documentsDir stringByAppendingPathComponent:dbName];
...
```

이 dbPath는 아이폰 시뮬레이터에서 다음과 같은 값으로 리턴된다.

```
/Users/<user name>/Library/Developer/CoreSimulator/Devices/<app id1>/data/
Containers/Data/Application/<app id2>/Documents/student.db
```

이어서 checkAndCreateDatabase() 메소드를 호출하여 번들 디렉터리에 있는 데이터베이스 파일을 도큐먼트 디렉터리로 복사하고 복사된 파일로부터 데이터베이스를 읽는 작업을 처리한다. 2개 모두 사용자 함수이다.

```
   [self checkAndCreateDatabase];
   [self readFilesFromDatabase];
}
...
```

먼저, 데이터베이스 파일을 도큐먼트 디렉터리에 복사하는 checkAndCreate
Database() 함수를 살펴보자. 파일을 복사하기 위해 다음과 같이 NSFileManager
객체를 생성한다. 파일을 참조하여 복사, 이름 변경, 삭제, 파일 정보 읽기 등의 파일
관련 기능을 처리하기 위해서는 NSFileManager 객체 생성이 꼭 필요하다. 다음은
NSFileManager 객체의 주요 메소드이다.

📌 표 4.3 NSFileManager 객체 주요 메소드

NSFileManager 객체 메소드	설명
fileExistsAtPath	지정된 패스 파일이 존재 여부 판단(Yes 혹은 No)
copyItemAtPath	지정된 패스에서 다른 패스로 파일 복사
removeItemAtPath	지정된 패스의 파일 삭제

```
-(void) checkAndCreateDatabase
{
    NSFileManager *fileManager = [NSFileManager defaultManager];
    ...
```

이어서, 다음과 같이 fileExistsAtPath 메소드를 사용하여 파일이 존재하는지 체
크한다.

```
    if (![fileManager fileExistsAtPath:dbPath])
    {
    ...
```

NSBundle의 resourcePath를 사용하여 현재 사용 중인 번들 디렉터리 위치 패스

를 알아낸다. 또한, stringByAppendingPathComponent() 메소드를 사용하여 패스 뒤쪽에 데이터베이스 파일을 추가한다.

```
NSString *dbPathFromApp = [[[NSBundle mainBundle] resourcePath]
        stringByAppendingPathComponent:dbName];
...
```

번들 디렉터리 위치인 dbPathFromApp은 다음과 같은 문자열 값으로 리턴된다.

```
/Users/<user name>/Library/Developer/CoreSimulator/Devices/<app id1>/data/
Containers/Bundle/Application/<app id2>/SqliteReadExample.app/student.db
```

이제 copyItemAtPath:dbPathFromApp() 메소드를 사용하여 번들 디렉터리에 있는 stduent.db 파일을 앱의 도큐먼트 루트 디렉터리로 복사한다. 혹시 에러가 발생하면 error 값이 null 아닌 값으로 지정되므로 localizedDescription 메소드를 사용하여 출력한다.

```
NSError *error;
[fileManager copyItemAtPath:dbPathFromApp toPath:dbPath error:nil];
if (error != nil) {
    NSLog(@"%@", [error localizedDescription]);
    }
  }
}
```

도큐먼트 디렉터리에 student.db 파일이 복사되었으므로 readFilesFromDatabase() 메소드에서 자료를 읽어 메모리에 저장할 수 있다. 이 메소드를 설명하기 전에 student.db 데이터베이스 파일을 읽어 메모리에 보관할 때 사용되는 Student 객체에 대하여 알아보자. Student 객체는 student.db 파일을 읽어 그 자료를 보관하는 객체로 Student.h 파일에 다음과 같이 선언된다.

```
@interface Student : NSObject {
    NSNumber *studentid;
    NSString *name;
    NSString *email;
    NSString *address;
    NSString *phone;
}

@property NSNumber *studentid;
@property NSString *name;
@property NSString *email;
@property NSString *address;
@property NSString *phone;

@end
```

또한, Student.m 파일에는 다음과 같이 선언된다.

```
#import "Student.h"

@implementation Student
@synthesize studentid, name, email, address, phone;
@end
```

Student 객체를 사용하여 각각의 학번, 이름, 이메일, 주소, 전화번호를 저장하기 위해서는 Set 메소드와 Get 메소드 작성이 필요한데, 헤더 파일의 @property와 소스 코드의 @synthesize를 이용하여 다음과 같은 Set 메소드와 Get 메소드를 작성하지 않더라도 Set 메소드와 Get 메소드를 마치 작성한 것처럼 그대로 사용할 수 있다. 만일 @property와 @synthesize를 사용하지 않는다면 다음과 같은 메소드를 직접 작성해야만 한다.

```
-(void) setStudentid: (NSString *) theStudentid
{
```

```
        studentid = [[NSString alloc] initWithString: theStduentid];
}

-(void) setName: (NSString *) theName
{
        name = [[NSString alloc] initWithString: theName];
}
...


-(NSString *) studentid
{
        return studentid;
}

-(NSString *) name
{
        return name;
}
...
```

이제 데이터베이스 파일 student.db로부터 파일을 읽어 위 Student 객체에 저장하는 readFilesFromDatabase() 메소드를 살펴보자.

```
-(void) readFilesFromDatabase
{
...
```

이 메소드에서는 sqlite3 객체를 사용하여 데이터베이스를 처리하는데, sqlite3 객체에서 제공되는 주요 메소드는 다음과 같다.

▶ 표 4.4 sqlite3 객체 주요 메소드

sqlite3 객체 주요 메소드	설명
sqlite3_open()	데이터베이스를 오픈하고 새로운 연결을 생성한다.
sqlite3_prepare_v2()	sql 문장을 컴파일하여 검색 명령을 바이트 코드로 생성한다. sql 문장 처리를 위한 준비 단계이다.

▷ 표 4.4 sqlite3 객체 주요 메소드(계속)

sqlite3 객체 주요 메소드	설명
sqlite3_step()	생성된 바이트 코드 문장으로 한 레코드씩 처리한다. 그러므로 검색된 수만큼 호출이 필요하다.
sqlite3_column_int()	위 sqlite3_step으로 읽은 한 레코드의 한 필드를 int 타입의 자료로 변환한다.
sqlite3_column_text()	위 sqlite3_step으로 읽은 한 레코드의 한 필드를 string 타입의 자료로 변환한다.
sqlite3_errmsg()	에러 발생 시 sql 함수로부터 에러 메시지를 출력한다.
sqlite3_finalize()	생성된 바이트 코드 문장을 제거하여 메모리를 삭제한다.
sqlite3_close()	데이터베이스를 닫고 연결을 끊는다.

sqlite3 객체를 이용하여 데이터베이스 테이블 자료를 읽어 출력하는 과정은 다음 그림과 같다.

▶그림 4.20 데이터베이스 테이블 자료를 읽어 출력하는 과정

위 그림에서 알 수 있듯이 먼저 sqlite3_open으로 데이터베이스를 열고 sqlite3_prepare_v2를 호출하여 지정된 sql 문장을 컴파일하여 바이트 코드로 생성한다. 이어서 sqlite3_step을 호출하여 생성된 바이트 코드 문장으로 한 레코드씩 읽어 들이고

화면에 출력한다. 만일 처리해야 할 데이터가 있다면, 계속 sqlite3_step을 반복 호출한다. 처리가 잘 끝나면 sqlite3_finaliz를 호출하여 생성된 바이트 코드 문장을 제거, 메모리를 삭제하고 sqlite3_close를 호출하여 데이터베이스를 닫고 연결은 끊는다.

이제 실제로 사용된 코드를 살펴보자. readFilesFromDatabase() 메소드에서는 먼저 다음과 같이 sqlite3_open()을 사용하여 dbPath에 지정된 데이터베이스 파일을 열고 새로운 연결을 생성한다. 이 함수는 이상이 없으면 SQLITE_OK를 돌려주고 이상이 있으면 에러 코드를 돌려준다.

```
sqlite3 *database;
if(sqlite3_open([dbPath UTF8String], &database) == SQLITE_OK)
{
...
```

그다음, 학생 자료를 검색할 SQL 문장 sqlStatement와 prepared 문장을 처리할 변수 compiledStatement, 학생 자료를 보관할 배열 변수 dataList 등을 선언한다.

```
const char *sqlStatement = "select * from student;";
sqlite3_stmt *compiledStatement;
dataList = [[NSMutableArray alloc] init];
...
```

이어서, sql 문장을 컴파일하여 검색 명령을 바이트 코드로 생성하는 sqlite3_prepare_v2()를 호출한다. 이 함수는 이상이 없다면 SQLITE_OK를 돌려주고 이상이 있다면 에러 코드를 돌려준다.

```
if(sqlite3_prepare_v2(database, sqlStatement, -1, &compiledStatement,
NULL) == SQLITE_OK)
{
...
```

이어서, sqlite3_step()에 컴파일된 코드를 사용하여 한 레코드씩 읽어온다. 새로운 자료를 이상 없이 읽었을 경우 SQLITE_ROW를 돌려주고 에러가 발생하였다면, SQLITE_BUSY, SQLITE_DONE, SQLITE_ERROR와 같은 값을 돌려준다.

```
while(sqlite3_step(compiledStatement) == SQLITE_ROW)
{
...
```

읽어온 자료를 Student 객체에 넣기 위해서 Student 객체를 초기화한다.

```
Student *student = [Student alloc];
...
```

이제 읽어온 레코드의 필드 순서 번호를 통하여 그 필드에 대한 정보를 얻을 수 있다. 예를 들어, 첫 번째 필드이고 정수 타입인 경우, sqlite3_column_int()를 사용하고 파라미터값으로 0를 지정하여 첫 번째 필드 값을 정수로 얻는다.

```
int stid = sqlite3_column_int(compiledStatement, 0);
...
```

그 정숫값을 Student 객체에 지정하기 위해 NSNumber 객체로 변경하고 Student 객체의 setStudentid() 메소드를 통하여 추가한다. 정숫값은 Student 객체에 추가할 수 없으므로 NSNumber 객체로 변환해야만 한다.

```
NSNumber *studentid = [NSNumber numberWithInt: stid];
[student setStudentid: studentid];
...
```

이번에는 두 번째 필드이고 varchar 타입인 경우, sqlite3_column_text()를 사용하여 자료 값을 얻을 수 있다. 파라미터값으로 1을 지정한다. 자료를 읽을 뒤에서는

Student 객체의 setName 통하여 Student 객체에 지정한다.

```
NSString *name = [NSString stringWithUTF8String:
            (char *)sqlite3_column_text(compiledStatement, 1)];
[student setName:name];
...
```

email, address, phone 필드 모두 동일한 방법으로 처리한다.

```
NSString *email = [NSString stringWithUTF8String:
            (char *)sqlite3_column_text(compiledStatement, 2)];
[student setEmail:email];

NSString *address = [NSString stringWithUTF8String:
            (char *)sqlite3_column_text(compiledStatement, 3)];
[student setAddress:address];

NSString *phone = [NSString stringWithUTF8String:
            (char *)sqlite3_column_text(compiledStatement, 4)];
[student setPhone:phone];
    ...
```

Student 객체 변수 student에 원하는 정보를 모두 입력하였다면, 그 변수를 다음과 같이 addObject를 사용하여 NSMutableArray 타입인 dataList에 추가한다.

```
        [dataList addObject: student];
    }
}
```

만일 sqlite3_prepare_v2() 함수 처리에서 에러가 발생하였다면, 다음과 같이 sqlite3_errcode() 함수를 사용하여 에러 코드를 출력하고 sqlite3_errmsg() 함수를 사용하여 에러 메시지를 출력한다.

```
    else
    {
        NSLog(@"Database returned error %d: %s",
              sqlite3_errcode(database), sqlite3_errmsg(database));
    }
```

마지막 처리로서 sqlite3_finalize()를 호출하여 생성된 바이트 코드 문장을 제거하고 연결을 끊는다. 또한, sqlite3_close()를 사용하여 데이터베이스를 닫는다.

```
        sqlite3_finalize(compiledStatement);
    }
    sqlite3_close(database);
}
```

이제 이 Student 객체에 추가된 자료를 UITableViewDataSource 프로토콜 이벤트 함수를 사용하여 출력해보자.

먼저, 테이블을 구성하는 섹션의 수를 지정하는 numberOfSectionsInTableView를 다음과 같이 작성한다. 섹션은 테이블 자료를 출력하는 일종의 그룹 데이터이다. 테이블 뷰에서는 여러 종류의 데이터 그룹을 출력할 수 있는데, 여기서는 학생 자료를 출력하는 1개의 섹션으로만 구성한다.

```
- (NSInteger)numberOfSectionsInTableView:(UITableView *)tableView {
    // Return the number of sections.
    return 1;
}
...
```

그다음, 테이블에 몇 개의 자료를 출력할지 결정해보자. numberOfRowsInSection을 사용하여 섹션당 출력할 자료의 개수를 지정할 수 있다. 여기서는 학생 자료를 입력한 NSMutableArray 타입의 dataList의 자료 개수를 출력해준다. dataList에 추가된 자료 개수는 count 속성으로 알아낼 수 있다.

```
- (NSInteger)tableView:(UITableView *)tableView
              numberOfRowsInSection:(NSInteger)section {
   // Return the number of rows in the section.
   return dataList.count;
}
...
```

그다음, 실제로 자료를 출력하는 cellForRowAtIndexPath 메소드를 살펴보자. 즉, 이 메소드는 (섹션 수 * 자료의 수)만큼 자동 반복 호출된다.

```
- (UITableViewCell *)tableView:(UITableView *)tableView
              cellForRowAtIndexPath:(NSIndexPath *)indexPath {
...
```

먼저, 테이블 뷰의 dequeueReusableCellWithIdentifier를 사용하여 셀을 재활용할 수 있게 하는 UITableViewCell 객체를 생성한다. 테이블에서 셀을 구성할 때 거의 동일한 셀 형태를 사용하므로 한번 생성된 셀 객체는 재사용하여 별도로 생성할 필요 없이 그대로 사용할 수 있다.

```
   static NSString *CellIdentifier = @"Cell";

   UITableViewCell *cell = [tableView
              dequeueReusableCellWithIdentifier:CellIdentifier];
   if (cell == nil) {
       cell = [[UITableViewCell alloc]
       initWithStyle:UITableViewCellStyleDefault
reuseIdentifier:CellIdentifier];
   }
   ...
```

참고   cell=[UITableViewCell alloc] initWithStyle: ... 코드를 사용하는 경우

위 예제에서는 UITableViewCell 객체 초기화 코드를 사용하였지만, 대부분은 이 초기화 코드를 사용하지 않아도 이상 없이 동작된다. 위 예제에서 이 코드를 사용한 이유는 TableView의 Prototype Cells에 0을 지정하여 테이블 뷰 셀을 만들지 않았기 때문이다. 만일 테이블 뷰 셀을 만들고 셀에 대한 Identifier 값을 지정하는 경우에는 자동으로 초기화되므로 위 코드를 별도로 사용할 필요가 없다.

이어서 dataList로부터 현재 인덱스에 해당하는 각각의 Student 객체 값 studentdata
를 얻는다. 이때 현재 메소드의 파라미터인 indexPath 객체의 row 속성을 사용하면
현재 출력되는 인덱스값을 알아낼 수 있다. 즉, 여기서 indexPath.row 값은 0부터
dataList.count −1까지 증가하면서 Student에 입력된 모든 자료를 가지고 온다.

```
Student *studentdata = dataList[indexPath.row];
...
```

학생 자료는 DisplayAllData() 메소드를 호출하여 하나의 문자열로 만들고
UITableViewCell 객체의 textLabel.text에 지정하여 화면에 출력한다.

```
cell.textLabel.text = [self DisplayAllData: studentdata withCell: cell];

return cell;
}
```

DisplayAllData() 메소드는 Student 객체의 자료를 필드별로 읽어 하나의 문자열
로 만들어 돌려주는 함수이다.

먼저 Student 객체의 학번 Get 메소드인 studentdata.studentid를 통하여 학
번을 읽는다. 이때 이 값의 타입은 NSNumber이므로 stringValue를 사용하여
NSString 타입으로 변경한다.

```
- (NSString *) DisplayAllData:(Student *) studentdata
            withCell:(UITableViewCell *) cell
{
    NSString *stid = [studentdata.studentid stringValue];
    ...
```

동일한 방법으로 각각 이름, 이메일, 주소, 전화번호 Get 메소드를 통하여 각 필드
값을 얻는다.

```
    NSString *name = studentdata.name;
    NSString *email = studentdata.email;
    NSString *address = studentdata.address;
    NSString *phone = studentdata.phone;
    ...
```

모든 필드 값은 stringWithFormat을 사용하여 하나의 NSString으로 생성하여
리턴한다.

```
    return [NSString stringWithFormat:@"%@ %@ %@ %@ %@",
                        stid, name, email, address, phone];
}
```

4-4 Sqlite3를 이용한 자료 입력

이 절에서는 Sqlite3를 이용하여 자료 입력을 처리해보자. 자료 입력을 처리한 뒤
에는 버튼을 눌러 다음 페이지로 이동하여 입력된 자료를 보여주는데, 이를 위해
UINavigationController를 사용해볼 것이다.

▌그대로 따라 하기

❶ Xcode에서 File-New-Project를 선택한다. 계속해서 왼쪽에서 iOS-Application
을 선택하고 오른쪽에서 Single View Application을 선택한다. 이어서 Next
버튼을 누르고 Product Name에 "SqliteInputExample"이라고 지정한다. 아
래쪽에 있는 Language 항목은 "Objective-C", Devices 항목은 "iPhone"으로
설정한다. 그 아래 Include Unit Tests 항목과 Include UI Tests 항목은 체크
한 상태로 그대로 둔다. 이어서 Next 버튼을 누르고 Create 버튼을 눌러 프로젝
트를 생성한다.

아이폰 프로그래밍 예제와 함께 단계 따라 하기

▶그림 4.21 SqliteInputExample 프로젝트 생성

❷ 프로젝트가 생성되면 기본적으로 SqliteInputExample 프로젝트의 첫 번째 탭
General 속성을 보여주는데, 6번째 탭인 Build Phases를 선택한다. 그 안에서
다시 세 번째 Link Binary With Libraries를 선택했을 때 나타나는 + 버튼을
눌러준다. 이때 라이브러리 선택 창에서 libsqlite3.tbd 파일을 선택하고 아래쪽
Add 버튼을 눌러 추가한다.

▶그림 4.22 libsqlite3.tbd 파일 추가

❸ 또한, 이전에 생성한 student.db 파일을 드래그-앤-드롭으로 프로젝트 탐색기의 SqliteInputExample노란색 아이콘 아래쪽에 떨어뜨린다. 이때 다음 그림과 같이 파일 추가 옵션 상자가 나타나는데, "Destination"의 "Copy items if needed" 항목과 "Add to targets"의 SqliteInputExample 항목에 체크하고 오른쪽 아래 Finish 버튼을 눌러 파일을 추가한다.

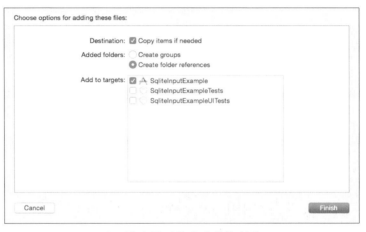

▶ 그림 4.23 파일 추가 옵션 상자

❹ 프로젝트 탐색기의 Main.storyboard를 선택한 상태에서 스토리보드 캔버스에서 ViewController를 선택한다. 그다음, Xcode의 Editor 메뉴-Embed In-Navigation Controller를 선택하여 내비게이션 컨트롤러를 추가한다. 이때 추가한 내비게이션 컨트롤러는 자동으로 현재 위치하는 뷰 컨트롤러와 연결된다.

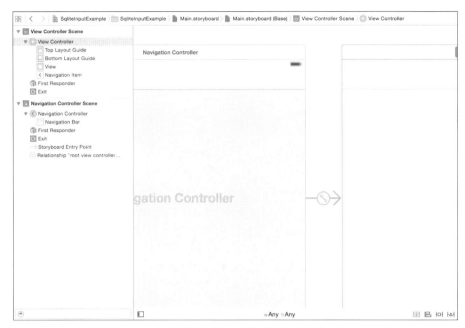

▶그림 4.24 내비게이션 컨트롤러 추가

❺ 이어서 오른쪽 아래 Object 라이브러리로부터 5개의 Label, 5개의 TextField, 1개의 Button을 캔버스의 View Controller 위에 다음 그림과 같이 위치시킨 다. 또한, 각 라벨 컨트롤마다 Attributes 인스펙터의 Text 속성에 "Student ID", "Name", "E-Mail", "Address", "Phone" 등을 지정하고 버튼의 Title 속 성에 "Insert"를 설정한다. 또한, 마우스를 사용하여 각 라벨의 너비를 약 100픽 셀 정도로 늘려주는 것을 잊지 않도록 한다.

▶그림 4.25 Label, TextField, Button 컨트롤을 View Controller에 위치

❻ 첫 번째 Label 컨트롤의 선택한 상태에서 오른쪽 위 Size 인스펙터를 선택한다. 그 아래 Height 속성값을 30으로 변경한다. 그리고 Label 컨트롤을 다시 선택하고 키보드에서 위쪽 화살표 키를 눌러 Y 좌표를 그 오른쪽 Text Field와 동일하게 맞춘다. 높이가 동일하게 맞는 순간 두 컨트롤 사이에 연결 줄이 나타난다. 동일한 방법을 아래쪽 4개의 Label 컨트롤을 같은 방법으로 처리한다.

▶그림 4.26 각 Label 컨트롤의 Height 속성값을 30으로 변경

❼ 계속해서 첫 번째 Label 컨트롤을 선택한 상태에서 캔버스 아래 오토 레이아 웃 메뉴에서 세 번째 Pin을 선택하고 "제약조건 설정"창이 나타나면 다음 그 림과 북쪽에서 25, 서쪽 위치 상자에서 25를 입력하고 각각 I 빔에 체크한다. 또한, 그 아래, Width, Height 항목에 체크한 다음, 다시 그 아래 "Add 4 Constraints" 버튼을 클릭한다.

▶그림 4.27 Label 컨트롤 제약조건 설정

❽ 이번에는 그 오른쪽 Text Field 컨트롤을 선택한 상태에서 캔버스 아래 오토 레이아웃 메뉴에서 세 번째 Pin을 선택하고 "제약조건 설정"창이 나타나면 다 음 그림과 같이 북쪽에서 25, 동쪽 위치 상자에서 25를 입력하고 I 빔에 각각 체크한다. 그다음, 그 아래쪽 Height 항목에 체크한 뒤, 그 아래 "Add 3 Constraints" 버튼을 클릭한다.

▶그림 4.28 Text Field 컨트롤 제약조건 설정

❾ 그다음, 다시 첫 번째 Label 컨트롤을 Ctrl 버튼과 함께 마우스로 선택하고 드래그-앤-드롭으로 Text Field에 떨어뜨린다.

▶그림 4.29 Label 컨트롤에서 Text Field 컨트롤 위로 드래그-앤-드롭 연결

❿ 이때 다음과 같이 설정 창이 나타나는데, 가장 위에 있는 Horizontal Spacing을 선택한다.

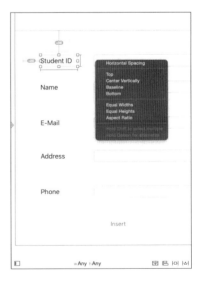

▶그림 4.30 Horizontal Spacing 선택

⑪ 동일한 방법으로 두 번째부터 다섯 번째 Label과 Text Field 컨트롤을 ❼부터
⑩까지 반복하여 처리한다.

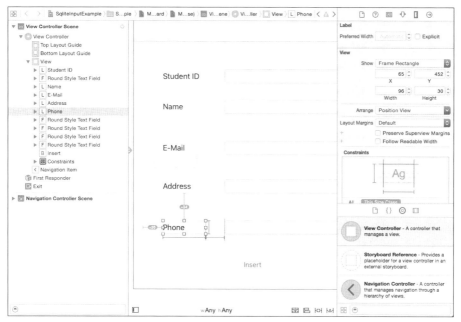

▶그림 4.31 나머지 모든 Label과 Text Field 컨트롤을 동일하게 처리

⑫ 이제 아래쪽 Button을 선택한 상태에서 캔버스
아래 오토 레이아웃 메뉴에서 세 번째 Pin을 선
택하고 "제약조건 설정" 창이 나타나면 다음 그
림과 같이 북쪽 위치 상자에 25를 입력하고 I 빔
에 체크한다. 또한, 그 아래 Width와 Height
항목에 체크한 다음, "Add 3 Constraints" 버
튼을 클릭한다.

▶그림 4.32 Button 컨트롤 제약조건 설정

⓭ 계속해서 Button 컨트롤을 선택한 상태에서 캔버스 아래 오토 레이아웃 메뉴에서 두 번째 Align을 선택하고 "제약조건 설정" 창이 나타나면 다음 그림과 같이 "Horizontally in Container"를 선택하고 아래쪽 "Add 1 Constraint" 버튼을 클릭한다.

▶그림 4.33 Horizontally in Container 항목 선택

⓮ 이번에는 캔버스 아래 오토 레이아웃 메뉴의 네 번째 Resolve Auto Layout Issues를 선택하고 "All Views"의 "Update Frames"를 선택한다.

▶그림 4.34 Update Frames 항목 선택

⓯ 오른쪽 아래 Object 라이브러리로부터 Bar Button Item을 선택하고 캔버스의 View Controller 오른쪽 위에 추가한다. 또한, Attributes 인스펙터의 Title 속성에 "Data List"를 입력하여 버튼을 타이틀을 변경한다.

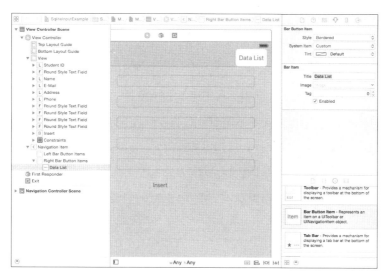

▶그림 4.35 Bar Button Item 컨트롤 추가

⓰ 다시 오른쪽 아래 Object 라이브러리로부터 Table View Controller를 선택하
고 캔버스의 View Controller 오른쪽에 위치시킨다.

▶그림 4.36 Table View Controller 추가

⓱ 프로젝트 탐색기의 SqliteInputExample(노란색 아이콘)에서 오른쪽 마우스 버튼을 누르고 New File 항목을 선택한다. 이때 템플릿 선택 대화상자가 나타나면 왼쪽에서 iOS-Source를 선택하고 오른쪽에서 Cocoa Touch Class를 선택한 뒤, Next 버튼을 누른다. 이때 새 파일 이름을 입력하라는 대화상자가 나타나면, 다음 그림과 같이 SecondTableViewController를 입력한다. 이때 그 아래쪽 Subclass of 항목에 UITableViewController를 지정하도록 하고 "Also create XIB file" 체크 상자에는 체크하지 않도록 한다. 그 아래 Language 항목은 Objective-C를 선택한다. 이상이 없으면 Next 버튼을 눌러 파일을 생성한다.

▶그림 4.37 SecondTableViewController 파일 생성

⓲ 도큐먼트 아웃라인 창에서 새로 생성한 Table View Controller를 선택하고 오른쪽 위 Identity 인스펙터를 선택한다. 이때 Custom Class 항목의 Class 상자에 위에서 생성한 SecondTableViewController를 입력하거나 지정한다.

▶그림 4.38 Class 상자에 SecondTableViewController 지정

⑲ 이제 View Controller의 Bar Button Item "DataList"를 Ctrl 키와 함께 선택하고 드래그–앤–드롭으로 SecondTableViewController에 떨어뜨린다. 이때 Action 세구에 연결 선택 창이 나타나면 첫 번째 show 항목을 선택한다.

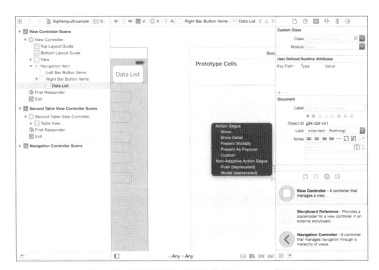

▶그림 4.39 세구에 연결 선택 창에서 show 항목 선택

❷⓪ 도큐먼트 아웃라인 창의 Second Table View Controller에서 Table View Cell 을 선택한 상태에서 오른쪽 위 Attributes 인스펙터를 선택한다. Table View Cell 항목의 Identifier에 다음과 같이 "MyCell"을 입력한다.

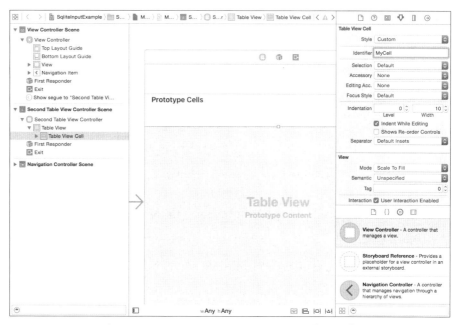

▶그림 4.40 Table View Cell 항목의 Identifier에 "MyCell" 입력

❷① 계속해서 프로젝트 탐색기에서 Main.storyboard 파일을 선택한 상태에서 Xcode 오른쪽 위에 있는 도움 에디터Assistant Editor를 클릭하여 불러낸다. 도움 에디터의 파일이 ViewController.h 파일임을 확인한다. 이어서 Ctrl 키와 함께 첫 번째 Text Field 컨트롤을 선택하고 그대로 도움 에디터의 @interface 아래 쪽으로 드래그-앤-드롭 처리한다. 이때 도움 에디터 연결 패널이 나타나는데, Name 항목에 "txtStudentID"라고 입력하고 Connect 버튼을 눌러 객체 변수 를 생성한다. 다음 그림은 첫 번째 Text Field와 연결된 연결 패널을 보여준 다. 동일한 방법으로 두 번째부터 다섯 번째 Text Field까지 각각 Ctrl 키와

함께 선택하고 도움 에디터 파일에 떨어뜨린다. Name 항목에는 각각
"txtName", "txtEmail", "txtAddress", "txtPhone"이라고 입력한다.

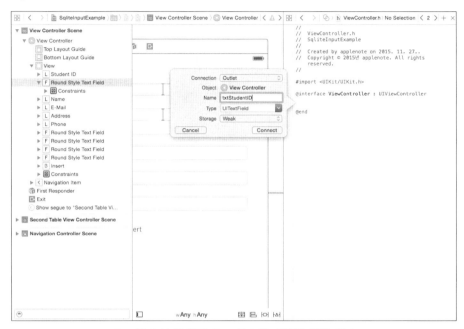

▶그림 4.41 첫 번째 Text Field와 연결된 연결 패널

㉒ 이어서 그 아래 Insert 버튼에서 오른쪽 마우스 버튼을 누르면 여러 메소드를
선택할 수 있는 메소드 선택 패널 창이 나타난다. 그중 Touch Up Inside 항목을
선택하고 드래그-앤-드롭으로 ViewController.h 헤더 파일의 @interface 아
래쪽에 떨어뜨린다. 이때 도움 에디터 연결 패널이 나타나는데, Name 항목에
"clickCompleted"라고 입력하고 Connect 버튼을 눌러 코드를 생성한다.

▶그림 4.42 Insert Button과 연결된 연결 패널

㉓ 프로젝트 탐색기의 SqliteInputExample(노란색 아이콘)에서 오른쪽 마우스
버튼을 누르고 New File 항목을 선택한다. 이때 템플릿 선택 대화상자가 나타
나면, 왼쪽에서 iOS-Source를 선택하고 오른쪽에서 Cocoa Touch Class를
선택한 뒤, Next 버튼을 누른다. 이때 새 파일 이름을 입력하라는 대화상자가
나타나면, 다음 그림과 같이 Student를 입력한다. 이때 그 아래쪽 Subclass
of 항목에 NSObject를 지정한다. 그 아래 Language 항목은 Objective-C를
선택한다. 이상이 없으면 Next 버튼을 눌러 파일을 생성한다.

Choose options for your new file:

Class:	Student
Subclass of:	NSObject
	Also create XIB file
	iPhone
Language:	Objective-C

Cancel   Previous   Next

▶그림 4.43 Student 클래스 생성

❷❹ 다시 오른쪽 위에 있는 표준 에디터Standard Editor를 선택하여 표준 에디터로 변경 한다. 프로젝트 탐색기의 Student.h 파일을 선택하고 다음과 같이 수정한다.

```objc
#import <Foundation/Foundation.h>

@interface Student : NSObject {
    NSNumber *studentid;
    NSString *name;
    NSString *email;
    NSString *address;
    NSString *phone;
}

@property NSNumber *studentid;
@property NSString *name;
@property NSString *email;
@property NSString *address;
@property NSString *phone;

@end
```

㉕ 이어서 프로젝트 탐색기의 Student.m 파일을 선택하고 다음과 같이 수정한다.

```
#import "Student.h"

@implementation Student
@synthesize studentid, name, email, address, phone;
@end
```

㉖ 이번에는 프로젝트 탐색기의 ViewController.m 파일을 선택하고 다음 코드와
   같이 수정한다.

```
#import <sqlite3.h>
#import "ViewController.h"

@interface ViewController ()
{
    NSString      *dbName;
    NSString      *dbPath;
}
@end

@implementation ViewController
@synthesize txtStudentID, txtName, txtEmail, txtAddress, txtPhone;

- (void)viewDidLoad {
    [super viewDidLoad];

    dbName = @"student.db";
    NSArray *documentPaths =
                NSSearchPathForDirectoriesInDomains(NSDocumentDirectory,
                NSUserDomainMask, YES);
    NSString *documentsDir = [documentPaths objectAtIndex:0];
    dbPath = [documentsDir stringByAppendingPathComponent:dbName];

    [self checkAndCreateDatabase];
}

-(void) checkAndCreateDatabase
```

```
{
    NSFileManager *fileManager = [NSFileManager defaultManager];

    if (![fileManager fileExistsAtPath:dbPath])
    {
        NSString *dbPathFromApp = [[[NSBundle mainBundle] resourcePath]
                stringByAppendingPathComponent:dbName];
        [fileManager copyItemAtPath:dbPathFromApp toPath:dbPath error:nil];
    }
}

- (void)didReceiveMemoryWarning {
    [super didReceiveMemoryWarning];
    // Dispose of any resources that can be recreated.
}

- (IBAction)clickCompleted:(id)sender {
    int studentid = [txtStudentID.text intValue];
    NSString *name = txtName.text;
    NSString *email = txtEmail.text;
    NSString *address = txtAddress.text;
    NSString *tel = txtPhone.text;

    if ([self insertData : studentid name:name email:email address:address
tel:tel] == YES)
    {
        UIAlertController *alert = [UIAlertController
                            alertControllerWithTitle:@"Input OK!"
                            message:@"Accepted Data!"
                            preferredStyle:UIAlertControllerStyleAlert];

        UIAlertAction *yesButton = [UIAlertAction
                            actionWithTitle:@"OK"
                            style:UIAlertActionStyleDefault
                            handler:^(UIAlertAction * action)
                            {
                                [alert dismissViewControllerAnimated:YES
                                        completion:nil];
                            }];

        [alert addAction: yesButton];
```

```
                [self presentViewController:alert animated:YES completion:nil];

            [self initTextFields];
        }
        else
        {
            UIAlertController *alert = [UIAlertController
                                alertControllerWithTitle:@"Input Fail!"
                                message:@"Error Data!"
                                preferredStyle:UIAlertControllerStyleAlert];

            UIAlertAction *yesButton = [UIAlertAction
                                actionWithTitle:@"OK"
                                style:UIAlertActionStyleDefault
                                handler:^(UIAlertAction * action)
                                {
                                    [alert dismissViewControllerAnimated:YES
                                            completion:nil];
                                }];

            [alert addAction: yesButton];
            [self presentViewController:alert animated:YES completion:nil];

        }
}

- (BOOL) insertData:(int) studentid name:(NSString *)name email:(NSString
*)email address:(NSString *)address tel:(NSString *) tel;
{
    const char *dbpath = [dbPath UTF8String];
    sqlite3 *database;
    sqlite3_stmt *compiledStatement;
    bool state = NO;

    if (sqlite3_open(dbpath, &database) == SQLITE_OK)
    {
        NSString *insertSQL = [NSString stringWithFormat:
            @"insert into student values(%d, \"%@\", \"%@\", \"%@\", \"%@\")",
            studentid, name, email, address, tel];
        const char *insert_stmt = [insertSQL UTF8String];
        if (sqlite3_prepare_v2(database, insert_stmt, -1, &compiledStatement,
```

```
NULL) == SQLITE_OK)
    {
        if (sqlite3_step(compiledStatement) == SQLITE_DONE)
        {
            state = YES;
        }
        else
        {
            state = NO;
        }
    }
    else
    {
        NSLog(@"Error while creating insert statement. '%s'",
            sqlite3_errmsg(database));
    }
    sqlite3_finalize(compiledStatement);
    sqlite3_close(database);
    }
    return state;
}

- (void) initTextFields
{
    txtStudentID.text = @"";
    txtName.text = @"";
    txtEmail.text = @"";
    txtAddress.text = @"";
    txtPhone.text = @"";
}

@end
```

㉗ 프로젝트 탐색기에서 SecondTableViewController.m 파일을 선택하고 다음
코드와 같이 수정한다.

```
#import <sqlite3.h>
#import "SecondTableViewController.h"
```

```objc
#import "Student.h"

@interface SecondTableViewController ()
{
    NSString        *dbName;
    NSString        *dbPath;
    NSMutableArray  *dataList;
}
@end

@implementation SecondTableViewController

- (void)viewDidLoad {
    [super viewDidLoad];

    dbName = @"student.db";
    NSArray *documentPaths =
                NSSearchPathForDirectoriesInDomains(NSDocumentDirectory,
                NSUserDomainMask, YES);
    NSString *documentsDir = [documentPaths objectAtIndex:0];
    dbPath = [documentsDir stringByAppendingPathComponent:dbName];

    [self readFilesFromDatabase];

}

-(void) readFilesFromDatabase {
    sqlite3 *database;

    if(sqlite3_open([dbPath UTF8String], &database) == SQLITE_OK)
    {
        const char *sqlStatement = "select * from student;";
        sqlite3_stmt *compiledStatement;

        dataList = [[NSMutableArray alloc] init];

        if(sqlite3_prepare_v2(database, sqlStatement, -1, &compiledStatement,
NULL) == SQLITE_OK)
        {
            while(sqlite3_step(compiledStatement) == SQLITE_ROW)
            {
```

```objc
            Student *student = [Student alloc];

            int stid = sqlite3_column_int(compiledStatement, 0);
            NSNumber *studentid = [NSNumber numberWithInt: stid];
            [student setStudentid: studentid];

            NSString *name = [NSString stringWithUTF8String:
                (char *)sqlite3_column_text(compiledStatement, 1)];
            [student setName:name];

            NSString *email = [NSString stringWithUTF8String:
                (char *)sqlite3_column_text(compiledStatement, 2)];
            [student setEmail:email];

            NSString *address = [NSString stringWithUTF8String:
                (char *)sqlite3_column_text(compiledStatement, 3)];
            [student setAddress:address];

            NSString *phone = [NSString stringWithUTF8String:
                (char *)sqlite3_column_text(compiledStatement, 4)];
            [student setPhone:phone];

            [dataList addObject: student];
        }
    }
    else
    {
        NSLog(@"Database returned error %d: %s", sqlite3_errcode(database),
sqlite3_errmsg(database));
    }
    sqlite3_finalize(compiledStatement);
    }
    sqlite3_close(database);
}

- (void)didReceiveMemoryWarning {
    [super didReceiveMemoryWarning];
    // Dispose of any resources that can be recreated.
}
```

```
#pragma mark - Table view data source
- (NSInteger)numberOfSectionsInTableView:(UITableView *)tableView {
    return 1;
}

- (NSInteger)tableView:(UITableView *)tableView
        numberOfRowsInSection:(NSInteger)section {
    return dataList.count;
}

- (UITableViewCell *)tableView:(UITableView *)tableView
        cellForRowAtIndexPath:(NSIndexPath *)indexPath {
    static NSString *CellIdentifier = @"MyCell";
    UITableViewCell *cell =
        [tableView dequeueReusableCellWithIdentifier:CellIdentifier];

    Student *studentdata = dataList[indexPath.row];
    cell.textLabel.text = [self DisplayAllData: studentdata withCell: cell];

    return cell;
}

- (NSString *) DisplayAllData:(Student *) studentdata withCell:(UITableViewCell
*) cell
{
    NSString *stid = [studentdata.studentid stringValue];
    NSString *name = studentdata.name;
    NSString *email = studentdata.email;
    NSString *address = studentdata.address;
    NSString *phone = studentdata.phone;
    return [NSString stringWithFormat:@"%@ %@ %@ %@ %@", stid, name, email,
address, phone];
}

@end
```

㉘ 이제 Xcode 왼쪽에 있는 Run 혹은 Command-R 버튼을 눌러 실행한다. 원하
는 자료를 Text Field에 입력하고 Insert 버튼을 눌러 자료를 입력해본다. 또

한, 오른쪽 위에 있는 Data List 버튼을 눌러 그다음 페이지에서 입력된 자료를
확인해본다.

▶그림 4.44 SqliteInputExample 프로젝트 실행

▌원리 설명

이번 절에서 Sqlite3를 사용하여 데이터베이스 자료 입력을 처리해보았다. 먼저 다
음과 같이 내비게이션 컨트롤러를 설정하여 Data List 버튼을 눌렀을 때 다음 화면으
로 이동하도록 설정한다. 내비게이션 컨트롤러는 도큐먼트 아웃라인 창에서 View
Controller를 선택한 상태에서 Editor 메뉴-Embed In-Navigation Controller를
선택해준다.

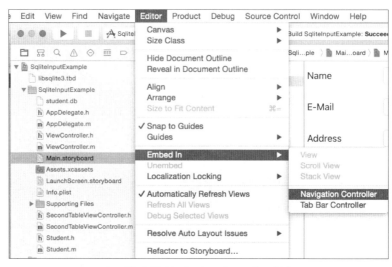

▶그림 4.45 Navigation Controller 추가

자료 입력을 처리하는 ViewController를 살펴보자.

자료를 초기화하는 viewDidLoad() 함수에서는 데이터베이스 파일을 임시로 보관하는 번들 디렉터리에서 실제 데이터베이스 파일을 처리하는 도큐먼트로 디렉터리로 파일을 복사하는 일을 처리한다. 이에 대한 것은 이전 "4.3 Sqlite3를 이용한 자료 출력" 절에서 자세히 설명하였다.

```objectivec
- (void)viewDidLoad {
    [super viewDidLoad];

    dbName = @"student.db";
    NSArray *documentPaths =
        NSSearchPathForDirectoriesInDomains(NSDocumentDirectory,
        NSUserDomainMask, YES);
    NSString *documentsDir = [documentPaths objectAtIndex:0];
    dbPath = [documentsDir stringByAppendingPathComponent:dbName];

    [self checkAndCreateDatabase];
}
```

화면이 나타나고 각 텍스트 필드에 자료를 입력하고 Insert 버튼을 누르면 다음과
같은 clickCompleted 이벤트 함수가 실행된다. 먼저, 각 텍스트 필드로부터 입력된
자료를 studentid, name, email, address, tel 변수에 저장한다. 이때 학번 필드는
정수이므로 NSString 메소드의 intValue를 사용하여 정수로 변경하는 것을 잊지 않
도록 한다.

```
- (IBAction)clickCompleted:(id)sender {
    int studentid = [txtStudentID.text intValue];
    NSString *name = txtName.text;
    NSString *email = txtEmail.text;
    NSString *address = txtAddress.text;
    NSString *tel = txtPhone.text;
    ...
```

그다음, 각 변수와 함께 insertData 함수를 호출하여 입력받은 변수들을 데이터베
이스 파일에 입력한다. 이때 이 함수에서 이상 없이 저장되었다는 YES 값과 저장하는
도중 이상이 발생하였다는 NO 값을 리턴할 수 있는데, 먼저 YES 값을 다음과 같이
처리한다.

```
    if ([self insertData : studentid name:name email:email address:address
tel:tel] == YES)
    {
        ...
```

자료가 이상 없이 처리되었으므로 UIAltertController를 사용하여 조그만 메시지
창을 띄어준다. 사실 메시지 창 출력은 UIAlertView라는 클래스를 사용하였는데,
iOS9부터는 지원하지 않으므로 UIAltertController 클래스를 사용하여 메시지를 출
력한다.

▶ 표 4.5 UIAltertController 클래스 생성 파라미터

UIAlertController 클래스 생성 파라미터	설명
alertControllerWithTitle	표시하고자 하는 문장의 제목 지정
message	표시하고자 하는 문장의 자세한 메시지
preferredStyle	AlterController에 지정되는 스타일로 UIAlertControllerStyleActionSheet 와 UIAlertControllerStyleAlert가 있다.

UIAlertController 클래스 생성은 위 표 4.5에서 보여주듯이 타이틀, 메시지, 스타일을 지정한다. 타이틀과 메시지는 각각 표시하고자 하는 글의 제목과 메시지를 지정하는 것이고 스타일은 잠재적으로 중요한 일을 처리한다는 것을 의미할 때 사용되는 UIAlertControllerStyleActionSheet와 일반적으로 사용되는 UIAlertController StyleAlert 두 가지가 있다. 여기서는 일반적인 스타일인 UIAlertControllerStyle Alert를 사용한다.

```
UIAlertController *alert = [UIAlertController
                            alertControllerWithTitle:@"Input OK!"
                            message:@"Accepted Data!"
                            preferredStyle:UIAlertControllerStyleAlert];
    ...
```

또한, UIAlertAction 클래스를 사용하여 UIAlertController 클래스에 지정한 버튼을 생성한다.

이 클래스 역시 actionWithTitle, style, handler 파라미터를 사용하는데, action WithTitles는 버튼에 쓸 제목을 지정하고 style은 버튼의 형태 스타일을 지정하다. 여기서는 디폴트로 사용되는 UIAlertActionStyleDefault를 지정한다. 마지막 hanlder는 버튼을 눌렀을 때 처리하는 코드로 여기서는 dismissViewController Animated 메소드를 호출하여 창을 닫아준다.

280

```
UIAlertAction *yesButton = [UIAlertAction
                            actionWithTitle:@"OK"
                            style:UIAlertActionStyleDefault
                            handler:^(UIAlertAction * action)
                            {
                                [alert dismissViewControllerAnimated:YES
                                       completion:nil];
                            }];
                    ...
```

addAction 메소드를 사용하여 작성된 버튼을 UIAlertController 클래스에 추가하고 presentViewController를 호출하여 메시지 창을 표시한다.

```
[alert addAction: yesButton];
[self presentViewController:alert animated:YES completion:nil];
...
```

메시지 창에 표시되면 initTextFields를 호출해서 텍스드 필드 값을 초기화한다.

```
    [self initTextFields];
}
...
```

만일 insertData 메소드 호출 시 에러가 발생하면 다음과 같이 else 문장을 실행한다.

```
else
{
...
```

에러가 발생하더라도 처리되는 코드는 거의 동일하다. UIAlertController 객체를 사용하여 "Input Fail!"이라는 제목과 "Error Data!"라는 메시지를 출력하는 메시지 창을 생성한다.

```
UIAlertController *alert = [UIAlertController
                            alertControllerWithTitle:@"Input Fail!"
                            message:@"Error Data!"
                            preferredStyle:UIAlertControllerStyleAlert];
...
```

또한, UIAlertAction 객체를 사용하여 OK 버튼을 생성하고 addAction 메소드를 호출하여 메시지 창에 추가한다. 마지막으로 presentViewController 메소드를 호출하여 메시지 창을 화면에 표시한다.

```
UIAlertAction *yesButton = [UIAlertAction
                            actionWithTitle:@"OK"
                            style:UIAlertActionStyleDefault
                            handler:^(UIAlertAction * action)
                            {
                                [alert dismissViewControllerAnimated:YES
                                        completion:nil];
                            }];

    [alert addAction: yesButton];
    [self presentViewController:alert animated:YES completion:nil];
    }
}
...
```

데이터베이스에 자료를 입력하는 insertData 메소드를 설명하기 전에 먼저 sqlite3 에서 자료를 입력하는 과정을 살펴보자. sqlite3를 이용하여 데이터를 테이블에 입력하는 과정은 다음과 같다.

282

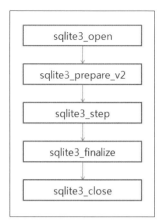

▶그림 4.46 데이터를 데이터베이스 테이블에 입력하는 과정

위 그림에서 알 수 있듯이 먼저 sqlite3_open으로 데이터베이스를 열고 sqlite3_prepare_v2를 호출하여 지정된 sql 문장을 컴파일하여 바이트 코드로 생성한다. 이어서 sqlite3_step을 호출하여 생성된 바이트 코드 문장으로 자료 입력 SQL을 실행한다. 입력 처리가 이상 없이 잘 처리가 끝나면, sqlite3_finaliz를 호출하여 생성된 바이트 코드 문장을 제거, 메모리를 삭제하고 sqlite3_close를 호출하여 데이터베이스를 닫고 연결은 끊는다.

이제 데이터베이스에 자료를 입력하는 insertData 메소드를 살펴보자. 아 메소드는 파라미터로 studentid, name, email, address, tel을 사용히는 데 이 지료기 데이터베이스에 입력된다.

```
- (BOOL) insertData:(int)studentid name:(NSString *)name email:(NSString
*)email address:(NSString *)address tel:(NSString *) tel;
{
...
```

먼저 데이터베이스 처리에 필요한 변수를 선언한다. 데이터베이스를 열 때 데이터베이스 위치를 지정하는 패스 변수가 필요한데, 반드시 UTF-8 타입으로 선언해야

한다. 그러므로 일반 String 타입인 dbPath는 UTF8String을 호출하여 UTF-8 타입으로 변경한다.

```
const char *dbpath = [dbPath UTF8String];
sqlite3 *database;
sqlite3_stmt *compiledStatement;
bool state = NO;
...
```

sqlite3_open() 메소드에 데이터베이스 패스를 지정하는 dbPath와 sqlite3 타입 database를 사용하여 데이터베이스를 오픈한다. 이때 이상이 없다면 SQLITE_OK 값을 리턴한다.

```
if (sqlite3_open(dbpath, &database) == SQLITE_OK)
{
...
```

데이터베이스 입력을 위한 SQL 문장을 작성한다. 자료 입력을 위한 SQL 문장은 다음과 같다.

```
insert into student values(1005, "김영호", "qwe@sam.com", "서울", "02-963-7734");
```

위의 문자열 코드를 마치 C 언어의 printf()를 사용하듯이 stringWithFormat() 메소드에 파라미터값을 지정하여 다음과 같이 NSString 코드를 생성한다. 이때 정수 타입 stduentid에 해당하는 %d를 제외한 모든 필드는 문자열 타입이므로 따옴표(")표시가 앞, 뒤로 들어가야 하는데, 이스케이프 시퀀스를 추가한 (\")로 지정하는 것을 잊지 않도록 한다. 이는 insert 문장 앞, 뒤에 있는 따옴표("")와 구별하기 위함이다. stringWithFormat() 메소드에서 studentid와 같이 정수 변수를 표시할 때는 "%d"를 사용하고 NSString과 같은 문자열은 "%@"를 사용하여 설정하도록 한다.

```
        NSString *insertSQL = [NSString stringWithFormat:@"insert into student
values(%d, \"%@\", \"%@\", \"%@\", \"%@\")", studentid, name, email, address,
tel];
...
```

즉, inserSQL 문장을 통하여 위 SQL 문장을 자동으로 구성된다. 이제 이 SQL 문
장을 컴파일하여 검색 명령을 바이트 코드로 생성하기 위하여 sqlite3_prepare_v2()
메소드를 호출한다. 이때 위에서 생성한 SQL 문장은 반드시 UTF-8 코드로 바꾸어
파라미터로 사용한다. 이상 없이 처리되었다면 SQLITE_OK를 돌려준다.

```
        const char *insert_stmt = [insertSQL UTF8String];
        if (sqlite3_prepare_v2(database, insert_stmt, -1, &compiledStatement,
NULL) == SQLITE_OK)
        {
        ...
```

이어서 생성된 바이코드 문장을 한 레코드씩 처리하기 위해 sqlite3_step()을 호출
한다. 이상이 없다면 SQLLITE_DONE을 돌려주는데, 리턴을 값 처리를 위해 state
변수에 YES를 지정하고 에러가 발생하면 state 변수에 NO를 지정한다.

```
        if (sqlite3_step(compiledStatement) == SQLITE_DONE)
        {
            state = YES;
        }
        else
        {
            state = NO;
        }
    }
    ...
```

만일 sqlite3_prepare_v2() 메소드에서 에러가 발생했다면, 다음과 같이 NSLog()
에 sqlite3_errmsg() 함수를 지정하여 에러 메시지를 출력한다.

```
    else
    {
        NSLog(@"Error while creating insert statement. '%s'",
sqlite3_errmsg(database));
    }
    ...
```

이상 없이 처리되었다면, 생성된 바이트 코드 문장을 제거하여 메모리를 삭제하는
sqlite3_finalize()를 호출하고 sqlite3_close()를 호출하여 데이터베이스를 닫아준
뒤, 위에서 설정한 리턴 값을 처리한다.

```
    sqlite3_finalize(compiledStatement);
    sqlite3_close(database);
    }
    return state;
}
```

데이터베이스에 자료를 입력하고 사용된 텍스트 필드를 초기화하기 위해
initTextFields를 다음과 같이 작성한다.

```
- (void) initTextFields
{
    txtStudentID.text = @"";
    txtName.text = @"";
    txtEmail.text = @"";
    txtAddress.text = @"";
    txtPhone.text = @"";
}
```

이제 남은 것은 Data List 버튼을 눌렀을 때 다음 화면으로 이동하여 입력된
자료를 보여주는 기능이다. 자료 입력을 처리하는 View Controller의 Data List
버튼을 Ctrl 키와 함께 선택한 상태에서 SecondTableViewController로 연결하
면 다음과 같이 Action Segue 연결 창에 나타나는데, 첫 번째 Show를 선택한다.

UINavigationController를 사용하는 경우, 내비게이션 바 버튼을 눌렀을 때 다른 뷰 컨트롤러로 전환할 때 이 Show를 사용한다.

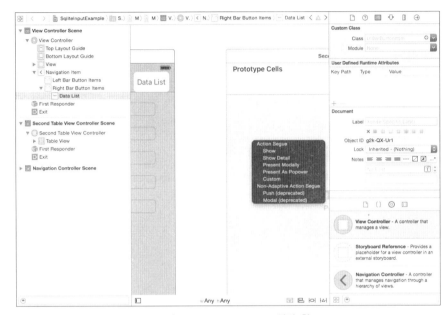

▶그림 4.47 Action Aegue 연결 창

입력된 자료를 보여주는 SecondTableViewController 클래스는 이전 "4.3 Sqlite3를 이용한 자료 출력"의 SqliteReadExample 프로젝트의 ViewController 클래스와 동일하므로 따로 설명하지 않는다.

4-5 Sqlite3를 이용한 자료 수정

마지막으로 Sqlite3를 이용한 자료 수정을 처리해보자. 자료 수정 역시 위에서 작성한 student.db 파일을 사용하여 처리해볼 것이다. 역시 자료 수정을 처리한 뒤에는 버튼을 눌러 다음 페이지로 이동하여 입력된 자료를 보여주는데, 이를 위해 UINavigationController를 사용해볼 것이다.

▌그대로 따라 하기

❶ Xcode에서 File-New-Project를 선택한다. 계속해서 왼쪽에서 iOS-Application 을 선택하고 오른쪽에서 Single View Application을 선택한다. 이어서 Next 버튼을 누르고 Product Name에 "SqliteEditExample"이라고 지정한다. 아래 쪽에 있는 Language 항목은 "Objective-C", Devices 항목은 "iPhone"으로 설 정한다. 그 아래 Include Unit Tests 항목과 Include UI Tests 항목은 체크한 상태로 그대로 둔다. 이어서 Next 버튼을 누르고 Create 버튼을 눌러 프로젝트 를 생성한다.

▶그림 4.48 SqliteEditExample 프로젝트 생성

❷ 프로젝트가 생성되면 기본적으로 SqliteEditExample 프로젝트의 첫 번째 탭 General 속성을 보여주는데, 6번째 탭인 Build Phases을 선택한다. 그 안에서 다시 세 번째 Link Binary With Libraries를 선택했을 때 나타나는 + 버튼을 눌러준다. 이때 라이브러리 선택 창에서 libsqlite3.tbd 파일을 선택하고 아래

쪽 Add 버튼을 눌러 추가한다.

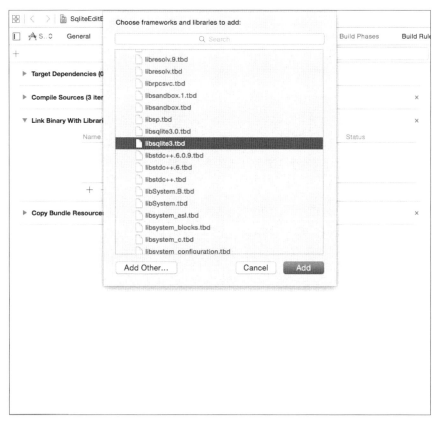

▶그림 4.49 libsqlite3.tbd 파일 추가

❸ 또한, 이전에 생성한 student.db 파일을 드래그-앤-드롭으로 프로젝트 탐색
기의 SqliteInputExample(노란색 아이콘) 아래쪽에 떨어뜨린다. 이때 다음
그림과 같이 파일 추가 옵션 상자가 나타나는데, "Destination"의 "Copy
items if needed" 항목과 "Add to targets"의 SqliteEditExample 항목에 체
크하고 오른쪽 아래 Finish 버튼을 눌러 파일을 추가한다.

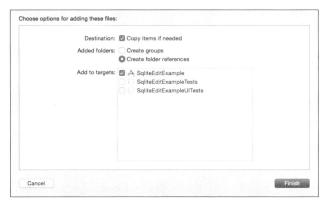

▶그림 4.50 파일 추가 옵션 상자

❹ 프로젝트 탐색기의 Main.storyboard를 선택한 상태에서 스토리보드 캔버스에
서 ViewController를 선택한다. 그다음, Xcode의 Editor 메뉴−Embed In−
Navigation Controller를 선택하여 내비게이션 컨트롤러를 추가한다. 이때 추
가된 내비게이션 컨트롤러는 자동으로 현재 위치하는 뷰 컨트롤러와 연결된다.

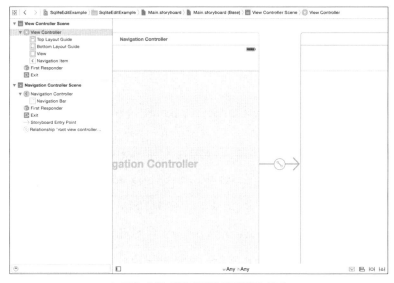

▶그림 4.51 내비게이션 컨트롤러 추가

❺ 이어서 오른쪽 아래 Object 라이브러리로부터 5개의 Label, 5개의 TextField, 2개의 Button을 캔버스의 View Controller 위에 다음 그림과 같이 위치시킨다. Button 1개는 첫 번째 Text Field 오른쪽에 위치하고 나머지 Button 1개는 가장 아래쪽 줄 중앙에 위치하도록 한다. 또한, 각 라벨 컨트롤마다 Attributes 인스펙터의 Text 속성에 "Student ID", "Name", "E-Mail", "Address", "Phone" 등을 지정하고 위쪽 버튼의 Title 속성에는 "Search", 아래쪽 버튼의 Title 속성에는 "Update"를 설정한다. 또한, 마우스를 사용하여 각 라벨과 버튼의 너비를 약 100픽셀 정도로 늘려주는 것을 잊지 않도록 한다.

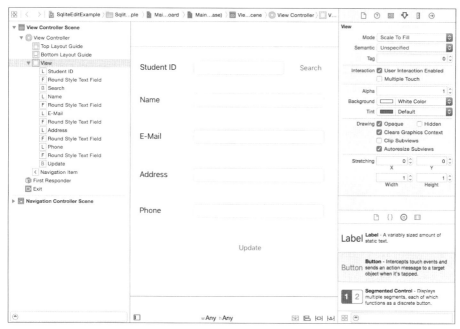

▶그림 4.52 Label, TextField, Button 컨트롤들을 View Controller에 위치

❻ 첫 번째 Label 컨트롤의 선택한 상태에서 오른쪽 위 Size 인스펙터를 선택한다. 그 아래 Height 속성값을 30으로 변경한다. 그리고 Label 컨트롤을 다시 선택

하고 키보드에서 위쪽 화살표 키를 눌러 Y 좌표를 그 오른쪽 Text Field와 동일하게 맞춘다. 높이가 동일하게 맞는 순간 두 컨트롤 사이에 연결 줄이 나타난다. 동일한 방법을 아래쪽 4개의 Label 컨트롤을 같은 방법으로 처리한다.

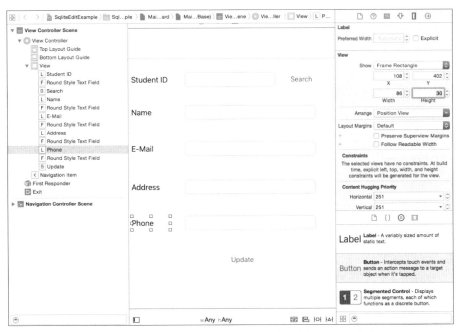

▶그림 4.53 각 Label 컨트롤의 Height 속성값을 30으로 변경

❼ 계속해서 첫 번째 라벨 Student ID 컨트롤을 선택한 상태에서 캔버스 아래 오토 레이아웃 메뉴에서 세 번째 Pin을 선택하고 "제약조건 설정" 창이 나타나면 다음 그림과 북쪽에서 25, 서쪽 위치 상자에서 25를 입력하고 각각 I 빔에 체크한다. 또한, 그 아래 Width, Height 항목에 체크한 다음, 다시 그 아래 "Add 4 Constraints" 버튼을 클릭한다.

▶그림 4.54 Label 컨트롤 제약조건 설정

❽ 이번에는 그 오른쪽 Text Field 컨트롤을 선택한 상태에서 캔버스 아래 오토
레이아웃 메뉴에서 세 번째 Pin을 선택하고 "제약조건 설정" 창이 나타나면,
다음 그림과 같이 북쪽에서 25를 입력하고 I 빔에 체크한다. 그다음, 그 아래쪽
Height 항목에 체크한 뒤, 그 아래 "Add 2 Constraints" 버튼을 클릭한다.

▶그림 4.55 Text Field 컨트롤 제약조건 설정

❾ 계속해서 그 오른쪽 Button 컨트롤을 선택한 상태
에서 캔버스 아래 오토 레이아웃 메뉴에서 세 번째
Pin을 선택하고 "제약조건 설정" 창이 나타나면 다
음 그림과 같이 북쪽에서 25, 동쪽 위치 상자에서
25를 입력하고 I 빔에 각각 체크한다. 그다음, 그
아래쪽 Width와 Height 항목에 체크한 뒤, 그 아
래 "Add 4 Constraints" 버튼을 클릭한다.

▶그림 4.56 첫 번째 버튼 컨트롤 제약조건 설정

❿ 그다음, 다시 첫 번째 Student ID 라벨 컨트롤을 Ctrl 버튼과 함께 마우스로
선택하고 드래그-앤-드롭으로 Text Field에 떨어뜨린다.

▶그림 4.57 Label 컨트롤에서 Text Field 컨트롤 위로 드래그-앤-드롭 연결

⓫ 이때 다음과 같이 설정 창이 나타나는데, 가장 위에 있는 Horizontal Spacing 을 선택한다.

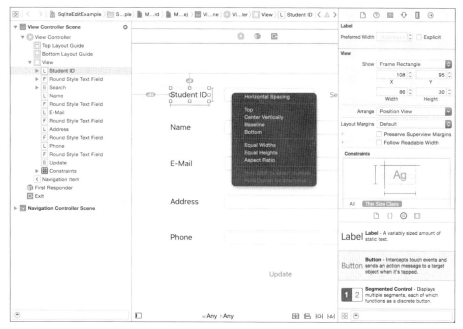

▶그림 4.58 Label과 Text Field 연결 상태에서 Horizontal Spacing 선택

⓬ 동일한 방법으로 이번에는 첫 번째 Text Field에 Ctrl 키와 함께 마우스를 클릭 하고 첫 번째 버튼에 떨어뜨려 연결한다. 다음과 같이 설정 창이 나타나면 가장 위에 있는 Horizontal Spacing을 선택한다.

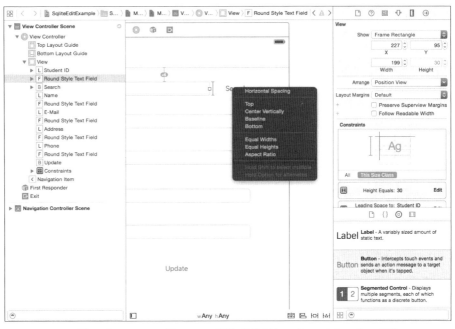

▶그림 4.59 Text Field와 Button 연결 상태에서 Horizontal Spacing 선택

⑬ 이번에는 두 번째 Name 라벨 컨트롤을 선택한 상태에서 캔버스 아래 오토 레이아웃 메뉴에서 세 번째 Pin을 선택하고 "제약조건 설정" 창이 나타나면 다음 그림과 북쪽에서 25, 서쪽 위치 상자에서 25를 입력하고 각각 I 빔에 체크한다. 또한, 그 아래 Width, Height 항목에 체크한 다음, 다시 그 아래 "Add 4 Constraints" 버튼을 클릭한다.

▶그림 4.60 두 번째 Label 컨트롤 제약조건 설정

❹ 이번에는 그 오른쪽 Text Field 컨트롤을 선택한 상태에서 캔버스 아래 오토 레이아웃 메뉴에서 세 번째 Pin을 선택하고 "제약조건 설정" 창이 나타 나면 다음 그림과 같이 북쪽에서 25, 동쪽 위치 상자에서 25를 입력하고 I 빔에 각각 체크한다. 그다음, 그 아래쪽 Height 항목에 체크한 뒤, 그 아래 "Add 3 Constraints" 버튼을 클릭한다.

▶그림 4.61 Text Field 컨트롤 제약조건 설정

❺ 그다음, 다시 두 번째 Name 라벨 컨트롤을 Ctrl 버튼과 함께 마우스로 선택하고 드래그-앤-드롭으로 그 오른쪽 Text Field에 떨어뜨린다. 이때 다음과 같이 설정 창이 나타나는데, 가장 위에 있는 Horizontal Spacing을 선택한다.

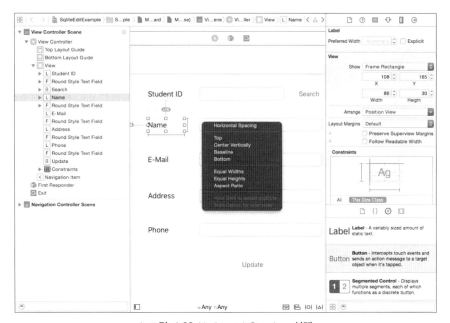

▶그림 4.62 Horizontal Spacing 선택

⓰ 동일한 방법으로 세 번째부터 다섯 번째 Label과 Text Field 컨트롤을 ⓭부터 ⓯까지 반복하여 처리한다.

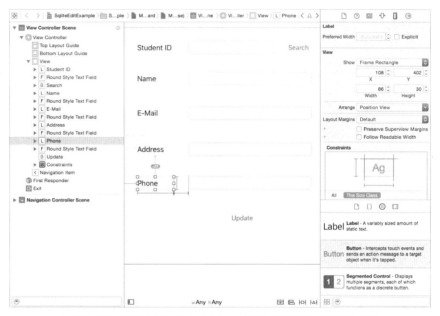

▶그림 4.63 나머지 모든 Label과 Text Field 컨트롤을 동일하게 처리

⓱ 이제 아래쪽 Button을 선택한 상태에서 캔버스 아래 오토 레이아웃 메뉴에서 세 번째 Pin을 선택하고 "제약조건 설정" 창이 나타나면 다음 그림과 같이 북쪽 위치 상자에 25를 입력하고 I 빔에 체크한다. 또한, 그 아래 Width와 Height 항목에 체크한 다음, "Add 3 Constraints" 버튼을 클릭한다.

▶그림 4.64 Button 컨트롤 제약조건 설정

⓲ 계속해서 Button 컨트롤을 선택한 상태에서 캔버스 아래 오토 레이아웃 메뉴에서 두 번째 Align을 선택하고 "제약조건 설정" 창이 나타나면 다음 그림과 같이 "Horizontally in Container"를 선택하고 아래쪽 "Add 1 Constraint" 버튼을 클릭한다.

▶그림 4.65 Horizontally in Container 항목 선택

⓳ 이번에는 캔버스 아래 오토 레이아웃 메뉴의 네 번째 Resolve Auto Layout Issues를 선택하고 "All Views"의 "Update Frames"를 선택한다.

▶그림 4.66 Update Frames 항목 선택

⓴ 오른쪽 아래 Object 라이브러리로부터 Bar Button Item을 선택하고 캔버스의 View Controller 오른쪽 위에 추가한다. 또한, Attributes 인스펙터의 Title 속성에 "Data List"를 입력하여 버튼의 타이틀을 변경한다.

▶그림 4.67 Bar Button Item 컨트롤 추가

㉑ 다시 오른쪽 아래 Object 라이브러리로부터 Table View Controller를 선택하고 캔버스의 View Controller 오른쪽에 위치시킨다.

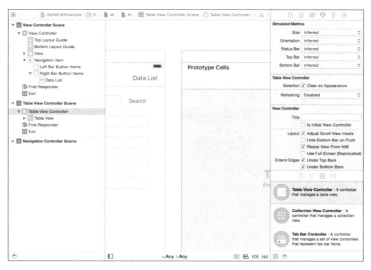

▶그림 4.68 Table View Controller 추가

㉒ 프로젝트 탐색기의 SqliteEditExample(노란색 아이콘)에서 오른쪽 마우스 버튼을 누르고 New File 항목을 선택한다. 이때 템플릿 선택 대화상자가 나타나면 왼쪽에서 iOS-Source를 선택하고 오른쪽에서 Cocoa Touch Class를 선택한 뒤, Next 버튼을 누른다. 이때 새 파일 이름을 입력하라는 대화상자가 나타나면, 다음 그림과 같이 SecondTableViewController를 입력한다. 이때 그 아래쪽 Subclass of 항목에 UITableViewController를 지정하도록 하고 "Also create XIB file" 체크 상자에는 체크하지 않도록 한다. 그 아래 Language 항목은 Objective-C를 선택한다. 이상이 없으면 Next 버튼을 눌러 파일을 생성한다.

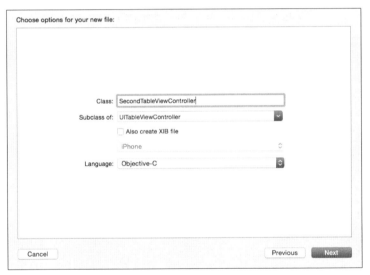

▶그림 4.69 SecondTableViewController 파일 생성

㉓ 도큐먼트 아웃라인 창에서 새로 생성한 Table View Controller를 선택하고 오른쪽 위 Identity 인스펙터를 선택한다. 이때 Custom Class 항목의 Class 상자에 위에서 생성한 SecondTableViewController를 입력하거나 지정한다.

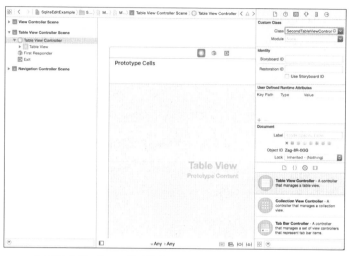

▶그림 4.70 Class 상자에 SecondTableViewController 지정

❷❹ 이제 View Controller의 Bar Button Item "DataList"를 Ctrl 키와 함께 선택
하고 드래그-앤-드롭으로 SecondTableViewController에 떨어뜨린다. 이때
Action 세구에 연결 선택 창이 나타나면 첫 번째 show 항목을 선택한다.

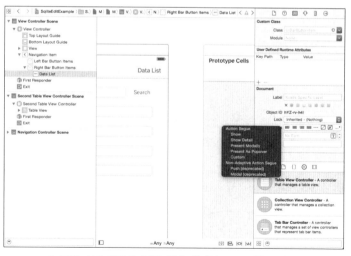

▶그림 4.71 세구에 연결 선택 창에서 show 항목 선택

㉕ 이어서 도큐먼트 아웃라인 창의 Second Table View Controller에서 Table View Cell을 선택한 상태에서 오른쪽 위 Attributes 인스펙터를 선택한다. Table View Cell 항목의 Identifier에 다음과 같이 "MyCell"을 입력한다.

▶그림 4.72 Table View Cell 항목의 Identifier에 "MyCell" 입력

㉖ 이제 프로젝트 탐색기에서 Main.storyboard 파일을 선택한 상태에서 Xcode 오른쪽 위에 있는 도움 에디터Assistant Editor를 클릭하여 불러낸다. 도큐먼트 아웃라인 창의 View Controller를 클릭하고 도움 에디터의 파일이 ViewController.h 파일임을 확인한다. 이어서 Ctrl 키와 함께 첫 번째 Text Field 컨트롤을 선택하고 그대로 도움 에디터의 @interface 아래쪽으로 드래그-앤-드롭 처리한다. 이때 도움 에디터 연결 패널이 나타나는데, Name 항목에 "txtStudentID"라고 입력하고 Connect 버튼을 눌러 객체 변수를 생성한다. 다음 그림은 첫 번째 Text

Field와 연결된 연결 패널을 보여준다. 동일한 방법으로 두 번째부터 다섯 번째 Text Field까지 각각 Ctrl 키와 함께 선택하고 도움 에디터 파일에 떨어뜨린다. Name 항목에는 각각 "txtName", "txtEmail", "txtAddress", "txtPhone"이라고 입력한다.

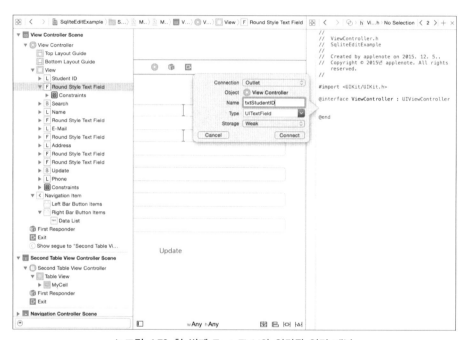

▶그림 4.73 첫 번째 Text Field와 연결된 연결 패널

㉗ 이어서 오른쪽 Search 버튼에서 오른쪽 마우스 버튼을 누르면 여러 메소드를 선택할 수 있는 메소드 선택 패널 창이 나타난다. 그 중 Touch Up Inside 항목을 선택하고 드래그-앤-드롭으로 ViewController.h 헤더 파일의 @interface 아래쪽에 떨어뜨린다. 이때 도움 에디터 연결 패널이 나타나는데, Name 항목에 "clickSearched"라고 입력하고 Connect 버튼을 눌러 코드를 생성한다.

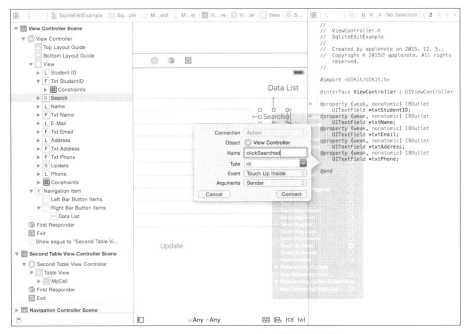

▶그림 4.74 Search Button과 연결된 연결 패널

㉘ 동일한 방법으로 아래쪽 Update 버튼에서 오른쪽 마우스 버튼을 누르면 여러 메
소드를 선택할 수 있는 메소드 선택 패널 창이 나타난다. 그중 Touch Up Inside
항목을 선택하고 드래그–앤–드롭으로 ViewController.h 헤더 파일의 @interface
아래쪽에 떨어뜨린다. 이때 도움 에디터 연결 패널이 나타나는데, Name 항목에
"clickUpdated"라고 입력하고 Connect 버튼을 눌러 코드를 생성한다.

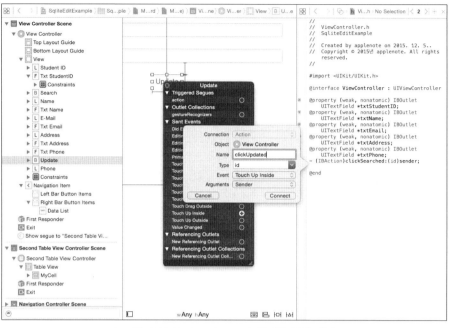

▶그림 4.75 Update Button과 연결된 연결 패널

㉙ 다시 오른쪽 위에 있는 표준 에디터Standard Editor를 선택하여 표준 에디터로 변경한다. 프로젝트 탐색기의 SqliteEditExample노란색 아이콘에서 오른쪽 마우스 버튼을 누르고 New File 항목을 선택한다. 이때 템플릿 선택 대화상자가 나타나면 왼쪽에서 iOS-Source를 선택하고 오른쪽에서 Cocoa Touch Class를 선택한 뒤, Next 버튼을 누른다. 이때 새 파일 이름을 입력하라는 대화상자가 나타나면 다음 그림과 같이 Student를 입력한다. 이때 그 아래쪽 Subclass of 항목에 NSObject를 지정한다. 그 아래 Language 항목은 Objective-C를 선택한다. 이상이 없으면 Next 버튼을 눌러 파일을 생성한다.

Choose options for your new file:

Class:	Student
Subclass of:	NSObject
	☐ Also create XIB file
	iPhone
Language:	Objective-C

Cancel   Previous   Next

▶그림 4.76 Student 클래스 생성

㉚ 이제 왼쪽 프로젝트 탐색기에서 Student.h 파일을 선택하고 다음을 입력한다.

```
#import <Foundation/Foundation.h>

@interface Student : NSObject {
    NSNumber *studentid;
    NSString *name;
    NSString *email;
    NSString *address;
    NSString *phone;
}

@property NSNumber *studentid;
@property NSString *name;
@property NSString *email;
@property NSString *address;
@property NSString *phone;

@end
```

③ 이어서 왼쪽 프로젝트 탐색기에서 Student.m 파일을 선택하고 다음을 입력한다.

```objc
#import "Student.h"

@implementation Student
@synthesize studentid, name, email, address, phone;
@end
```

③ 이번에는 프로젝트 탐색기의 ViewController.m 파일을 선택하고 다음 코드와
같이 수정한다.

```objc
#import <sqlite3.h>
#import "ViewController.h"

@interface ViewController ()
{
    NSString       *dbName;
    NSString       *dbPath;
}
@end

@implementation ViewController

@synthesize txtStudentID, txtName, txtAddress, txtEmail, txtPhone;

- (void)viewDidLoad {
    [super viewDidLoad];

    dbName = @"student.db";
    NSArray *documentPaths =
        NSSearchPathForDirectoriesInDomains(NSDocumentDirectory,
        NSUserDomainMask, YES);
    NSString *documentsDir = [documentPaths objectAtIndex:0];
    dbPath = [documentsDir stringByAppendingPathComponent:dbName];

    [self checkAndCreateDatabase];
}
```

308

```
-(void) checkAndCreateDatabase
{
    NSFileManager *fileManager = [NSFileManager defaultManager];

    if (![fileManager fileExistsAtPath:dbPath])
    {
        [fileManager removeItemAtPath:dbPath error:NULL];
        NSString *dbPathFromApp = [[[NSBundle mainBundle] resourcePath]
stringByAppendingPathComponent:dbName];
        [fileManager copyItemAtPath:dbPathFromApp toPath:dbPath error:nil];
    }
}

- (void)didReceiveMemoryWarning {
    [super didReceiveMemoryWarning];
    // Dispose of any resources that can be recreated.
}

- (IBAction)clickSearched:(id)sender {
    sqlite3 *database;

    if(sqlite3_open([dbPath UTF8String], &database) == SQLITE_OK)
    {
        const char *sqlStatement = "select * from student where studentid = ?";
        sqlite3_stmt *compiledStatement;

        if(sqlite3_prepare_v2(database, sqlStatement, -1, &compiledStatement,
NULL) == SQLITE_OK)
        {
            int studentid = [txtStudentID.text intValue];
            sqlite3_bind_int( compiledStatement, 1, studentid);

            if (sqlite3_step(compiledStatement) == SQLITE_ROW)
            {
                NSString *name = [NSString stringWithUTF8String: (char
*)sqlite3_column_text(compiledStatement, 1)];
                txtName.text = name;
                NSString *email = [NSString stringWithUTF8String: (char
*)sqlite3_column_text(compiledStatement, 2)];
                txtEmail.text = email;
                NSString *address = [NSString stringWithUTF8String: (char
```

```objc
*)sqlite3_column_text(compiledStatement, 3)];
            txtAddress.text = address;
            NSString *telno = [NSString stringWithUTF8String: (char
*)sqlite3_column_text(compiledStatement, 4)];
            txtPhone.text = telno;
        }
    }
    sqlite3_finalize(compiledStatement);
  }
  sqlite3_close(database);

}

- (IBAction)clickUpdated:(id)sender {

  sqlite3 *database;

  if(sqlite3_open([dbPath UTF8String], &database) == SQLITE_OK)
  {
      const char *sqlStatement = "update student set name = ?, email = ?, address
= ?, phone = ? where studentid = ?";

      sqlite3_stmt *compiledStatement;

      int studentid = [txtStudentID.text intValue];
      NSString *name = txtName.text;
      NSString *email = txtEmail.text;
      NSString *address = txtAddress.text;
      NSString *tel = txtPhone.text;

      if(sqlite3_prepare_v2(database, sqlStatement, -1, &compiledStatement,
NULL) == SQLITE_OK)
      {
          sqlite3_bind_text( compiledStatement, 1,
                    [name UTF8String], -1, SQLITE_TRANSIENT );
          sqlite3_bind_text( compiledStatement, 2,
                    [email UTF8String], -1, SQLITE_TRANSIENT );
          sqlite3_bind_text( compiledStatement, 3,
                    [address UTF8String], -1, SQLITE_TRANSIENT );
          sqlite3_bind_text( compiledStatement, 4,
                    [tel UTF8String], -1, SQLITE_TRANSIENT );
```

```
        sqlite3_bind_int ( compiledStatement, 5, studentid);

        if (sqlite3_step(compiledStatement) == SQLITE_DONE)
        {
            UIAlertController *alert = [UIAlertController
                            alertControllerWithTitle:@"Update OK!"
                            message:@"Changed Data!"

preferredStyle:UIAlertControllerStyleAlert];

            UIAlertAction *yesButton = [UIAlertAction
                            actionWithTitle:@"OK"
                            style:UIAlertActionStyleDefault
                            handler:^(UIAlertAction * action)
                            {
                                [alert
                                dismissViewControllerAnimated:
                                YES completion:nil];
                            }];

            [alert addAction: yesButton];
            [self presentViewController:alert animated:YES completion:nil];
        }
        else
        {
            NSLog(@"Error while creating update statement. '%s'",
                    sqlite3_errmsg(database));
        }
    }
    sqlite3_finalize(compiledStatement);
    }
    sqlite3_close(database);
}
@end
```

㉝ 프로젝트 탐색기에서 SecondTableViewController.m 파일을 선택하고 다음
코드와 같이 수정한다.

```objc
#import <sqlite3.h>
#import "SecondTableViewController.h"
#import "Student.h"

@interface SecondTableViewController ()
{
    NSString        *dbName;
    NSString        *dbPath;
    NSMutableArray  *dataList;
}
@end

@implementation SecondTableViewController

- (void)viewDidLoad {
    [super viewDidLoad];

    dbName = @"student.db";
    NSArray *documentPaths =
        NSSearchPathForDirectoriesInDomains(NSDocumentDirectory,
        NSUserDomainMask, YES);
    NSString *documentsDir = [documentPaths objectAtIndex:0];
    dbPath = [documentsDir stringByAppendingPathComponent:dbName];

    [self readFilesFromDatabase];
}

-(void) readFilesFromDatabase {

    sqlite3 *database;

    if(sqlite3_open([dbPath UTF8String], &database) == SQLITE_OK)
    {
        const char *sqlStatement = "select * from student;";
        sqlite3_stmt *compiledStatement;
        dataList = [[NSMutableArray alloc] init];

        if(sqlite3_prepare_v2(database, sqlStatement, -1, &compiledStatement,
NULL) == SQLITE_OK)
        {
            while(sqlite3_step(compiledStatement) == SQLITE_ROW)
```

```objc
                {
                    Student *student = [Student alloc];

                    int stid = sqlite3_column_int(compiledStatement, 0);
                    NSNumber *studentid = [NSNumber numberWithInt: stid];
                    [student setStudentid: studentid];

                    NSString *name = [NSString stringWithUTF8String:
                            (char *)sqlite3_column_text(compiledStatement, 1)];
                    [student setName:name];

                    NSString *email = [NSString stringWithUTF8String:
                            (char *)sqlite3_column_text(compiledStatement, 2)];
                    [student setEmail:email];

                    NSString *address = [NSString stringWithUTF8String:
                            (char *)sqlite3_column_text(compiledStatement, 3)];
                    [student setAddress:address];

                    NSString *phone = [NSString stringWithUTF8String:
                            (char *)sqlite3_column_text(compiledStatement, 4)];
                    [student setPhone:phone];

                    [dataList addObject: student];
                }
            }
            else
            {
                NSLog(@"Database returned error %d: %s", sqlite3_errcode(database),
sqlite3_errmsg(database));
            }
            sqlite3_finalize(compiledStatement);
        }
        sqlite3_close(database);
}

- (void)didReceiveMemoryWarning {
    [super didReceiveMemoryWarning];
    // Dispose of any resources that can be recreated.
}
```

```
#pragma mark - Table view data source

- (NSInteger)numberOfSectionsInTableView:(UITableView *)tableView {
    return 1;
}

- (NSInteger)tableView:(UITableView *)tableView
            numberOfRowsInSection:(NSInteger)section {
    return dataList.count;
}

- (UITableViewCell *)tableView:(UITableView *)tableView
            cellForRowAtIndexPath:(NSIndexPath *)indexPath {
    static NSString *CellIdentifier = @"MyCell";

    UITableViewCell *cell = [tableView
        dequeueReusableCellWithIdentifier:CellIdentifier];
    Student *studentdata = dataList[indexPath.row];
    cell.textLabel.text = [self DisplayAllData: studentdata withCell: cell];

    return cell;
}

- (NSString *) DisplayAllData:(Student *) studentdata
                    withCell:(UITableViewCell *) cell
{
    NSString *stid = [studentdata.studentid stringValue];
    NSString *name = studentdata.name;
    NSString *email = studentdata.email;
    NSString *address = studentdata.address;
    NSString *phone = studentdata.phone;
    return [NSString stringWithFormat:@"%@ %@ %@ %@ %@", stid, name, email,
address, phone];
}
@end
```

㉞ 이제 Xcode 왼쪽에 있는 Run 혹은 Command-R 버튼을 눌러 실행한다. 먼저
변경하고자 하는 학번을 입력하고 Search 버튼으로 검색한다. 자료가 표시되면

원하는 항목의 자료를 변경하고 Update 버튼을 눌러 자료를 변경해본다. 또한, 오른쪽 위에 있는 Data List 버튼을 눌러 그다음 페이지에서 변경된 자료를 확인해본다.

▶그림 4.77 SqliteEditExample 프로젝트 실행

▌원리 설명

이번 절에서 Sqlite3를 사용하여 데이터베이스 자료 변경을 처리해 보았다. 이전 자료 입력 때와 마찬가지로 내비게이션 컨트롤러를 설정하여 Data List 버튼을 눌렀을 때 다음 화면으로 이동하도록 설정한다. 내비게이션 컨트롤러는 도큐먼트 아웃라인 창에서 View Controller를 선택한 상태에서 Editor 메뉴 Embed In-Navigation Controller를 선택해준다.

자료 수정을 처리하는 ViewController를 살펴보자. 자료를 초기화하는 viewDid Load() 함수에서는 데이터베이스 파일을 임시로 보관하는 번들 디렉터리에서 실제 데이터베이스 파일을 처리하는 도큐먼트로 디렉터리로 파일을 복사하는 일을 처리한다. 이에 대한 것은 이전 "4.3 Sqlite3를 이용한 자료 출력" 절에서 자세히 설명하였다.

```
- (void)viewDidLoad {
    [super viewDidLoad];

    dbName = @"student.db";
    NSArray *documentPaths =
                NSSearchPathForDirectoriesInDomains(NSDocumentDirectory,
                NSUserDomainMask, YES);
    NSString *documentsDir = [documentPaths objectAtIndex:0];
    dbPath = [documentsDir stringByAppendingPathComponent:dbName];

    [self checkAndCreateDatabase];
}
```

수정을 처리하기 전에 먼저 자료를 검색해보자. 첫 번째 텍스트 필드에 검색하기 원하는 학번을 입력하고 Search 버튼을 클릭하면 다음 clickSearched 함수가 실행된다. 먼저 sqlite3_open() 함수를 사용하여 데이터베이스를 오픈한다. 이상 없이 오픈되었다면 SQLITE_OK 상숫값을 돌려준다.

```
- (IBAction)clickSearched:(id)sender {

    sqlite3 *database;

    if(sqlite3_open([dbPath UTF8String], &database) == SQLITE_OK)
    {
    ...
```

이제 자료 검색을 처리하기 위한 SQL 문장을 생성한다. 이때 검색 자료를 포함한 검색 문장을 만들기 위해 바인딩 질의 문장을 생성한다. 이전 절에서 자료를 입력할 때는 다음과 같이 NSString 객체에서 제공하는 stringWithFormat을 사용하여 직접 insert 문장을 생성하였다.

```
        NSString *insertSQL = [NSString stringWithFormat:@"insert into student
values(\"%d\", \"%@\", \"%@\", \"%@\", \"%@\")", studentid, name, email,
address, tel];
```

　위와 같이 입력 문장을 생성하고자 할 때는 각각의 필드가 문자열인 경우, 따옴표
("") 등을 표시해야 하므로 문장 구성이 상당히 복잡해진다. 이와 같은 문제를 해결하
기 위해 Sqlite3에서는 다음과 같이 바인딩 처리를 할 수 있도록 검색자료 부분에
"?"를 표시하고 sqlite3_bind_int와 같은 함수를 사용하여 "?"에 해당하는 부분에 자
료를 간접적으로 넣는 방법을 사용한다. 이렇게 하면 위에서 사용한 직접 insert 문장
을 생성하는 것보다 훨씬 쉽게 이해할 수 있는 질의 문장을 구성할 수 있다.

```
        const char *sqlStatement = "select * from student where studentid = ?";
        sqlite3_stmt *compiledStatement;
        ...
```

　이어서, sqlite3_prepare_v2()를 호출하여 위에서 만든 sql 문장을 컴파일하여
검색 명령을 바이트 코드로 생성한다. 이 함수는 이상이 없다면 SQLITE_OK를 돌
려준다.

```
        if(sqlite3_prepare_v2(database, sqlStatement, -1, &compiledStatement,
NULL) == SQLITE_OK)
        {
        ...
```

　이제 위에서 생성한 바인딩 질의 문장의 "?"에 원하는 값을 지정하기 위하여
sqlite3_bind_int()를 호출한다. 즉, 이 함수를 호출함으로써 자료를 검색하는 질의
문장이 만들어진다. 여기서 지정할 값은 학번 즉, 정숫값이므로 int 값을 바인딩 처리

하는 sqlite3_bind_int() 함수를 사용하였다. 다른 타입의 값을 사용하기 위해서는
다음 표를 참조한다.

표 4.6 바인딩 처리 함수

함수	설명
sqlite3_bind_int()	int 타입의 값에 사용할 수 있는 바인딩 함수
sqlite3_bind_double()	double 타입의 값에 사용할 수 있는 바인딩 함수
sqlite3_bind_text()	문자열 타입의 값에 사용할 수 있는 바인딩 함수
sqlite3_bind_blob()	이미지를 저장한 타입에 사용할 수 있는 바인딩 함수

이 함수의 첫 번째 파라미터로는 SQL 문장을 바이트 코드로 변환된 값을 가지고
있는 compiledStatement이고 두 번째 파라미터는 바인딩 질의 문장이 있는 "?"의
위치 번호를 의미한다. 여기서 사용된 "?"은 한 개이고 첫 번째이므로 1로 지정한다.
이 번호는 항상 1부터 시작한다. 세 번째 파라미터는 바인딩 질의 문장의 "?"에
지정하고자 하는 값이다. 여기서는 학번이 지정되어야 하므로 Student ID 텍스트
필드에 지정된 학번 값을 intValue 메소드를 호출하여 정수로 변경하고 그 값을
지정한다.

```
int studentid = [txtStudentID.text intValue];
sqlite3_bind_int(compiledStatement, 1, studentid);
...
```

이어서, sqlite3_step()에 컴파일된 코드를 사용하여 질의문을 실행한다. 이상 없
이 처리되었다면 SQLITE_ROW 값을 돌려준다.

```
if (sqlite3_step(compiledStatement) == SQLITE_ROW)
{
...
```

이제 sqlite3_column_text() 함수를 사용하여 처리된 결과에 대한 칼럼에 대한 값을 가지고 올 수 있다.

```
NSString *name = [NSString stringWithUTF8String:
            (char *)sqlite3_column_text(compiledStatement, 1)];
txtName.text = name;
    ...
```

이때 위 sqlite3_column_text() 함수의 리턴 값은 표준 C의 (char *)인데, 이 값을 한글을 포함하는 NSString 타입으로 변경하기 위해서는 NSString의 stringWith UTF8String을 사용해야 함을 잊지 않도록 한다. 나머지 email, address, phone 필드 모두 동일하게 처리한다.

```
NSString *email = [NSString stringWithUTF8String:
            (char *)sqlite3_column_text(compiledStatement, 2)];
txtEmail.text = email;
NSString *address = [NSString stringWithUTF8String:
            (char *)sqlite3_column_text(compiledStatement, 3)];
txtAddress.text = address;
NSString *telno = [NSString stringWithUTF8String:
            (char *)sqlite3_column_text(compiledStatement, 4)];
txtPhone.text = telno;
    }
}
    ...
```

마지막 처리로서 sqlite3_finalize()를 호출하여 생성된 바이트 코드 문장을 제거하고 연결을 끊는다. 또한, sqlite3_close()를 사용하여 데이터베이스를 닫는다.

```
    sqlite3_finalize(compiledStatement);
  }
  sqlite3_close(database);

}
```

데이터베이스의 자료를 수정하는 clickUpdated 메소드를 설명하기 전에 먼저 sqlite3에서 자료를 수정하는 과정을 먼저 살펴보자. sqlite3를 이용하여 데이터를 테이블에 수정하는 과정은 다음과 같다.

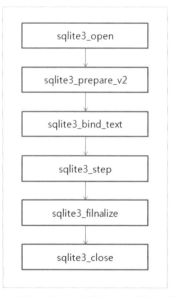

▶그림 4.78 데이터베이스 테이블의 자료를 수정하는 과정

위 그림에서 알 수 있듯이 먼저 sqlite3_open으로 데이터베이스를 열고 sqlite3_ prepare_v2를 호출하여 지정된 sql 문장을 컴파일하여 바이트 코드로 생성한다. 이 어서 sqlite3_bind.text와 같은 함수를 사용하여 원하는 필드에 대해 수정하고자 하

는 값으로 바인딩 처리를 한다. 그다음, sqlite3_step을 호출하여 생성된 바이트 코드 문장으로 자료 수정 SQL을 실행한다. 입력 처리가 이상 없이 잘 끝나면 sqlite3_finalize를 호출하여 생성된 바이트 코드 문장을 제거, 메모리를 삭제하고 이어서 sqlite3_close를 호출하여 데이터베이스를 닫고 연결은 끊는다.

이제 실제 Update 버튼을 눌렀을 때 실행되는 clickUpdated 함수를 살펴보자.

```
- (IBAction)clickUpdated:(id)sender {
...
```

먼저 sqlite3_open() 함수를 사용하여 데이터베이스를 오픈한다. 이상 없이 오픈 되었다면 SQLITE_OK 상숫값을 돌려준다.

```
if(sqlite3_open([dbPath UTF8String], &database) == SQLITE_OK)
{
...
```

자료 수정을 위한 update SQL 문장을 작성한다. 데이터가 들어갈 부분에 "?"로 지정하여 나중에 sqlite3_bind_text()와 sqlite3_bind_int() 함수를 사용하여 실제 데이터로 바인딩 처리하여 질의를 실행시킬 것이다.

```
        const char *sqlStatement = "update student set name = ?, email = ?, address
= ?, phone = ? where studentid = ?";
        ...
```

수정된 텍스트 필드로부터 자료를 읽어 studentid, name, email, address, tel에 각각 지정한다. 학번 자료를 담당하는 txtStudentID.text는 정수로 처리해야 하므로 intValue 메소드를 사용하여 정수 타입으로 변경한다.

```
        int studentid = [txtStudentID.text intValue];
        NSString *name = txtName.text;
        NSString *email = txtEmail.text;
        NSString *address = txtAddress.text;
        NSString *tel = txtPhone.text;
        ...
```

이어서, sqlite3_prepare_v2()를 호출하여 이미 위에서 만든 sql 문장을 컴파일하여 검색 명령을 바이트 코드로 생성한다. 이 함수는 이상이 없다면 SQLITE_OK를 돌려준다.

```
        if(sqlite3_prepare_v2(database, sqlStatement, -1, &compiledStatement,
  NULL) == SQLITE_OK)
          {
            ...
```

이제 sqlite3_bind_text() 함수를 사용하여 생성된 바이트 코드의 "?" 부분에 해당하는 실제 값을 바인딩 처리하여 설정한다.

참고 sqlite3_bind_text() 함수

이 함수의 첫 번째 파라미터는 SQL 문장을 바이트 코드로 변환된 값을 가지고 있는 compiled Statement이고 두 번째 파라미터는 얻고자 하는 칼럼의 순서 번호이다. 이 순서 번호는 SQL 질의 문장의 "?" 문자 순서와 같고 1부터 시작한다. 세 번째 파라미터는 출력할 실제 자료 값이다. 한글을 사용해야 하므로 NSString 객체의 UTF8String을 사용하여 표시한다. 네 번째 파라미터는 출력 자료의 문자 길이인데, −1을 지정하면 자동으로 계산된다. 마지막 네 번째 파라미터값으로 SQLITE_STATIC 혹은 SQLITE_TRANIENT를 사용할 수 있는데, SQLITE_STATIC은 출력 자료를 고정하여 변경하거나 삭제하지 않을 경우 지정하고 SQLITE_TRANIENT는 출력 자료를 변경하거나 삭제할 때 사용한다.

다시 한 번 위에서 지정한 update 질의 문장을 살펴보자.

```
"update student set name = ?, email = ?, address = ?, phone = ? where studentid = ?"
```

322

앞의 SQL 질의 문장의 첫 번째 "?"에 sqlite3_bind_text()를 사용하여 name 칼럼이 지정되고 두 번째 "?"에 email 칼럼이 지정된다. 마지막 "?"에는 studentid 값이 정수이므로 sqlite3_bind_int() 함수를 사용하는 것이다.

```
sqlite3_bind_text( compiledStatement, 1, [name UTF8String],
                          -1, SQLITE_TRANSIENT );
sqlite3_bind_text( compiledStatement, 2, [email UTF8String],
                          -1, SQLITE_TRANSIENT );
sqlite3_bind_text( compiledStatement, 3, [address UTF8String],
                          -1, SQLITE_TRANSIENT );
sqlite3_bind_text( compiledStatement, 4, [tel UTF8String],
                          -1, SQLITE_TRANSIENT );
sqlite3_bind_int ( compiledStatement, 5, studentid);
...
```

이어서, sqlite3_step()에 컴파일된 코드를 사용하여 update 질의 문장을 처리한다. 이상 없이 처리되었다면 SQLITE_DONE을 돌려준다.

```
if (sqlite3_step(compiledStatement) == SQLITE_DONE)
{
...
```

이상 없이 처리되었으므로 UIAlertController를 사용하여 잘 처리되었다는 메시지를 출력한다.

```
UIAlertController *alert = [UIAlertController
                    alertControllerWithTitle:@"Update OK!"
                    message:@"Changed Data!"

                    preferredStyle:UIAlertControllerStyleAlert];
    UIAlertAction *yesButton = [UIAlertAction
                        actionWithTitle:@"OK"
                        style:UIAlertActionStyleDefault
                        handler:^(UIAlertAction * action)
```

```
                                                {
                                                    [alert
                                                    dismissViewControllerAnimated:
                                                    YES completion:nil];
                                                }];

                    [alert addAction: yesButton];
                    [self presentViewController:alert animated:YES completion:nil];
                }
```

만일 update 질의 처리 중 에러가 발생하면 NSLog와 sqlite_errmsg() 함수를 사용하여 에러를 출력한다.

```
            else
            {
                NSLog(@"Error while creating update statement. '%s'",
                        sqlite3_errmsg(database));
            }
        }
        ...
```

마지막 처리로서 sqlite3_finalize()를 호출하여 생성된 바이트 코드 문장을 제거하고 연결을 끊는다. 또한, sqlite3_close()를 사용하여 데이터베이스를 닫는다.

```
        sqlite3_finalize(compiledStatement);
    }
    sqlite3_close(database);
}
@end
```

이 장에서는 원하는 자료를 바로 검색하고 처리할 수 있는 Sqlite3에 대하여 알아보았다. 먼저 Mac 컴퓨터에서 Sqlite3를 이용하여 데이터베이스 파일을 생성해보았다. 이어서 생성된 데이터베이스 파일을 이용하여 실제로 그 내용을 출력하는 예제를 만들어보았다. 자료를 출력할 때, iOS에서는 실행에 필요한 여러 리소스를 보관할 수 있는 번들이라는 디렉터리를 제공하는데, 실제 앱을 실행할 때는 이 번들 디렉터리를 사용할 수 없고 앱 내부 디렉터리로 이동해야 한다. 데이터베이스를 읽기를 처리하기 위해서는 먼저 sqlite3_open 으로 데이터베이스를 열고 sqlite3_prepare_v2를 호출하여 지정된 sql 문장을 컴파일하여 바이트 코드로 생성한다. 이어서 sqlite3_step을 호출하여 생성된 바이트 코드 문장으로 한 레코드씩 읽어 들이고 화면에 출력한다. 만일 처리해야 할 데이터가 있다면 계속 sqlite3_step을 반복 호출한다. 잘 처리가 끝나면 sqlite3_finaliz를 호출하여 생성된 바이트 코드 문장을 제거, 메모리를 삭제하고 sqlite3_close를 호출하여 데이터베이스를 닫고 연결은 끊는다. 데이터베이스 파일을 이용하여 자료 입력과 수정하는 예제는 비슷한 과정으로 처리할 수 있다.

HTML 정보 출력하기

스마트폰은 PC에서 제공되는 여러 가지 기능을 똑같이 처리할 수 있는데, 그 유용한 기능 중 하나는 PC에서 제공하는 웹 정보를 그대로 가져올 수 있는 기능이다. 물론 원한다면 PC의 웹 정보 모두 가져올 수 있지만, 폰의 크기는 PC 화면보다 작으므로 그 크기에 맞게 필요한 정보만 골라서 원하는 위치에 지정할 수 있다. 이 장에서는 일반 웹페이지에 있는 정보를 스마트 폰에 맞게 가져와 가공 처리하는 방법에 대하여 다루어 볼 것이다.

사실 인터넷상에서 사용되는 프로토콜은 수십 가지이지만, 그중에서 가장 많이 사용되는 프로토콜은 WWW World Wide Web에서 사용되는 HTTP hypertext Transfer Protocol이다.

http 프로토콜의 원리는 상당히 어려울 것 같지만 의외로 간단하다. 먼저, 클라이언트 웹 브라우저에서는 서버의 주소에 해당하는 URL Universal Resource Identifier를 사용하여 원하는 서버에 요구 메시지를 보낸다. 서버는 그 메시지를 받아 내용을 해석하고 판단하여 상태 코드와 응답 메시지를 보내준다.

▶그림 5.1 HTTP의 기본 원리

당연히 위와 같은 요구와 응답 처리가 한 번만 일어나는 것이 아니라 다음 그림과 같이 계속해서 여러 번 일어나게 된다.

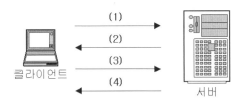

▶그림 5.2 웹 브라우저 요구와 서버의 응답

예를 들어, 그림 5.2의 (1)과 같이 웹 브라우저에서 다음과 같은 URL을 사용하여 웹 서버로 요구를 보낸다고 가정해보자.

```
http://www.myserver.co.kr/mydata.html
```

이때 웹 브라우저에서 내부적으로 다음과 같은 요구 메시지를 서버로 보내게 된다.

```
GET  /mydata.html HTTP/1.1
Accept: */*
Accept-Langauage:  ko
Accept-Encoding:  gzip,  deflate
User-Agent:  Mozilla/4.0 ...
Host:  www.myserver.co.kr
Connection:  Keep-Alive
```

이제 웹 서버에서는 그림 5.2의 (2)와 같이 mydata.html에 해당하는 내용을 클라이언트 웹 브라우저로 응답 메시지를 보낸다.

```
HTTP/1.1 200 OK
Data: Tue, 15 Dec 2015 08:14:19 GMT
Server: Apache/1.3.20 (Unix)...
Last-Modified: 14 Dec 2015 13:11:09 GMT
ETag: "2a8de-763-8r562u73"
Accept-Ranges: bytes
Content-Length: 1278
Connection: close
Content-Type: text/html

〈html〉
〈head〉
〈meta http-equiv="Content Type" content="text/html;charset=euc-kr"〉
〈title〉 my test web page 〈/title〉
〈/head〉
〈body〉
```

```
...
<img border=1 src="mydog.jpg" align="center" width="250" height ="150">
...
</html>
```

클라이언트는 서버로부터 받은 응답 메시지를 처리하다가 mydog.jpg를 발견하고 이 그림 파일에 대한 정보를 얻기 위해서 그림 5.2의 (3)과 같이 다음과 같은 메시지를 보낸다.

```
GET /mydog.jpg HTTP/1.1
Accept: */*
Referer: http://www.myserver.co.kr/mydata.html
Accept-Langauage: ko
Accept-Encoding: gzip, deflate
User-Agent: Mozilla/4.0 ...
Host: www.myserver.co.kr
Connection: Keep-Alive
```

위 메시지를 받은 서버는 다시 이 요구에 대한 그림의 정보를 이진 데이터와 함께 응답 메시지를 그림 5.2의 (4)와 같이 보낸다.

```
HTTP/1.1 200 OK
Data: Tue, 15 Dec 2015 08:14:19 GMT
Server: Apache/1.3.20 (Unix)...
Last-Modified: 13 Dec 2015 05:02:39 GMT
ETag: "2a8de-763-8refa367"
Accept-Ranges: bytes
Content-Length: 15730
Connection: close
Content-Type: image/jpeg
```

이진 데이터

그렇다면 아이폰에서 위와 같은 기능을 어떻게 처리할 수 있을까? 바로 다음 그림과 같이 클라이언트로 사용되는 웹 브라우저 대신 바로 아이폰을 사용하는 것이다.

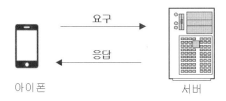

요구

응답

아이폰　　　　　　　서버

▶그림 5.3 아이폰의 요구와 웹 서버 응답 처리

위 그림과 같이 아이폰 역시 웹 브라우저와 마찬가지로 원하는 자료에 대해 요구할 수 있다. 서버에서 그 요구에 대한 응답 자료를 전달해주면, 그 자료를 아이폰 화면에 출력해주면 된다.

5-2　웹 서버 설정

일반적으로 웹 서버는 현재 사용 중인 MacBook 혹은 iMac과 별도로 사용하는 것이 좋지만, 상황이 어려운 경우에는 현재 사용 중인 MacBook이나 iMac에서 웹 서버를 사용하여 개발할 수도 있다. 여기서는 MacBook 혹은 iMac의 OS X 요세미티Yosemite에서 제공하는 웹 서버의 설정 방법에 대하여 설명한다.

> **참고**　OS X 요세미티 이전 버전에서 웹 서버 설정
>
> OS X 요세미티 이전 버전 즉, 마운틴 라이언에서 웹 서버는 사과-시스템 환경 설정-공유 메뉴에서 웹 공유 기능에 체크함으로써 웹 서버를 사용할 수 있다.

모든 OS X에서는 웹 서버를 내장하고 있으므로 다음과 같은 방법으로 웹 서버를
활성화만 시켜주면 쉽게 웹 서버를 사용할 수 있다.

▎그대로 따라 하기

❶ MacBook이나 iMac에서 Finder−이동−유틸리티를 실행한다. 유틸리티가 나
타나면 중앙에 위치한 터미널 .app를 실행한다.

▶그림 5.4 유틸리티

❷ 터미널을 더블 클릭하여 실행하고 다음을 입력하여 웹 서버를 활성화한다. 이때
관리자 암호가 필요한데, 암호를 입력하면 웹 서버가 즉시 활성화된다.

```
$ sudo apachectl start
```

▶그림 5.5 MacBook에서 웹 서버 활성화

❸ 이제 Finder에서 응용 프로그램에서 텍스트 편집기를 선택한 뒤, 다음과 같이 "Hello World!" 한 줄을 작성한다. 저장할 때 파일 포맷을 리치 텍스트 도큐먼트로 저장하는 것이 아니라 웹페이지(.htm) 형식으로 다운로드 폴더에 index.html이라는 이름으로 저장하는 것을 잊지 않도록 한다.

Hello World!

▶그림 5.6 index.html 작성

❹ 터미널을 사용하여 저장된 다운로드 폴더의 index.html 파일을 다음과 같은 폴더 위치에 복사한다.

```
$ cd downloads
$ sudo cp index.html /Volumes/Macinstosh HD/Library/WebServer/Documents/
```

❺ 이제 웹 브라우저 사파리를 실행하고 URL 창에 다음과 같이 입력하여 위에서 복사한 index.html이 웹 서버에서 실행되는지 확인한다.

```
http://localhost/index.html
```

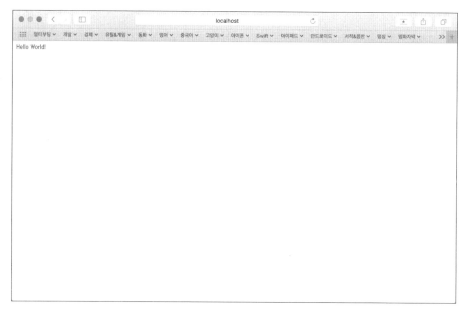

▶ 그림 5.7 웹 브라우저에서 index.html 테스트

▌원리 설명

이번 절에서 MacBook 혹은 iMac에 있는 웹 서버 사용법에 대하여 알아본다.

MacBook 혹은 iMac에는 아파치 웹 서버가 내장되어 있는데, 터미널에서 다음과 같은 명령으로 쉽게 활성화할 수 있다.

```
$ sudo apachectl start
```

여기서 앞에서 sudo라는 명령어를 사용했는데, 이 명령어는 substitute user do 의 약자로서 유닉스 혹은 유닉스 계열 운영체제에서 다른 사용자의 보안 권한 즉, root 사용자의 보안 권한으로 그다음 프로그램을 구동하라는 의미이다. 즉, 아파치를 구동할 수 있는 apachectl은 관리자만이 실행할 수 있으므로 반드시 root 권한이 필요하다. 그러므로 이 명령을 실행한 다음에는 root의 패스워드를 입력해야 apachectl 을 실행시킬 수 있다. 한 번 비밀번호를 입력하면 터미널 종료 때까지 다시 비밀번호를 입력할 필요가 없다.

만일 웹 서버를 정지하려면 다음과 같이 입력한다.

```
$ sudo apachectl stop
```

아파치 웹 서버를 사용할 때 반드시 알아두어야 할 것은 httpd.conf 설정 파일이다. 이 설정 파일은 아파치 웹 서버에서 필요한 여러 가지 항목을 설정할 수 있는 텍스트 파일인데 이 파일의 위치는 다음과 같다.

```
/Volumes/Macintosh HD/etc/apache2/httpd.conf
```

이 파일에는 웹 서버 구동 시 필요한 여러 항목이 있는데, 기본적으로 설정된 상태 그대로 사용해도 괜찮지만, 다음 몇 가지 항목은 반드시 알아두어야 한다.

설정 항목	설 명
ServerRoot	서버의 설정, 에러, 로그 등을 관리하는 루트 디렉터리 디폴트 값은 "/usr"으로 설정
Listen	특정 ip 혹은 특정 포트 번호에서만 연결을 기다릴 때 설정 디폴트 값은 80으로 설정
DocumentRoot	서버에서 제공하고자 하는 html 파일이 있는 디렉터리 설정 디폴트 값은 "/Library/WebServer/Documents"로 설정

위 표에서 알 수 있듯이 서버에서 제공하는 html 파일의 루트 디렉터리 위치는 DocumentRoot 항목에 설정되어 있어 html 파일을 작성한 뒤에 다음 위치에 설치해야 한다.

/Volumes/Macintosh HD/Library/WebServer/Documents

다만, 위 디렉터리는 관리자만 사용할 수 있는 시스템 디렉터리이므로 반드시 root 패스워드가 필요하다. 만일 root 권한이 없는 일반 개발자가 사용할 수 있도록 작업 디렉터리를 변경하려면 다음과 같이 처리할 수 있다.

▌그대로 따라 하기

❶ 응용 프로그램에서 터미널을 열고 pico 에디터와 httpd.conf를 다음과 같이 입력하여 설정 파일을 오픈시킨다.

$ sudo pico /Volumnes/Macintosh HD/etc/apache2/httpd.conf

❷ pico 에디터에서 커서를 아래쪽으로 내려 중앙쯤 내려오면, DocumentRoot 항목이 나타난다. 이 항목에는 현재 "/Library/WebServer/Documents"로 지정되어 있는데, 이 부분을 "/User/사용자 이름/Sites"로 변경한다. 변경할 곳은

DocumentRoot 항목과 그 아래 Directory 항목 두 군데이다. 여기서 사용자 이름은 Mac 혹은 iMac에서 현재 사용 중인 사용자 이름을 의미한다.

```
#
# DocumentRoot: The directory out of which you will serve your
# documents. By default, all requests are taken from this directory, but
# symbolic links and aliases may be used to point to other locations.
#
DocumentRoot "/Users/applenote/Sites"
<Directory "/Users/applenote/Sites">

    #
    # Possible values for the Options directive are "None", "All",
    # or any combination of:
    #   Indexes Includes FollowSymLinks SymLinksifOwnerMatch ExecCGI MultiViews
```

❸ 수정이 끝나면 Ctrl+O 키를 눌러 저장하고 이어서 Ctrl + X를 눌러 Pico 에디터를 종료한다.

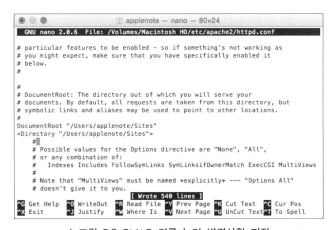

▶그림 5.8 Ctrl+O 키를 눌러 변경사항 저장

❹ 다시 Finder에서 응용 프로그램에서 텍스트 편집기를 선택한 뒤, 이번에는 다음과 같이 "New Hello World!" 한 줄을 작성한다. 저장할 때 파일 포맷을 리치

텍스트 도큐먼트로 저장하는 것이 아니라 웹페이지(.htm) 형식으로 다운로드 폴더에 index2.html이라는 이름으로 저장하는 것을 잊지 않도록 한다.

New Hello World!

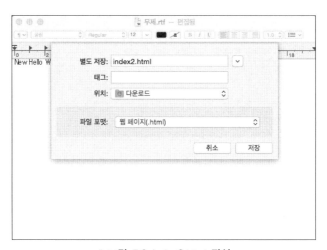

▶그림 5.9 index2.html 작성

❺ 다시 터미널을 사용하여 저장된 다운로드 폴더의 index2.html 파일을 다음과 같은 폴더 위치에 복사한다. 여기서 '사용자 이름'은 Mac 혹은 iMac에서 현재 사용 중인 사용자 이름을 의미한다.

```
$ cd downloads
$ cp index2.html /Users/사용자 이름/Sites/
```

❻ 터미널을 다시 실행하고 다음을 입력하여 웹 서버를 재실행한다.

```
$ sudo apachectl restart
```

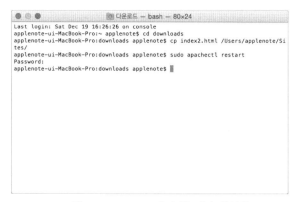

▶그림 5.10 MacBook에서 웹 서버 활성화

❼ 이제 웹 브라우저 사파리를 실행하고 URL 창에 다음과 같이 입력하여 위에서 복사한 index2.html이 웹 서버에서 실행되는지 확인한다.

http://localhost/index2.html

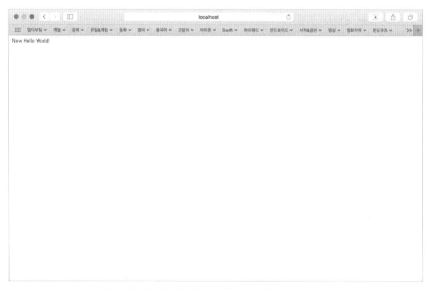

▶그림 5.11 웹 브라우저에서 index2.html 테스트

httpd.conf 파일에서 서버에서 제공하고자 하는 html 파일이 있는 디렉터리 설정은 DocumentRoot 항목에서 처리하는데, 기본적으로 지정되는 "/Library/ WebServer/Documents"는 시스템 디렉터리이므로 관리자 권한을 필요로 한다.

이 관리자 권한은 보안 측에서 본다면 꼭 필요한 것이지만, 개발자 입장에서 보면 상당히 귀찮은 일임이 분명하다. 그러므로 html 파일이 있는 디렉터리를 변경하기 위해서는 vi를 사용하거나 다음과 같이 pico 에디터를 사용하여 DocumentRoot 항목을 변경해준다.

```
$ sudo pico /Volumnes/Macintosh HD/etc/apache2/httpd.conf
```

pico 에디터는 윈도우에서 제공하는 일반적인 에디터와 사용법이 비슷해 사용하는데 어려움이 거의 없을 것이다. 아파치 설정 파일 httpd.conf 파일의 DocumentRoot 항목을 다음과 같이 "/User/사용자 이름/Sites"로 지정하여 html 파일 위치를 /Users/사용자 이름/Sites로 변경해준다.

```
#
# DocumentRoot: The directory out of which you will serve your
# documents. By default, all requests are taken from this directory, but
# symbolic links and aliases may be used to point to other locations.
#
DocumentRoot "/Users/applenote/Sites"
<Directory "/Users/applenote/Sites">
    #
    # Possible values for the Options directive are "None", "All",
    # or any combination of:
    #  Indexes Includes FollowSymLinks SymLinksifOwnerMatch ExecCGI MultiViews
```

이제 index2.html이라는 이름의 html 파일을 작성한 뒤, "/User/사용자 이름 /Sites"에 관리자 권한 없이 저장할 수 있다. 저장된 파일은 다음과 같이 바로 웹 브라우저를 통하여 바로 확인해 볼 수 있다.

http://localhost/index2.html

5-3 HTML 리스트 자료 가져오기

이제 위에서 배운 웹 서버를 이용하여 html 목록을 작성하고 이 목록에 표시된 자료를 아이폰으로 가져오는 기능을 가진 앱을 작성해보자. 여기서는 세계의 유명한 도시 이름과 그 현재 온도를 목록 형식으로 지정한 html 파일로부터 도시 이름 자료와 그 도시의 현재 온도 자료를 그대로 가지고 오는 앱을 작성해 볼 것이다.

┃ 그대로 따라 하기

❶ Xcode에서 File-New-Project를 선택한다. 계속해서 왼쪽에서 iOS-Application을 선택하고 오른쪽에서 Single View Application을 선택한다. 이어서 Next 버튼을 누르고 Product Name에 "WeatherParseExample"이라고 지정한다. 아래쪽에 있는 Language 항목은 "Objective-C", Devices 항목은 "iPhone"으로 설정한다. 그 아래 Include Unit Tests 항목과 Include UI Tests 항목은 체크한 상태로 그대로 둔다. 이어서 Next 버튼을 누르고 Create 버튼을 눌러 프로젝트를 생성한다.

▶그림 5.12 WeatherParseExample 프로젝트 생성

❷ Finder의 응용 프로그램에서 텍스트 편집기를 연다. 새로운 도큐먼트 작성 버튼을 눌러 에디터를 표시한다. 이어서 텍스트 편집기의 포맷 메뉴의 "일반 텍스트 만들기" 항목을 선택한 뒤, 다음 코드를 입력하고 weather.html이라는 이름으로 다운로드 폴더에 저장한다.

```html
<html>
<body>
<div class="world weather">
  <h3>Today Weather</h3>
  <ul>
    <li>
        <h4>Beijing</h4>
        <p>30 degree</p>
    </li>
    <li>
        <h4>Tokyo</h4>
        <p>27 degree</p>
    </li>
```

342

```
    <li>
        <h4>Paris</h4>
        <p>32 degree</p>
    </li>
    <li>
        <h4>London</h4>
        <p>34 degree</p>
    </li>
    <li>
        <h4>New York</h4>
        <p>26 degree</p>
    </li>
    <li>
        <h4>Seoul</h4>
        <p>28 degree</p>
    </li>
  </ul>
</div>
</body>
</html>
```

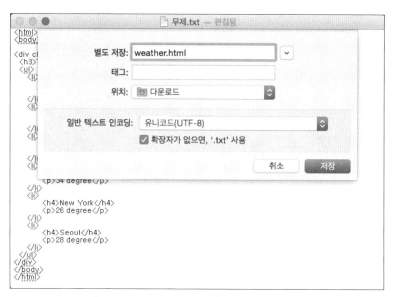

▶그림 5.13 weather.html 파일을 다운로드 폴더에 저장

❸ 위에서 설명한 아파치 웹 서버 설정 파일 httpd.conf 파일의 DocumentRoot 항목을 변경한 경우와 변경하지 않은 경우에 따라, 터미널을 열고 다음 코드를 입력하여 weather.html 파일을 웹 서버의 html 저장 디렉터리에 위치시킨다. html 저장 디렉터리는 다음 조건에 따라 그 위치가 달라진다.

첫 번째, httpd.conf 파일의 DocumentRoot 항목을 변경한 경우, 터미널을 실행하고 다음과 같이 입력한다. 즉, html 저장 디렉터리는 Users/사용자 이름/Sites/가 된다.

```
$ cd downloads
$ cp weather.html /Users/사용자 이름/Sites/
```

두 번째, httpd.conf 파일의 DocumentRoot 항목을 변경하지 않은 경우, 터미널을 실행하고 다음과 같이 입력한다. 즉, html 저장 디렉터리는 /Volumes/Macinstosh HD/Library/WebServer/Documents/가 된다.

```
$ cd downloads
$ sudo cp weather.html /Volumes/Macinstosh HD/Library/WebServer/
  Documents/
```

❹ 이제 다음과 같이 바로 사파리 웹 브라우저를 통하여 이상이 없는지 확인해본다.

```
http://localhost/weather.html
```

Today Weather

- **Beijing**

  30 degree

- **Tokyo**

  27 degree

- **Paris**

  32 degree

- **London**

  34 degree

- **New York**

  26 degree

- **Seoul**

  28 degree

▶그림 5.14 웹 브라우저를 통하여 확인

❺ 프로젝트 탐색기의 WeatherParseExample(파란색 아이콘)에서 오른쪽 마우
스 버튼을 누르고 New Group을 선택한다. 새로운 그룹의 이름을 TFHpple
이라고 설정하고 다음 사이트 혹은 프로그램 소스로부터 박스 안의 파일을
TFhpple 폴더 아래쪽에 드래그-앤-드롭으로 복사한다.

```
https://github.com/topfunky/hpple
```

```
TFHpple.h
TFHpple.m
TFHppleElement.h
TFHppleElement.m
XPathQuery.h
XPathQuery.m
```

▶그림 5.15 TFHpple 파서 라이브러리(Parser Library)파일 복사

❻ 다시 프로젝트 탐색기의 WeatherParseExample(파란색 아이콘)을 선택하고
이어서 오른쪽 설정 항목 중 다섯 번째 Build Phases 탭을 선택한다. 이때 그
아래쪽에 여러 항목이 보이는데, 그중 Linking 항목의 Linking Other Flags
을 선택하고 그 아래쪽 Debug와 Release의 + 버튼을 누르고 "-lxml2"를 입력
한다.

▶그림 5.16 Linking–Linking Other Flags에 링킹 옵션 설정

❼ 이어서 그 아래쪽 Search Paths 항목의 Header Search Path를 선택하고
그 아래쪽 Debug와 Release의 + 버튼을 누르고 "$SDKROOT/usr/include/
libxml2"을 입력한다. 또한, 그 오른쪽 부분은 화살표를 눌러 recursive로 설정
한다.

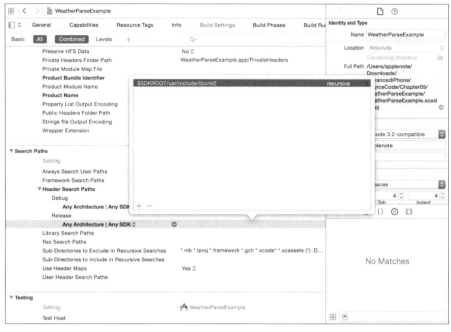

▶그림 5.17 Search Paths—Header Search Path 패스 옵션 설정

❽ 계속 프로젝트 탐색기의 WeatherParseExample(파란색 아이콘)을 선택한 상
  태에서 이번에는 여섯 번째 Build Phases를 선택하고 그 아래쪽에서 Link
  Binary With Libraries를 선택한다. 이어서 + 버튼을 눌러 라이브러리 선택
  창에서 libxml2.tbd 파일을 선택하고 Add 버튼을 누른다.

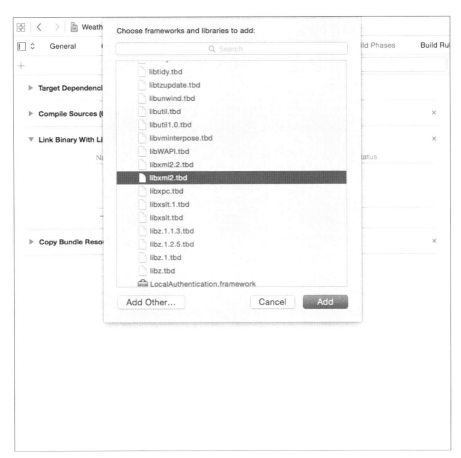

▶그림 5.18 라이브러리 선택 창에서 libxml2.tbd 파일 선택

❾ 이제 프로젝트 탐색기의 WeatherParseExample 폴더 아래쪽에 있는 Main. storyboard 파일을 선택한다. 캔버스의 View Controller가 나타나면, 오른쪽 아래 Object 라이브러리의 TableView 컨트롤을 View Controller 위에 떨어뜨린다.

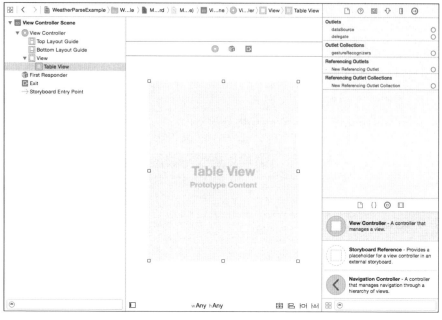

▶그림 5.19 Object 라이브러리로부터 TableView 추가

⑩ 캔버스에서 TableView 컨트롤을 선택한 상태에서 캔버스 아래 오토 레이아웃 메뉴에서 세 번째 Pin을 선택한다. 이때 "제약조건 설정" 창이 나타나는데, 먼저 Constrain to margins 체크를 삭제한다. 이어서 다음 그림과 같이 동, 서, 남, 북 위치 상자에 각각 0, 0, 0, 0를 입력하고 각각의 I 빔에 체크한 뒤, 가장 아래쪽 "Add 4 Constraints" 버튼을 클릭한다.

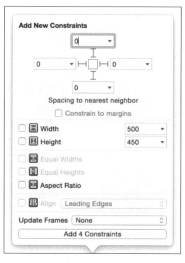

▶그림 5.20 TableView 제약조건 설정

⓫ 이어서 캔버스 아래 오토 레이아웃 메뉴의 네
번째 Resolve Auto Layout Issues를 선택하고
"All Views"의 "Update Frames"를 선택한다.

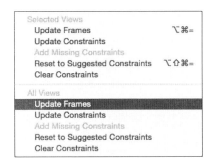

▶그림 5.21 Update Frames 항목 선택

⓬ 프로젝트 탐색기에서 Main.storyboard 파일을 선택한 상태에서 도큐먼트 아웃
라인 창에서 TableView를 선택한다. 이때 오른쪽 위에 있는 Connection 인스
펙터를 선택하면 Outlets 항목의 dataSource와 delegate가 나타난다. 마우스
를 사용하여 먼저 dataSource를 선택하고 도큐먼트 아웃라인 창의 View
Controller에 떨어뜨려 연결한다. 동일한 방법으로 delegete를 선택하여 도큐
먼트 아웃라인 창의 View Controller에 연결한다.

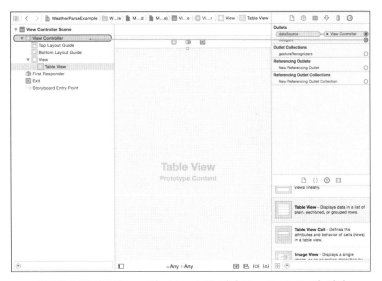

▶그림 5.22 dataSource와 delegate를 각각 ViewController와 연결

⑬ 이제 프로젝트에서 Info.list 파일을 클릭하여 첫 번째 줄에 있는 Information Property List의 오른쪽 + 버튼을 눌러 다음 항목을 추가하고 타입은 Dictionary 로 설정한다.

▼App Transport Security Settings - Dictionary

위 항목 첫 번째 문자를 아래쪽 화살표로 변경하고 그 줄 오른쪽에 있는 + 버튼을 눌러 다음 항목을 추가한다. 타입은 Boolean으로 설정하고 그 값을 YES로 지정한다.

Allow Arbitrary Loads   - Boolean YES

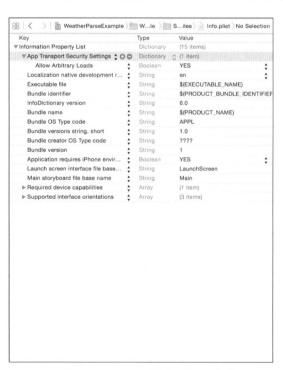

▶그림 5.23 Info.plist 파일에 전송 보안 설정

⑭ 이제 왼쪽 프로젝트 탐색기에서 ViewController.m 파일을 선택하고 다음을 입력한다.

```
#import "ViewController.h"
#import "TFHpple.h"

@interface ViewController ()
{
    NSMutableArray *dataArray;
}
@end

@implementation ViewController

- (void)viewDidLoad {
    [super viewDidLoad];

    dataArray = [ [ NSMutableArray alloc] init];
    [self parseDataSaveData];
}

- (void) parseDataSaveData
{
    NSURL *tutorialsUrl = [NSURL URLWithString:@"http://localhost/weather.html"];
    NSData *tutorialsHtmlData = [NSData dataWithContentsOfURL:tutorialsUrl];
    TFHpple *tutorialsParser = [TFHpple hppleWithHTMLData:tutorialsHtmlData];

    NSString *tutorialsXpathQueryString = @"//div[@class='world weather']/ul/li/p |
//div[@class='world weather']/ul/li/h4";
    NSArray *tutorialsNodes =
                    [tutorialsParser
searchWithXPathQuery:tutorialsXpathQueryString];

    NSString *saveCity;
    for (TFHppleElement *element in tutorialsNodes) {
        if ([element.tagName isEqualToString:@"h4"])
        {
            saveCity = [element content];
```

```
        }
        else
        {
            NSString *degree = [element content];
            NSString *dataName = [NSString stringWithFormat:@"%@:
                                       %@", saveCity, degree];
            [dataArray addObject: dataName];
        }
    }
}


- (void)didReceiveMemoryWarning {
    [super didReceiveMemoryWarning];
    // Dispose of any resources that can be recreated.
}

#pragma mark - Table view data source

- (NSInteger)numberOfSectionsInTableView:(UITableView *)tableView
{
    return 1;
}


- (NSInteger)tableView:(UITableView *)tableView
            numberOfRowsInSection:(NSInteger)section
{
    return dataArray.count;
}


- (UITableViewCell *)tableView:(UITableView *)tableView
            cellForRowAtIndexPath:(NSIndexPath *)indexPath
{
    static NSString *CellIdentifier = @"Cell";

    UITableViewCell *cell = [tableView
            dequeueReusableCellWithIdentifier:CellIdentifier];
    if (cell == nil) {
        cell = [[UITableViewCell alloc] initWithStyle:UITableViewCellStyleDefault
reuseIdentifier:CellIdentifier];
    }
```

```
    cell.textLabel.text = dataArray[indexPath.row];
    return cell;
}

@end
```

⓯ 이제 Xcode 왼쪽에 있는 Run 혹은 Command-R 버튼을 눌러 실행한다.

▶그림 5.24 WeatherParseExample 프로젝트 실행

▌원리 설명

일반적으로 웹 서버의 자료를 가져오기 위해서는 클라이언트인 웹 브라우저가 있어야 한다. 하지만 여기서는 웹 브라우저 대신 아이폰을 이용하여 웹 서버의 자료를 가져와 그 자료를 화면에 출력하는 것을 작성해보았다.

이 기능을 처리하는 ViewController의 객체에서 자료 초기화를 담당하는 view
DidLoad 함수를 살펴보자. 먼저 서버의 HTML 자료를 분석하여 보관할 NSMutable
Array 객체 변수 dataArray를 선언한다.

```
- (void)viewDidLoad {
    [super viewDidLoad];

    dataArray = [ [ NSMutableArray alloc] init];
    ...
```

이어서 웹 서버의 자료를 가져와 dataArray에 저장을 처리하는 parseDataSaveData
를 호출한다.

```
    [self parseDataSaveData];
}
```

웹 서버 자료를 분석하여 저장하는 parseDataSaveData 함수는 이 앱의 핵심
부분으로 웹 서버에 접근하여 원하는 자료를 가지고 오는 기능을 처리한다. 먼저
NSURL 객체의 URLWithString을 사용하여 원하는 HTML 코드를 요구한다. 여
기서는 http://localhost/weather.html을 사용하여 현재 사용 중인 Mac에서 제공
하는 웹 서버에 있는 weather.html 코드를 가지고 올 것이다.

```
- (void) parseDataSaveData
{
    NSURL *tutorialsUrl = [NSURL
URLWithString:@"http://localhost/weather.html"];
    ...
```

먼저 지정된 HTML 코드를 NSData 형식으로 변경해준다. 이렇게 HTML 코드를
NSData 형식으로 변경하는 이유는 뒤쪽에서 HTML을 분석할 때 사용하는 HTFpple

356

클래스에서 초기화를 처리할 때 NSData 형식의 HTML 코드를 요구하기 때문이다.

```
NSData *tutorialsHtmlData = [NSData dataWithContentsOfURL:tutorialsUrl];
...
```

그다음, 웹 서버에 접근하여 웹 서버에서 제공하는 HTML 코드를 가져오기 위해서는 HTML 분석parsing을 처리해야 하는데, 무료로 공개되어 있는 Hpple 라이브러리를 사용한다. 먼저 Hpple 라이브러리를 사용하기 위해서는 먼저 다음 주소로부터 소스 코드를 다운받고 그 코드 안에 있는 다음 6개 파일을 프로젝트에 추가해야 한다.

```
https://github.com/topfunky/hpple
```

```
TFHpple.h
TFHpple.m
TFHppleElement.h
TFHppleElement.m
XPathQuery.h
XPathQuery.m
```

또한, 소스 코드에서는 libxml2라는 라이브러리를 사용하므로 추가해주어야 하고 프로젝트의 Build Settings 항목에서 다음과 같이 Linking 항목과 Search Path 항목을 등록시켜야 이상 없이 컴파일과 링크가 처리된다.

```
▼Linking
   ▼Other Linker Flags
      Debug
         Any Architecture | Any SDK      -lxml2
      Release
         Any Architecture | Any SDK      -lxml2
▼ Search Paths
```

```
▼Header Search Paths
   Debug
       Any Architecture | Any SDK     $SDKROOT/usr/include/libxml2
   Release
       Any Architecture | Any SDK     $SDKROOT/usr/include/libxml2
```

Hpple 라이브러리는 크게 TFHpple 클래스와 TFHppleElement 클래스 2개로 구성된다.

먼저 HFHpple 클래스는 HTML 분석parsing을 위한 XPathQuery를 처리할 수 있는 Objective-C 래퍼 클래스Wrapper Class이다. TFHppleElement 클래스는 HFHpple 클래스에서 설정한 XPathQuery 설정 문을 통하여 실제 구문을 분석하고 원하는 자료를 가져오는 기능을 제공하는 클래스이다. 다음 표는 TFHpple 클래스와 TFHppleElement 클래스의 주요 속성 및 메소드이다.

▶ 표 5.2 TFHpple 클래스 메소드

TFHpple 클래스 메소드	설 명
hppleWithHTMLData	HTML 자료를 지정하여 구문 분석을 위한 TFHpple 클래스를 생성한다.
searchWithXPathQuery	지정된 XPath를 통하여 HTML 분석을 위한 질의를 실행한다.

▶ 표 5.3 TFHppleElement 클래스 속성

TFHppleElement 클래스 속성	설 명
tagName	자료의 태그를 얻는다.
firstChild	노드의 첫 번째 자식을 얻는다.

이제 NSData 형식으로 변경한 HTML 자료를 파라미터로 하는 TFHpple 객체의 hppleWithHTMLData 메소드를 호출하여 TFHpple 클래스 변수 tutorialsParser

를 생성한다.

```
TFHpple *tutorialsParser = [TFHpple hppleWithHTMLData:tutorialsHtmlData];
...
```

그다음, HTML에서 원하는 자료를 얻기 위해 XPath라는 것을 사용해야 한다. XPath XML 문서에서 특정한 속성 태그를 찾기 위해 사용되는 표현식이다. 비록 XPath가 XML에서 사용하기 위해 만들어진 것이지만 HTML에서도 그대로 적용할 수 있다.

XPath는 패스 표현식pass expression을 사용하여 XML의 원하는 노드 혹은 태그 이름을 찾을 수 있다. 다음 표는 XPath에서 사용할 수 있는 표현식이다.

▶ 표 5.4 XPath 표현식

표현식	설 명
nodename(태그)	"nodename" 이라는 노드 혹은 태그를 모두 검색한다.
nodename/child	nodename의 자식인 child를 검색한다.
/	루트 노트로부터 검색한다.
//	조건에 맞아 검색된 노드 위치로부터 다시 검색한다.
.	현재 노드를 선택한다.
..	현재 노드의 부모를 선택한다.
@	속성을 선택한다.
조건1 | 조건2	조건1과 조건2 둘 다 만족하는 검색을 처리한다(or).

위 표를 사용하여 원하는 자료를 검색하기 전에 〈그대로 따라 하기〉 ❷에서 작성한 weather.html을 트리 구조로 살펴보면 다음과 같다.

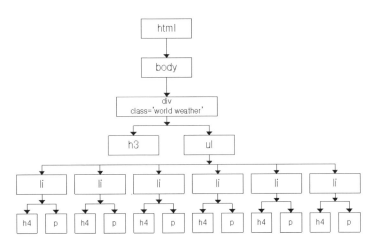

▶그림 5.25 weather.html의 트리 구조

위 트리 구조에서 원하는 자료는 가장 아래쪽에 있는 〈h4〉 태그와 〈p〉 태그의 도시 이름과 그 도시의 온도 자료이다. 이 자료를 검색하기 위해서 먼저 다음과 같이 //div를 사용하여 div 태그를 찾아 이 태그부터 검색을 시작한다.

```
//div
```

이때 div 태그가 하나가 아니라 여러 개인 경우, @를 사용하여 그 태그의 속성을 가진 모든 태그를 구체적으로 검색할 수 있는데, 여기서는 [@class='world weather']를 지정하여 [@class='world weather'] 속성을 가진 div 태그를 찾아 검색을 시작할 수 있다.

```
//div[@class='world weather']
```

이어서 div의 자식인 ul을 검색하고 다시 그 자식인 li와 그 자식인 p를 검색한다. 또한, "|"(or) 기능을 사용하여 div의 자식인 ul을 검색하고 다시 그 자식인 li와 그

자식인 h4를 검색하는 기능도 추가하도록 한다. 그 결과가 바로 다음 tutorialsXpath QueryString 값이다. 즉, 이 값에 〈h4〉와 〈p〉 태그의 값이 지정된다.

```
NSString *tutorialsXpathQueryString = @"//div[@class='world
weather']/ul/li/p | //div[@class='world weather']/ul/li/h4";
...
```

이제 TFhpple 클래스의 searchWithXPathQuery 메소드에 지정하여 호출하면 검색된 결과를 NSArray 타입인 tutorialsNodes 변수로 돌려준다.

```
NSArray *tutorialsNodes =
    [tutorialsParser searchWithXPathQuery:tutorialsXpathQueryString];
...
```

이때 tutorialsNodes 배열에는 다음 그림과 같은 형식으로 자료를 돌려준다.

▶그림 5.26 tutorialsNodes 배열의 형식

즉, 앞쪽에는 'h4' 혹은 'p'와 같은 TagName이 지정되고 뒤쪽에는 "Beijing", "30 degree"와 같은 콘텐츠 데이터가 지정된다.

이제 each...for 문장에 TFHppleElement 객체를 사용하여 배열 수만큼 반복 처리한다. 배열 수는 〈h4〉 태그 6개와 〈p〉 태그 6개, 모두 12이다.

```
NSString *saveCity;
for (TFHppleElement *element in tutorialsNodes) {
...
```

만일 배열의 tagName이 h4인 경우, TFHppleElement 객체의 content 속성을 사용하여 그 값을 saveCity 변수에 저장한다. 이처럼 변수에 저장하는 이유는 그다음, 배열 값인 〈p〉 태그의 온도 자료를 읽은 뒤에 함께 저장하기 위함이다.

```
if ([element.tagName isEqualToString:@"h4"])
{
    saveCity = [element content];
}
...
```

그다음, h4 태그 다음에는 p 태그이므로 이번에는 degree 변수에 저장한다. 조금 전에 저장한 saveCity 변수와 함께 dataArray 배열에 저장한다. for...each 문장이 종료된 뒤에, dataArray 배열에는 "Beijing: 30 degree"와 같은 형식으로 각각의 도시 이름과 그 현재 온도가 함께 저장된다.

```
    else
    {
        NSString *degree = [element content];
        NSString *dataName = [NSString stringWithFormat:@"%@: %@",
saveCity, degree];
        [dataArray addObject: dataName];
    }
  }
}
```

출력할 자료가 처리되었으므로 이제 이 자료를 테이블 뷰를 통하여 출력해보자.

먼저, 테이블을 구성하는 섹션의 수를 지정하는 numberOfSectionsInTableView를 다음과 같이 작성한다. 섹션은 테이블 자료를 출력하는 일종의 그룹 데이터이다. 테이블 뷰에서는 여러 종류의 데이터 그룹을 출력할 수 있는데, 여기서는 도시 이름과 온도를 한 줄에 출력하는 1개의 섹션으로만 구성한다.

```
- (NSInteger)numberOfSectionsInTableView:(UITableView *)tableView
{
    return 1;
}
...
```

그다음, 테이블에 몇 개의 자료를 출력할지 결정해보자. numberOfRowsInSection을 사용하여 섹션당 출력할 자료의 개수를 지정할 수 있다. 여기서는 도시 이름과 그 온도를 지정한 NSArray 타입의 dataArray 변수의 자료 개수를 출력해준다. dataArray에 추가된 자료 개수는 count 속성으로 알아낼 수 있다.

```
- (NSInteger)tableView:(UITableView *)tableView
        numberOfRowsInSection:(NSInteger)section
{
    return dataArray.count;
}
...
```

그다음, 실제로 자료를 출력하는 cellForRowAtIndexPath 메소드를 살펴보자. 즉, 이 메소드는 (섹션 수 * 자료의 수)만큼 자동 반복 호출된다.

```
- (UITableViewCell *)tableView:(UITableView *)tableView
            cellForRowAtIndexPath:(NSIndexPath *)indexPath
{
    ...
```

먼저, 테이블 뷰의 dequeueReusableCellWithIdentifier를 사용하여 셀을 재활용할 수 있게 하는 UITableViewCell 객체를 생성한다. 테이블에서 셀을 구성할 때 거의 동일한 셀 형태를 사용하므로 한번 생성된 셀 객체는 재사용하여 별도로 생성할 필요 없이 그대로 사용할 수 있다.

```
    static NSString *CellIdentifier = @"Cell";

    UITableViewCell *cell =
        [tableView dequeueReusableCellWithIdentifier:CellIdentifier];

    if (cell == nil) {
        cell = [[UITableViewCell alloc] initWithStyle:UITableViewCellStyleDefault
reuseIdentifier:CellIdentifier];
    }
    ...
```

그다음, dataArray의 자료를 하나씩 UITableViewCell 객체의 textLabel.text에 지정하여 테이블에 출력한다. 이때 현재 메소드의 파라미터인 indexPath 객체의 row 속성을 사용하면 현재 출력되는 인덱스값을 알아낼 수 있다.

```
    cell.textLabel.text = dataArray[indexPath.row];
    return cell;
}
```

마지막으로 이 앱을 실행하기 전에 Info.plist에 앱 전송 보안 키와 값을 설정하지 않는다면 다음과 같은 에러 메시지가 실행되면서 앱이 실행되지 않는다.

```
App Transport Security has blockeit is insecure.
```

이러한 결과를 막기 위해서는 프로젝트의 Info.plist 파일을 선택하고 다음 키와 값을 지정한다.

```
▼App Transport Security Settings - Dictionary
   Allow Arbitrary Loads        - Boolean YES
```

HTML 테이블 자료 가져오기

이전 절에서는 일반 HTML 목록에서 자료를 가져오는 방법을 처리해보았으니 이번에는 HTML 테이블의 자료를 가져오는 방법에 대하여 알아보자. HTML 테이블은 HTML 상에서 자료를 깔끔하게 처리하는 방법으로 이 방법을 적용하면 원하는 사이트의 자료를 그대로 가져올 수 있다. 여기서는 야구 경기 웹페이지 자료를 그대로 가져와 아이폰 앱에 출력해보는 방법을 알아볼 것이다.

▌그대로 따라 하기

❶ Xcode에서 File−New−Project를 선택한다. 계속해서 왼쪽에서 iOS−Application을 선택하고 오른쪽에서 Single View Application을 선택한다. 이어서 Next 버튼을 누르고 Product Name에 "BaseballParseExample"이라고 지정한다. 아래쪽에 있는 Language 항목은 "Objective−C", Devices 항목은 "iPhone"으로 설정한다. 그 아래 Include Unit Tests 항목과 Include UI Tests 항목은 체크한 상태로 그대로 둔다. 이어서 Next 버튼을 누르고 Create 버튼을 눌러 프로젝트를 생성한다.

▶그림 5.27 BaseballParseExample 프로젝트 생성

❷ Finder의 응용 프로그램에서 텍스트 편집기를 연다. 새로운 도큐먼트 작성 버튼을 눌러 에디터를 표시한다. 이어서 텍스트 편집기의 포맷 메뉴의 "일반 텍스트 만들기" 항목을 선택한 뒤, 다음 코드를 입력하고 baseball.html이라는 이름으로 다운로드 폴더에 저장한다. 저장 대화상자에서 일반 텍스트 인코딩 옵션에 "한국어(EUC)"를 지정하는 것을 잊지 않도록 한다. 혹시 한국어(EUC)가 목록 옵션에 없다면 목록 가장 아래쪽 "인코딩 목록 사용자화"를 선택하여 추가한다.

```html
<html>
<body>
<TABLE class="tbl_score" data-league="BASEBALL">
  <CAPTION class="screen_hide">Baseball Score</CAPTION>
  <TR>
    <TH>순위</TH>
    <TH>팀명</TH>
    <TH>경기</TH>
    <TH>승</TH>
    <TH>무</TH>
    <TH>패</TH>
    <TH>승률</TH>
  </TR>
  <TR>
    <TD>1</TD>
    <TD>삼성</TD>
    <TD>79</TD>
    <TD>47</TD>
    <TD>0</TD>
    <TD>32</TD>
    <TD>0.595</TD>

  </TR>

  <TR>
    <TD>2</TD>
    <TD>두산</TD>
    <TD>78</TD>
    <TD>45</TD>
    <TD>0</TD>
    <TD>33</TD>
```

```
        <TD>0.577</TD>
      </TR>
       <TR>
        <TD>3</TD>
        <TD>NC</TD>
        <TD>78</TD>
        <TD>44</TD>
        <TD>1</TD>
        <TD>33</TD>
        <TD>0.571</TD>
      </TR>
       <TR>
        <TD>4</TD>
        <TD>넥센</TD>
        <TD>82</TD>
        <TD>45</TD>
        <TD>1</TD>
        <TD>36</TD>
        <TD>0.556</TD>
      </TR>
     </TABLE>
    </body>
   </html>
```

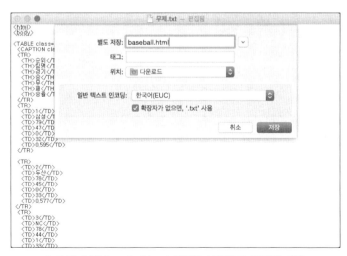

▶그림 5.28 baseball.html 파일을 다운로드 폴더에 저장

❸ 위에서 설명한 아파치 웹 서버 설정 파일 httpd.conf 파일의 DocumentRoot 항목을 변경한 경우와 변경하지 않은 경우에 따라 터미널을 열고 다음 코드를 입력하여 baseball.html 파일을 웹 서버의 html 저장 디렉터리에 위치시킨다. html 저장 디렉터리는 다음 조건에 따라 그 위치가 달라진다.

첫 번째, httpd.conf 파일의 DocumentRoot 항목을 변경한 경우, 터미널을 실행하고 다음과 같이 입력한다. 즉, html 저장 디렉터리는 /Users/사용자 이름/Sites/가 된다.

```
$ cd downloads
$ cp baseball.html /Users/사용자 이름/Sites/
```

두 번째, httpd.conf 파일의 DocumentRoot 항목을 변경하지 않은 경우, 터미널을 실행하고 다음과 같이 입력한다. 즉, html 저장 디렉터리는 /Volumes/Macinstosh HD/Library/WebServer/Documents/가 된다.

```
$ cd downloads
$ sudo cp baseball.html /Volumes/Macinstosh HD/Library/WebServer/
  Documents/
```

❹ 이제 다음과 같이 바로 사파리 웹 브라우저를 통하여 이상이 없는지 확인해본다.

```
http://localhost/baseball.html
```

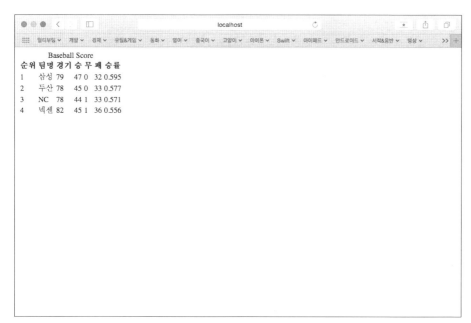

Inside the browser image:

Baseball Score

순위	팀명	경기	승	무	패	승률
1	삼성	79	47	0	32	0.595
2	두산	78	45	0	33	0.577
3	NC	78	44	1	33	0.571
4	넥센	82	45	1	36	0.556

▶그림 5.29 웹 브라우저를 통하여 확인

❺ 프로젝트 탐색기의 BaseballExample(파란색 아이콘)에서 오른쪽 마우스 버튼을 누르고 New Group을 선택한다. 새로운 그룹의 이름을 TFHpple이라고 설정하고 다음 사이트 혹은 프로그램 소스로부터 박스 안의 파일을 TFhpple 폴더 아래쪽에 드래그-앤-드롭으로 복사한다.

```
https://github.com/topfunky/hpple
```

```
TFHpple.h
TFHpple.m
TFHppleElement.h
TFHppleElement.m
XPathQuery.h
XPathQuery.m
```

▶그림 5.30 TFHpple 파서 라이브러리 파일 복사

❻ 다시 프로젝트 탐색기의 BaseballParseExample(파란색 아이콘)을 선택하고 이어서 오른쪽 설정 항목 중 다섯 번째 Build Phases 탭을 선택한다. 이때 그 아래쪽에 여러 항목이 보이는데 그중 Linking 항목의 Linking Other Flags를 선택하고 그 아래쪽 Debug와 Release의 + 버튼을 누르고 "-lxml2"를 입력한다.

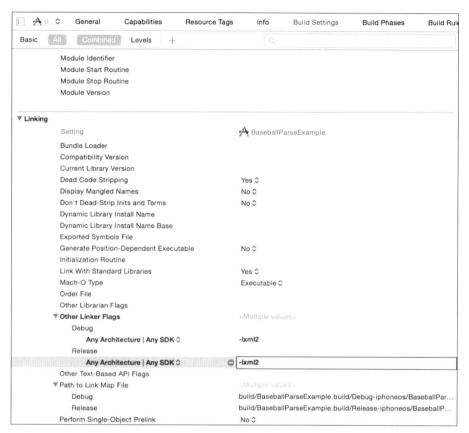

▶그림 5.31 Linking-Linking Other FlagS에 링킹 옵션 설정

❼ 이어서 그 아래쪽 Search Paths 항목의 Header Search Path를 선택하고 그 아래
쪽 Debug와 Release의 + 버튼을 누르고 "$SDKROOT/usr/include/ libxml2"를
입력한다. 또한, 그 오른쪽 부분은 화살표를 눌러 recursive로 설정한다.

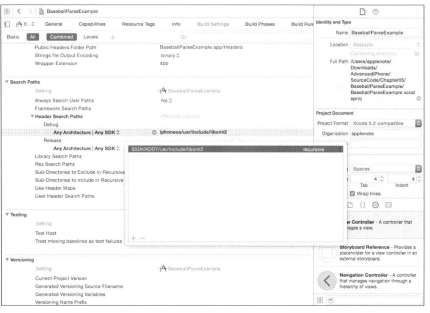

▶그림 5.32 Search Paths-Header Search Path 패스 옵션 설정

❽ 계속해서 프로젝트 탐색기의 BaseballParse Example(파란색 아이콘)을 선택한 상태에서 이번에는 여섯 번째 Build Phases를 선택하고 그 아래쪽에서 Link Binary With Libraries를 선택한다. 이어서 + 버튼을 눌러 라이브러리 선택 창에서 libxml2.tbd 파일을 선택하고 Add 버튼을 누른다.

▶그림 5.33 라이브러리 선택 창에서 libxml2.tbd 파일 선택

⑨ 이제 프로젝트 탐색기의 BaseballParseExample 폴더 아래쪽에 있는 Main.
storyboard 파일을 선택한다. 캔버스의 View Controller가 나타나면, 오른쪽
아래 Object 라이브러리의 TableView 컨트롤을 View Controller 위에 떨어뜨
린다.

▶그림 5.34 Object 라이브러리로부터 TableView 추가

⑩ 캔버스에서 TableView 컨트롤을 선택한 상태에서 캔버스 아래 오토 레이아웃
메뉴에서 세 번째 Pin을 선택한다. 이때 "제약조건 설정" 창이 나타나는데, 먼
저 Constrain to margins 체크를 삭제한다. 이어서 다음 그림과 같이 동, 서,
남, 북 위치 상자에 각각 0, 0, 0, 0를 입력하고 각각의 I 빔에 체크한 뒤, 가장
아래쪽 "Add 4 Constraints" 버튼을 클릭한다.

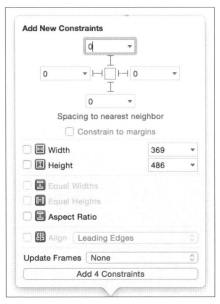

▶그림 5.35 TableView 제약조건 설정

⓫ 이어서 캔버스 아래 오토 레이아웃 메뉴의 네 번째 Resolve Auto Layout Issues를 선택하고 "All Views"의 "Update Frames"를 선택한다.

▶그림 5.36 Update Frames 항목 선택

⓬ 프로젝트 탐색기에서 Main.storyboard 파일을 선택한 상태에서 도큐먼트 아웃
라인 창에서 TableView를 선택한다. 이때 오른쪽 위에 있는 Connection 인스
펙터를 선택하면 Outlets 항목의 dataSource와 delegate가 나타난다. 마우스
를 사용하여 먼저 dataSource를 선택하고 도큐먼트 아웃라인 창의 View
Controller에 떨어뜨려 연결한다. 동일한 방법으로 delegete를 선택하여 도큐
먼트 아웃라인 창의 View Controller에 연결한다.

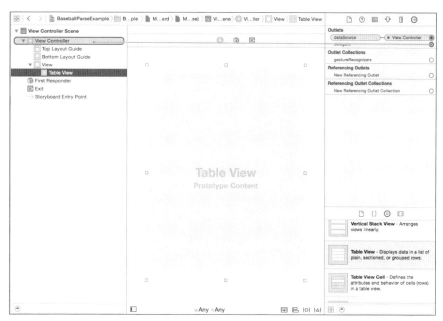

▶그림 5.37 dataSource와 delegate를 각각 ViewController와 연결

⓭ 이제 프로젝트에서 Info.list 파일을 클릭하여 첫 번째 줄에 있는 Information
Property List의 오른쪽 + 버튼을 눌러 다음 항목을 추가하고 타입은 Dictionary
로 설정한다.

▼App Transport Security Settings - Dictionary

앞 항목 첫 번째 문자를 아래쪽 화살표로 변경하고 그 줄 오른쪽에 있는 + 버튼을 눌러 다음 항목을 추가한다. 타입은 Boolean으로 설정하고 그 값을 YES로 지정한다.

```
Allow Arbitrary Loads        - Boolean YES
```

Key	Type	Value
▼ Information Property List	Dictionary	(15 items)
▼ App Transport Security Settings	Dictionary	(1 item)
Allow Arbitrary Loads	Boolean	YES
Localization native development r...	String	en
Executable file	String	$(EXECUTABLE_NAME)
Bundle identifier	String	$(PRODUCT_BUNDLE_IDENTIFIER)
InfoDictionary version	String	6.0
Bundle name	String	$(PRODUCT_NAME)
Bundle OS Type code	String	APPL
Bundle versions string, short	String	1.0
Bundle creator OS Type code	String	????
Bundle version	String	1
Application requires iPhone envir...	Boolean	YES
Launch screen interface file base...	String	LaunchScreen
Main storyboard file base name	String	Main
▶ Required device capabilities	Array	(1 item)
▶ Supported interface orientations	Array	(3 items)

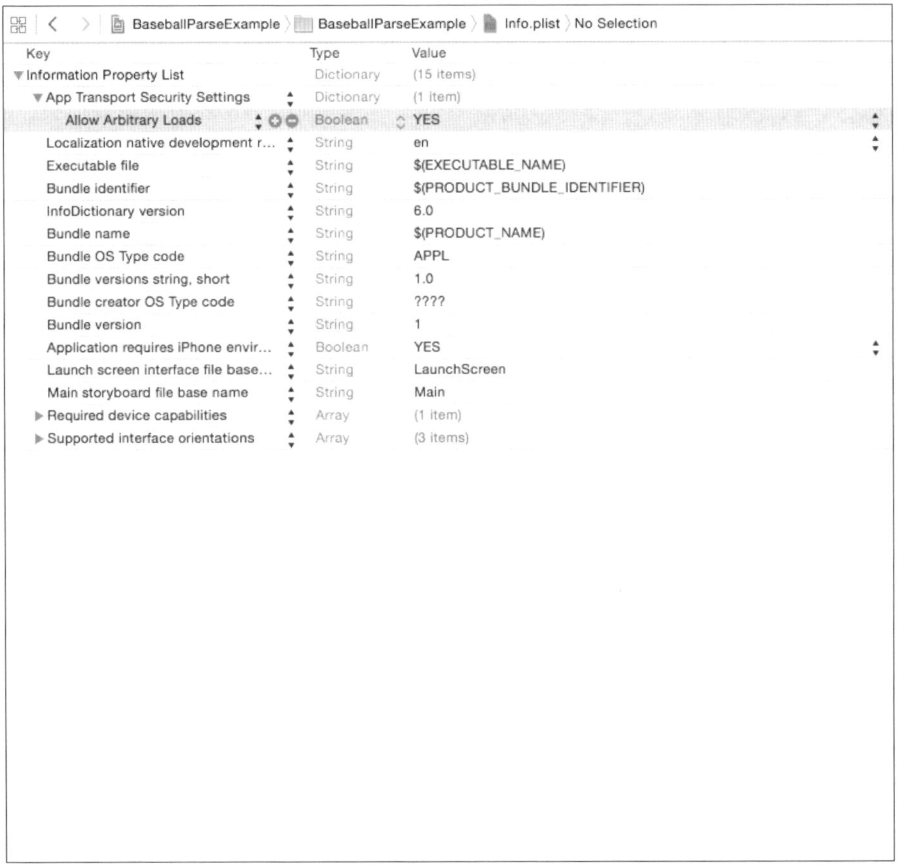

▶그림 5.38 Info.plist 파일에 전송 보안 설정

⑭ 이제 왼쪽 프로젝트 탐색기에서 ViewController.m 파일을 선택하고 다음을 입력한다.

```
T#import "ViewController.h"
#import "TFHpple.h"

@interface ViewController ()
{
    NSMutableArray *dataArray;
}
@end

@implementation ViewController

- (void)viewDidLoad {
    [super viewDidLoad];
    // Do any additional setup after loading the view, typically from a nib.
    dataArray = [ [ NSMutableArray alloc] init];
    [self parseDataSaveData];
}

- (void)parseDataSaveData
{
    int EucKREncoding =0x80000000 + kCFStringEncodingDOSKorean;

    NSURL *url = [NSURL URLWithString:@"http://localhost/baseball.html"];
    NSString *str = [NSString stringWithContentsOfURL:url encoding:
                        EucKREncoding error:nil];
    NSData *data = [str dataUsingEncoding:NSUTF8StringEncoding];

    TFHpple *hpple = [TFHpple hppleWithHTMLData:data];
    NSArray *arr = [ hpple searchWithXPathQuery:@"//table[@class]//tr//td"];

    NSUInteger dataCount = [arr count];
    for ( int i = 0; i < dataCount; i++)
    {
        TFHppleElement* element = [arr objectAtIndex:i];
        NSLog(@"%d : %@", i,  [element content]);
    }

    for ( int i = 0; i < dataCount / 7; i++ )
    {
        NSMutableDictionary *dicData = [ [ NSMutableDictionary alloc] init];
        [dicData setObject:[[arr objectAtIndex:i*7 + 0] content] forKey:@"rank"];
        [dicData setObject:[[arr objectAtIndex:i*7 + 1] content] forKey:@"team"];
```

```
        [dicData setObject:[[arr objectAtIndex:i*7 + 2] content] forKey:@"game"];
        [dicData setObject:[[arr objectAtIndex:i*7 + 3] content] forKey:@"win"];
        [dicData setObject:[[arr objectAtIndex:i*7 + 4] content] forKey:@"tie"];
        [dicData setObject:[[arr objectAtIndex:i*7 + 5] content] forKey:@"lose"];
        [dicData setObject:[[arr objectAtIndex:i*7 + 6] content] forKey:@"percent"];
        [dataArray addObject: dicData];
    }
}

- (void)didReceiveMemoryWarning {
    [super didReceiveMemoryWarning];
    // Dispose of any resources that can be recreated.
}

#pragma mark - Table view data source

- (NSInteger)numberOfSectionsInTableView:(UITableView *)tableView
{
    return 1;
}


- (NSInteger)tableView:(UITableView *)tableView
            numberOfRowsInSection:(NSInteger)section
{
    return dataArray.count;
}

- (NSString *)tableView:(UITableView *)tableView
            titleForHeaderInSection:(NSInteger)section
{
    return @"순위      팀명       게임       승        승률";
}

- (UITableViewCell *)tableView:(UITableView *)tableView
            cellForRowAtIndexPath:(NSIndexPath *)indexPath
{
    static NSString *CellIdentifier = @"MyCell";

    UITableViewCell *cell = [tableView
                dequeueReusableCellWithIdentifier:CellIdentifier];

    if (cell == nil) {
```

```
        cell = [[UITableViewCell alloc] initWithStyle:UITableViewCellStyleDefault
reuseIdentifier:CellIdentifier];
    }

    // Configure the cell...
    NSMutableDictionary *dicData = dataArray[indexPath.row];
    NSString *rank = [dicData objectForKey:@"rank"];
    NSString *team = [dicData objectForKey:@"team"];
    NSString *game = [dicData objectForKey:@"game"];
    NSString *win = [dicData objectForKey:@"win"];
    NSString *percent = [dicData objectForKey:@"percent"];
    NSString *dataCell = [NSString stringWithFormat:
@"  %@      %@        %@       %@       %@", rank, team, game, win, percent];
    cell.textLabel.text = dataCell;
    return cell;
}
@end
```

⑮ 이제 Xcode 왼쪽에 있는 Run 혹은 Command-R 버튼을 눌러 실행한다.

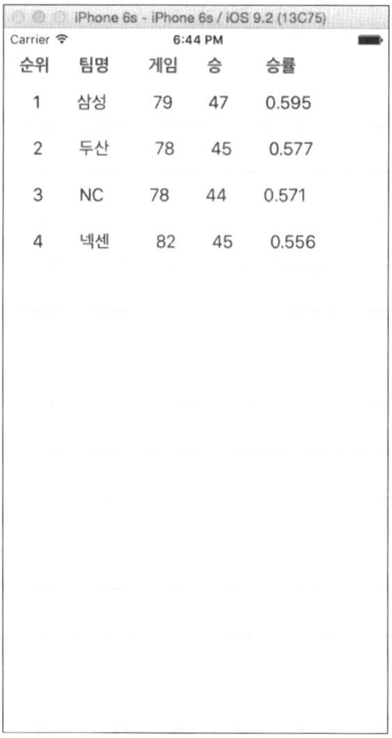
iPhone 6s - iPhone 6s / iOS 9.2 (13C75)
Carrier
6:44 PM
순위 팀명 게임 승 승률
1 삼성 79 47 0.595
2 두산 78 45 0.577
3 NC 78 44 0.571
4 넥센 82 45 0.556

▶그림 5.39 BaseballParseExample 프로젝트 실행

▌원리 설명

이전 절에는 HTML 목록으로 작성된 코드로부터 자료를 읽어 앱에서 출력해보았으나, 이번 절에는 가장 많이 사용되는 HTML 테이블 코드로부터 자료를 읽는 방법에 대해 알아보았다.

이 기능을 처리하는 ViewController의 객체에서 자료 초기화를 담당하는 viewDidLoad 함수를 살펴보자. 먼저 서버의 HTML 자료를 분석하여 보관할 NSMutableArray 객체 변수 dataArray를 선언한다.

```
- (void)viewDidLoad {
    [super viewDidLoad];

    dataArray = [ [ NSMutableArray alloc] init];
    ...
```

이어서 웹 서버의 자료를 가져와 dataArray에 저장 처리하는 parseDataSaveData 를 호출한다.

```
    [self parseDataSaveData];
}
```

웹 서버 자료를 분석하여 저장하는 parseDataSaveData 함수는 이 앱의 핵심 부분으로 웹 서버에 접근하여 원하는 자료를 가지고 오는 기능을 처리한다. 먼저 웹페이지의 한글을 처리하기 위해서는 euc-kr 혹은 utf-8 인코딩을 사용할 수 있는데, 주로 euc-kr 인코딩을 사용한다. euc-kr 인코딩은 8비트 문자 인코딩으로 대표적인 한글 완성형 인코딩이다. 불행히도 iOS에서는 euc-kr 인코딩을 위한 상수를 지원하지 않으므로 다음과 같이 cp949 인코딩 상수인 kCFStringEncodingDOSKorean 에 0x80000000을 더해 euc-kr 상수를 만들어준다. cp959는 마이크로소프트사에서 도입한 코드 페이지로 KS C 5601의 완성형 한글을 바탕으로 확장되어 모든 한글을 수용하는 기능을 제공한다.

```
- (void)parseDataSaveData
{
    int EucKREncoding = 0x80000000 + kCFStringEncodingDOSKorean;
    ...
```

이어서 NSURL 객체의 URLWithString을 사용하여 원하는 HTML 코드를 요구한다. 여기서는 http://localhost/baseball.html을 사용하여 현재 사용 중인 Mac에서 제공하는 웹 서버에 있는 baseball.html 코드를 가지고 올 것이다.

```
    NSURL *url = [NSURL URLWithString:@"http://localhost/baseball.html"];
    ...
```

이제 이 NSURL 객체 자료를 euc-kr 인코딩으로 한글을 처리하여 NSString 객체로 바꾸어준다.

```
    NSString *str = [NSString stringWithContentsOfURL:url encoding:
EucKREncoding error:nil];
...
```

NSString 자료는 utf-8 인코딩으로 NSData 형식으로 다시 변경한다.

```
    NSData *data = [str dataUsingEncoding:NSUTF8StringEncoding];
    ...
```

이제 NSData 형식으로 변경한 HTML 자료를 파라미터로 하는 TFHpple 객체의 hppleWithHTMLData 메소드를 호출하여 TFHpple 클래스 변수 hpple를 생성한다.

```
    TFHpple *hpple = [TFHpple hppleWithHTMLData:data];
    ...
```

이때 baseball.html의 자료 중 원하는 자료를 얻기 위한 Xpath를 만들어 보자. 먼저 위에서 생성한 baseball.html에 대한 트리 구조는 다음과 같다.

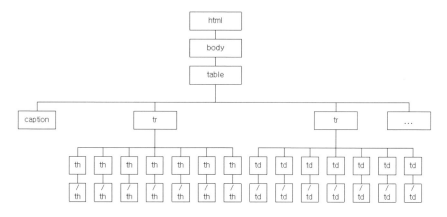

▶그림 5.40 baseball.html에 대한 트리 구조

위 트리 구조에서 원하는 자료는 가장 아래쪽에 있는 〈td〉 태그와 〈/td〉 태그 사이에 있는 각 팀에 대한 순위, 팀명, 게임 수, 이긴 수, 비긴 수, 패한 수, 승률 자료이다.

이 자료를 검색하기 위해서 먼저 다음과 같이 //table[@class]를 사용하여 table 태그를 찾아 이 태그부터 검색을 시작한다. 만일 table 태그의 수가 많은 경우, [@class]를 추가해 특정한 클래스 이름만을 검색할 수 있다.

```
//table[@class]
```

그다음, table 태그 아래에 여러 자식 태그가 있는데, 그중 tr 태그를 검색하고 다시 그 태그 중 자식이 td인 태그를 검색한다.

```
//table[@class]//tr//td
```

이러한 검색을 TFHpple 클래스의 searchWithXPathQuery 메소드를 사용하여 처리한다. 그 결과가 바로 다음 arr 변숫값이다.

```
NSArray *arr = [ hpple searchWithXPathQuery:@"//table[@class]//tr//td"];
...
```

이제 배열 안에 HTML의 모든 자료가 들어 있으므로 이 내용을 한번 출력해본다. 먼저 count 속성으로 arr의 배열의 개수를 구한다.

```
NSUInteger dataCount = [arr count];
...
```

for 문장을 사용하여 구한 개수만큼 반복하면서 그 내용을 출력한다. 이때 arr 배열에 지정된 값은 일반적인 문자열이 아니라 TFHppleElement 객체 변수이므로 그 내용을 표시하기 위해서는 먼저 objectAtIndex를 사용하여 원하는 배열 번호에 대한 TFHppleElement 객체를 가지고 온 뒤 TFHppleElement 객체의 content 속성으로 그 내용을 출력한다.

이 내용을 통하여 데이터가 어떻게 구성되어 있는지 알 수 있다.

```
for ( int i = 0; i < dataCount; i++)
{
    TFHppleElement *element = [arr objectAtIndex: i];
    NSLog(@"%d : %@", i, [element content]);
}
```

이제 테이블 뷰에 출력하기 위해서 for 문장으로 다음과 같이 데이터 개수를 7로 나눈 만큼 반복 처리한다. 7로 나눈 이유는 한 팀당 관련된 자료가 순위, 팀명, 게임 수, 이긴 수, 비긴 수, 패한 수, 승률 등 자료 개수가 7개이므로 이 7개를 한 번에 처리하기 위함이다. 즉, 한 번에 7개씩을 처리하게 되므로 7로 나누어주어야 한다.

```
for ( int i = 0; i < dataCount / 7; i++ )
{
...
```

이제 NSMutableDictionary 객체를 생성하고 arr 배열의 각 자료를 처음부터 읽어 각각의 자료를 NSMutableDictionary 객체의 키를 생성하면서 키에 해당하는 값에 지정한다.

NSMutableDictionary 객체

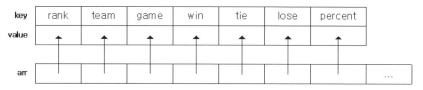

▶그림 5.41 arr 배열의 값을 NSMutableDictionary 객체 키에 해당하는 값에 지정

위 그림에서 알 수 있듯이 NSMutableDictionary 객체는 '키'와 '값' 2개로 구성되는데, 원하는 '키'에 해당하는 '값'을 지정해두면 언제든지 원하는 '키'에 해당하는 '값'을 검색할 수도 있고 원하는 '값'에 대한 '키'값 역시 검색할 수 있다. arr 배열 값을 차례대로 읽으면서 생성된 NSMutableDictionary 객체의 키를 "rank", "team", "game", "win", "tie", "lose", "percent"로 지정하고 순서대로 그 값에 지정한다. 다음은 NSMutableDictionary 객체에서 사용된 키의 의미이다.

키 이름	rank	team	game	win	tie	lose	percent
의미	팀 순위	팀 이름	게임 수	승 수	비긴 수	패한 수	승률

```
NSMutableDictionary *dicData = [ [ NSMutableDictionary alloc] init];
[dicData setObject:[[arr objectAtIndex:i*7 + 0] content] forKey:@"rank"];
[dicData setObject:[[arr objectAtIndex:i*7 + 1] content] forKey:@"team"];
[dicData setObject:[[arr objectAtIndex:i*7 + 2] content] forKey:@"game"];
[dicData setObject:[[arr objectAtIndex:i*7 + 3] content] forKey:@"win"];
[dicData setObject:[[arr objectAtIndex:i*7 + 4] content] forKey:@"tie"];
[dicData setObject:[[arr objectAtIndex:i*7 + 5] content] forKey:@"lose"];
[dicData setObject:[[arr objectAtIndex:i*7 + 6] content] forKey:@"percent"];
...
```

생성된 NSMutableDictionary 객체 변수는 NSMutableArray 객체에 추가하고
계속 반복 처리한다.

```
        [dataArray addObject: dicData];
    }
}
```

출력할 자료가 처리되었으므로 이제 이 자료를 테이블 뷰를 통하여 출력해보자.
먼저, 테이블을 구성하는 섹션의 수를 지정하는 numberOfSectionsInTableView
를 다음과 같이 작성한다. 섹션은 테이블 자료를 출력하는 일종의 그룹 데이터이다.
테이블 뷰에서는 여러 종류의 데이터 그룹을 출력할 수 있는데, 여기서는 순위, 팀명,
게임 수, 승 수, 승률 등을 한 줄에 출력하는 1개의 섹션으로만 구성한다.

```
- (NSInteger)numberOfSectionsInTableView:(UITableView *)tableView
{
    return 1;
}
...
```

그다음, 테이블에 몇 개의 자료를 출력할지 결정해보자. numberOfRowsIn
Section을 사용하여 섹션당 출력할 자료의 개수를 지정할 수 있다. 여기서는
NSMutableArray 타입의 dataArray에 각 팀에 대한 정보가 들어가므로 dataArray
변수의 자료 개수를 출력해주면 된다. dataArray에 추가된 자료 개수는 count 속성
으로 알아낼 수 있다.

```
- (NSInteger)tableView:(UITableView *)tableView
      numberOfRowsInSection:(NSInteger)section
{
    return dataArray.count;
}
...
```

이어서, titleForHeaderInSection을 사용하여 팀별 자료 출력에 대한 타이틀을
출력한다. 이때 각 팀에 대한 키 수는 모두 7개이지만, 아이폰 너비 크기의 제한으로
순위, 팀명, 게임 수, 승 수, 승률 등 5개 자료만 골라 출력해볼 것이다.

```
- (NSString *)tableView:(UITableView *)tableView
      titleForHeaderInSection:(NSInteger)section
{
    return @"순위      팀명      게임      승      승률";
}
```

그다음, 실제로 자료를 출력하는 cellForRowAtIndexPath 메소드를 살펴보자.
즉, 이 메소드는 (섹션 수 * 자료의 수)만큼 자동 반복 호출된다.

```
- (UITableViewCell *)tableView:(UITableView *)tableView
            cellForRowAtIndexPath:(NSIndexPath *)indexPath
{
...
```

먼저, 테이블 뷰의 dequeueReusableCellWithIdentifier를 사용하여 셀을 재활용할 수 있게 하는 UITableViewCell 객체를 생성한다. 테이블에서 셀을 구성할 때 거의 동일한 셀 형태를 사용하므로 한번 생성된 셀 객체는 재사용하여 별도로 생성할 필요 없이 그대로 사용할 수 있다.

```
static NSString *CellIdentifier = @"Cell";

UITableViewCell *cell =
    [tableView dequeueReusableCellWithIdentifier:CellIdentifier];

if (cell == nil) {
    cell = [[UITableViewCell alloc]
initWithStyle:UITableViewCellStyleDefault reuseIdentifier:CellIdentifier];
}
...
```

그다음, dataArray의 자료를 하나씩 가져와 자료를 읽는다. 이때 현재 메소드의 파라미터인 indexPath 객체의 row 속성을 사용하면 현재 출력되는 인덱스값을 알아낼 수 있다.

```
NSMutableDictionary *dicData = dataArray[indexPath.row];
...
```

이때 가져온 자료는 NSMutableDictionary 객체 자료이므로 이 객체를 지정할 때 사용된 키를 사용하여 그 키에 해당하는 값을 얻을 수 있다. 예를 들어, 야구 순위 자료를 가지고 오기 위해서는 다음과 같이 NSMutableDictionary 객체의 objectForKey 메소드에 "rank"를 지정하여 그 키에 저장된 값을 가지고 올 수 있다.

```
NSString *rank = [dicData objectForKey:@"rank"];
...
```

동일한 방법으로 "team", "game", "win", "percent" 키에 대한 값을 가지고 온다.

```
NSString *team = [dicData objectForKey:@"team"];
NSString *game = [dicData objectForKey:@"game"];
NSString *win = [dicData objectForKey:@"win"];
NSString *percent = [dicData objectForKey:@"percent"];
...
```

가지고 온 값들을 NSString 객체의 stringWithFormat를 사용하여 약간의 간격과 함께 한 줄의 문자열을 생성하고 그 값을 리턴한다. 리턴한 값은 바로 화면에 출력된다.

```
NSString *dataCell = [NSString stringWithFormat:@"    %@        %@
%@      %@        %@", rank, team, game, win, percent];
cell.textLabel.text = dataCell;

return cell;
}
```

마지막으로 이 앱을 실행하기 전에 Info.plist에 앱 전송 보안 키와 값을 설정하지 않는다면 다음과 같은 에러 메시지가 실행되면서 앱이 실행되지 않는다.

```
App Transport Security has blocked a cleartext HTTP (http://) resource load since
it is insecure.
```

이러한 결과를 막기 위해서는 프로젝트의 Info.plist 파일을 선택하고 다음 키와 값을 지정한다.

```
▼App Transport Security Settings - Dictionary
   Allow Arbitrary Loads        - Boolean YES
```

이 장에서는 서버의 Web 서버에 있는 자료를 가져와 그 자료를 그대로 아이폰 앱에 출력하는 기능에 대하여 설명하였다. 먼저, 웹 서버와 클라이언트 사이의 반응에 대한 원리를 설명하였고 이어서 맥에서 사용 중인 아파치 웹 서버의 기능에 대하여 알아보았다. 또한, 아파치 웹 서버를 사용할 때 반드시 알아두어야 할 파일인 httpd.conf 설정 파일에 대하여 설명하면서 아파치 웹 서버의 시작, 중지 등의 기능에 대하여 배워 보았다.

아이폰으로 서버 자료를 출력하기 위해서는 먼저 지정된 HTML 코드를 NSData 형식으로 변경해준다. 이렇게 HTML 코드를 NSData 형식으로 변경하는 이유는 뒤쪽에서 HTml을 분석할 때 사용하는 HTFpple 클래스에서 초기화할 때 NSData 형식의 HTML 코드를 요구하기 때문이다.

그다음, 웹 서버에 접근하여 웹 서버에서 제공하는 HTML 코드를 가져오기 위해서는 HTML 분석(parsing)을 처리해야 하는데, 무료로 공개된 Hpple 라이브러리를 사용한다. 이 라이브러리를 이용하기 위해서는 원하는 자료를 검색할 수 있는 Xpath 작성이 필요하다. 그다음, 그 자료를 TFhpple 클래스의 searchWithXPathQuery 메소드에 지정하여 호출하면, 검색된 결과를 NSArray 타입인 tutorialsNodes 변수로 돌려준다. 이 변수를 TFHppleElement 객체를 사용하여 배열 수만큼 반복 처리하면서 출력한다. 이 장 뒷부분에서는 이러한 방법으로 웹 서버의 리스트 자료를 가져와 출력해보고, 테이블 자료를 가져와 출력하는 예제를 소개하였다.

컬렉션 뷰와 애니메이션

대부분 앱에서 자주 사용하는 테이블 뷰 클래스는 단순한 텍스트 출력 형태 기능을 쉽게 제공하여 자료 출력 형식을 단순화하고 간결하게 해주는 기능을 제공한다. 또한, 이미지와 함께 출력하는 기능도 제공하지만 그 구현 방법이 쉽지 않다. 이때 이 장에서 설명하는 컬렉션 뷰^{Collection View}를 사용하면 텍스트뿐만 아니라 이미지의 그리드 형식, 스택 형식 등의 부가적인 기능을 제공하여 테이블 뷰를 사용하는 것보다 쉽게 원하는 자료를 처리할 수 있다. 이 장 뒷부분에서는 iOS에서 제공하는 코어 애니메이션^{Core Animation}의 기본 기능을 제공한다. 이러한 코어 애니메이션을 이용하여 이미지를 이동하거나 전환할 수 있을 뿐만 아니라 이것을 배워두면 나중에 OpenGL ES나 SceneKIT와 같은 3D 그래픽을 처리하기 위한 기본적인 토대를 만들 수 있을 것이다.

아이폰 프로그래밍 앱 제작 쉽게 따라 하기

6-1 CollectionView를 사용한 이미지 표시

먼저 CollectionView를 사용하여 이미지를 그리드 형식으로 출력해보자. 여기서는 6개의 꽃 이미지를 그리드 형식으로 위에서 아래쪽으로 출력하는 앱을 작성해 볼 것이다.

▌그대로 따라 하기

❶ Xcode에서 File-New-Project를 선택한다. 계속해서 왼쪽에서 iOS-Application을 선택하고 오른쪽에서 Single View Application을 선택한다. 이어서 Next 버튼을 누르고 Product Name에 "CollectoinImageExample"이라고 지정한다. 아래쪽에 있는 Language 항목은 "Objective-C", Devices 항목은 "iPhone"으로 설정한다. 그 아래 Include Unit Tests 항목과 Include UI Tests 항목은 체크한 상태로 그대로 둔다. 이어서 Next 버튼을 누르고 Create 버튼을 눌러 프로젝트를 생성한다.

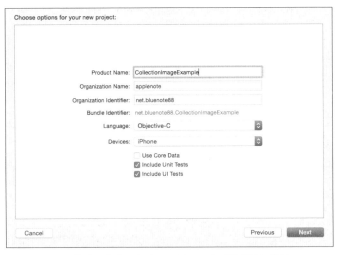

▶그림 6.1 CollectionImageExample 프로젝트 생성

❷ 이제 화면에 출력할 이미지를 추가해보자. 프로젝트 탐색기 위쪽에 있는 프로젝트 이름 CollectionImageExample(파란색 이미지)을 선택하고 오른쪽 마우스 버튼을 눌러 New Group을 선택한다. New Group 폴더가 만들어지면, Resources라는 이름으로 변경한다. 이어서 원하는 이미지 6개를 드래그-앤-드롭으로 이 Resources 폴더에 추가해준다.

▶그림 6.2 New Group 폴더 생성 및 이미지 파일 복사

❸ 왼쪽 프로젝트 탐색기에서 Main.storyboard 파일을 클릭하고 오른쪽 아래 Object 라이브러리에서 CollectionView 하나를 캔버스의 View Controller 임의의 위치에 떨어뜨리고 그 너비를 적당하게 늘려준다.

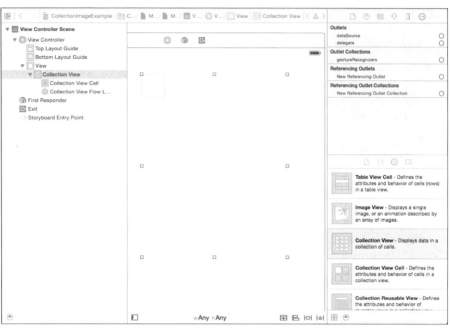

▶그림 6.3 뷰 컨트롤러에 CollectionView 컨트롤 추가

❹ CollectionView 컨트롤을 선택한 상태에
서 캔버스 아래 오토 레이아웃 메뉴에서 세
번째 Pin을 선택한다. 이때 "제약조건 설
정" 창이 나타나는데, 먼저 Constrain to
margins 체크를 삭제한다. 이어서 다음
그림과 같이 동, 서, 남, 북 위치 상자에 각
각 0, 0, 0, 0을 입력하고 각각의 I 빔에 체
크한 뒤, 가장 아래쪽 "Add 4 Constraints" 버
튼을 클릭한다.

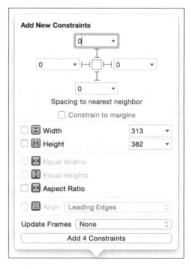

그림 6.4 CollectionView 제약조건 설정

❺ 이번에는 캔버스 아래 오토 레이아웃 메 뉴의 네 번째 Resolve Auto Layout Issues를 선택하고 "All Views"의 "Update Frames"를 선택한다. 혹시 선택할 수 없 다면 도큐먼트 아웃라인 창에서 View 항목 을 선택한 상태에서 다시 선택하면 된다.

▶그림 6.5 Update Frames 항목 선택

❻ 프로젝트 탐색기의 Main.storyboard 파일을 선택한 상태에서 도큐먼트 아웃라 인 창에서 CollectionView를 선택한다. 이때 오른쪽 위에 있는 Connection 인스펙 터를 선택하면, Outlets 항목의 dataSource와 delegate가 나타난다. 마우스를 사용하여 먼저 dataSource를 선택하고 도큐먼트 아웃라인 창의 View Controller 에 떨어뜨려 연결한다. 동일한 방법으로 delegete를 선택하여 도큐먼트 아웃라인 창의 View Controller에 연결한다.

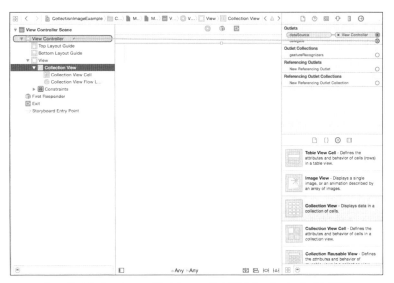

▶그림 6.6 dataSource와 delegate를 각각 ViewController와 연결

❼ 계속해서 프로젝트 탐색기에서 Main.storyboard 파일을 선택한 상태에서 Xcode 오른쪽 위에 있는 도움 에디터Assistant Editor를 클릭하여 불러낸다. 도움 에디터의 파일이 ViewController.h 파일임을 확인한다. 이어서 Ctrl 키와 함께 첫 번째 CollectionView 컨트롤을 선택하고 그대로 도움 에디터의 @interface 아래쪽으로 드래그-앤-드롭 처리한다. 이때 도움 에디터 연결 패널이 나타나는데, Name 항목에 "collectionView"라고 입력하고 Connect 버튼을 눌러 객체 변수를 생성한다.

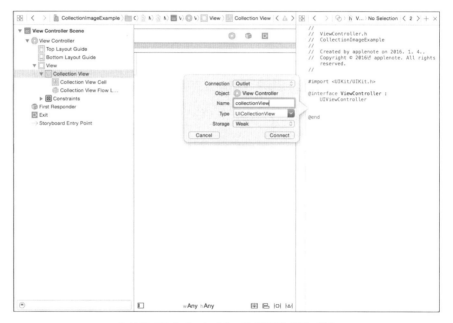

▶그림 6.7 CollectionView와 연결된 연결 패널

❽ 이제 다시 표준 에디터 아이콘을 눌러 표준 에디터로 변경한다. 이어서 도큐먼트 아웃라인 창의 View Controller에서 Collection View Cell을 선택한 상태에서 오른쪽 위 Attributes 인스펙터를 선택한다. Collection View Cell 항목의 Identifier에 다음과 같이 "MyCell"을 입력한다.

▶그림 6.8 Collection View Cell 항목의 Identifier에 "MyCell" 입력

❾ 프로젝트 탐색기의 CollectionImageExample(노란색 아이콘)에서 오른쪽 마
우스 버튼을 누르고 New File 항목을 선택한다. 이때 템플릿 선택 대화상자가
나타나면, 왼쪽에서 iOS-Source를 선택하고 오른쪽에서 Cocoa Touch Class

를 선택한 뒤, Next 버튼을 누
른다. 이때 새 파일 이름을 입력
하라는 대화상자가 나타나면,
다음 그림과 같이 Collection
ImageViewCell을 입력한다.
이때 그 아래쪽 Subclass of 항
목에 UICollectionViewCell
을 지정하고 "Also create XIB
file" 체크 상자에는 체크하

▶그림 6.9 CollectionImageViewCell 파일 생성

지 않도록 한다. 그 아래 Language 항목은 Objective-C를 선택한다. 이상이 없으면 Next 버튼을 눌러 파일을 생성한다.

⑩ 프로젝트 탐색기의 Main.storyboard 파일을 선택한 상태에서 도큐먼트 아웃라인 창에서 CollectionView 아래의 Collection View Cell(MyCell)을 선택한다. 이때 오른쪽 위에 있는 Identity 인스펙터를 선택하면 Custom Class 항목의 Class가 나타난다. 이 Class에 위에서 생성한 CollectionImageViewCell을 입력하거나 오른쪽 화살표로 등록해준다.

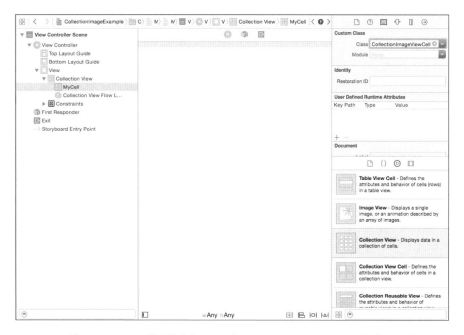

▶그림 6.10 Identity 인스펙터의 ClasS에 CollectionImageViewCell 클래스 등록

⑪ 이제 프로젝트 탐색기에서 CollectionImageViewCell.h 파일을 선택하고 다음과 같이 입력한다.

```
#import <UIKit/UIKit.h>

@interface CollectionImageViewCell : UICollectionViewCell

@property (nonatomic, strong) UIImageView *imageView;
@property (nonatomic, strong) UILabel *imageTitle;

@end
```

⑫ 이어서 프로젝트 탐색기에서 CollectionImageViewCell.m 파일을 선택하고
다음과 같이 입력한다.

```
#import "CollectionImageViewCell.h"

@implementation CollectionImageViewCell
@synthesize imageView, imageTitle;

- (id)initWithFrame:(CGRect)frame
{
    self = [super initWithFrame:frame];
    if (self) {
        self.imageView = [[UIImageView alloc] initWithFrame:
                        CGRectMake(0.0, 0.0, frame.size.width,
frame.size.height)];
        [self.imageView.layer setBorderColor: [[UIColor whiteColor] CGColor]];
        [self.imageView.layer setBorderWidth: 5.0];
        [self.imageView setContentMode:UIViewContentModeScaleAspectFit];
        [self.contentView addSubview: self.imageView];

        self.imageTitle = [[UILabel alloc]initWithFrame:CGRectMake(0,
                        frame.size.height, frame.size.width, 25)];
        self.imageTitle.textAlignment = NSTextAlignmentCenter;
        self.imageTitle.textColor = [UIColor colorWithWhite:1.0f alpha:1.0f];
        [self.contentView addSubview: self.imageTitle];

    }
    return self;
}

@end
```

⑬ 마지막으로 프로젝트 탐색기에서 ViewController.m 파일을 선택하고 다음과 같이 입력한다.

```objectivec
#import "ViewController.h"
#import "CollectionImageViewCell.h"

@interface ViewController ()
{
    NSMutableArray *mainImageList;
    CGSize iOSScreenSize;
    int imageSize;
}
@end

@implementation ViewController

- (void)viewDidLoad {
    [super viewDidLoad];
    // Do any additional setup after loading the view, typically from a nib.
    imageSize = 180;
    iOSScreenSize = [[UIScreen mainScreen] bounds].size;
    [self.collectionView registerClass:[CollectionImageViewCell class]
                forCellWithReuseIdentifier:@"MyCell"];

    mainImageList = [[NSMutableArray alloc] init];
    [mainImageList addObject:@"flower1.jpeg"];
    [mainImageList addObject:@"flower2.jpeg"];
    [mainImageList addObject:@"flower3.jpeg"];
    [mainImageList addObject:@"flower4.jpeg"];
    [mainImageList addObject:@"flower5.jpeg"];
    [mainImageList addObject:@"flower6.jpeg"];
}

- (void)didReceiveMemoryWarning {
    [super didReceiveMemoryWarning];
    // Dispose of any resources that can be recreated.
}

#pragma mark - UICollectionView Datasource
```

```objectivec
- (NSInteger)collectionView:(UICollectionView *)view
        numberOfItemsInSection:(NSInteger)section {
    return 1;
}

- (NSInteger)numberOfSectionsInCollectionView: (UICollectionView
*)collectionView {
    return [mainImageList count];
}

- (UICollectionViewCell *)collectionView:(UICollectionView *)cv
        cellForItemAtIndexPath:(NSIndexPath *)indexPath
{
    CollectionImageViewCell *cell = [cv
        dequeueReusableCellWithReuseIdentifier:@"MyCell" forIndexPath:indexPath];
    NSString *imageName = [mainImageList objectAtIndex:indexPath.section];
    cell.imageView.image = [UIImage imageNamed: imageName];
    [cell.imageView setContentMode:UIViewContentModeScaleAspectFit];
    cell.imageTitle.text = imageName;
    return cell;
}

#pragma mark - UICollectionViewDelegateFlowLayout

- (CGSize)collectionView:(UICollectionView *)collectionView layout:
        (UICollectionViewLayout *) collectionViewLayout
        sizeForItemAtIndexPath:(NSIndexPath *)indexPath
{
    CGSize retval = CGSizeMake(imageSize, imageSize);
    return retval;
}

- (UIEdgeInsets)collectionView:(UICollectionView *)collectionView layout:
        (UICollectionViewLayout *)collectionViewLayout
        insetForSectionAtIndex:(NSInteger) section {
    float margin = (iOSScreenSize.width - imageSize) / 2;
    return UIEdgeInsetsMake(50, margin, 50, margin);
}

@end
```

⓮ 이제 Xcode 왼쪽에 있는 Run 혹은 Command-R 버튼을 눌러 실행한다.

▶그림 6.11 CollectionImageExample 프로젝트 실행

▌원리 설명

컬렉션 뷰에서 가장 핵심이 되는 중요한 클래스는 UICollectionView이다. 이 클래스가 컬렉션 뷰의 자료를 출력하는 메인 기능을 처리하고 UICollectionViewCell 클래스로부터 원하는 셀의 형태를 디자인할 수 있다. 또한, UICollectionViewDataSource 프로토콜과 UICollectionViewDelegate 프로토콜을 사용하여 출력하기 원하는 형태의 크기, 위치, 원하는 셀을 선택하거나 삭제 등의 기능을 설정할 수 있다.

여기서 사용된 클래스와 이 클래스에 해당하는 UITableView 클래스는 다음과 같다.

표 6.1 표 6.1 UICollectionView 클래스와 이 클래스에 해당하는 UITableView 클래스

클래스 이름	해당하는 UITableView 클래스	설 명
UICollectionView	UITableView	UITableView의 진보된 기능으로 텍스트뿐만 아니라 이미지 등을 원하는 형태로 출력
UICollectionViewCell	UITableViewCell	UICollecionView에 추가되어 이미지, 텍스트 등을 표시할 때 사용

CollectionImageExample 프로젝트가 실행되면서 가장 먼저 viewDidLoad 메소드가 실행되는데, 다음과 같이 먼저 이미지 크기를 설정하고 UIScreen 객체를 사용하여 현재 사용 중인 아이폰의 크기를 얻는다.

```
- (void)viewDidLoad {
    [super viewDidLoad];
    // Do any additional setup after loading the view, typically from a nib.
    imageSize = 180;
    iOSScreenSize = [[UIScreen mainScreen] bounds].size;
    ...
```

이어서 UICollectionView 객체의 registerClass를 사용하여 이미 작성한 Collection ImageViewCell 객체를 등록한다. 이때 CollectionImageViewCell 객체에 대한 Attributes 인스펙터로 처리한 Collection Reusable View 항목의 식별자 이름identifier인 "MyCell"을 등록한다(〈그대로 따라 하기〉 ❽ 참조).

```
    [self.collectionView registerClass:[CollectionImageViewCell class]
        forCellWithReuseIdentifier:@"MyCell"];
    ...
```

이어서 이미지 객체의 이름을 NSMuatableArray 객체에 하나씩 추가한다.

```
    mainImageList = [[NSMutableArray alloc] init];
    [mainImageList addObject:@"flower1.jpeg"];
    [mainImageList addObject:@"flower2.jpeg"];
    [mainImageList addObject:@"flower3.jpeg"];
    [mainImageList addObject:@"flower4.jpeg"];
    [mainImageList addObject:@"flower5.jpeg"];
    [mainImageList addObject:@"flower6.jpeg"];
}
...
```

   그다음, 섹션의 수, 섹션에 표시할 셀의 수, 인덱스에 해당하는 셀을 처리하는
기능 등을 제공하는 UICollectionViewDataSource 프로토콜을 설정해보자. 이
프로토콜을 설정하기 위하여 다음과 같이 프로젝트 탐색기의 Main.storyboard 파일
을 선택한 상태에서 도큐먼트 아웃라인 창에서 CollectionView를 선택한다. 이때 오
른쪽 위에 있는 Connection 인스펙터를 선택하면, Outlets 항목의 dataSource와
delegate가 나타난다. 마우스를 사용하여 dataSource를 선택하고 도큐먼트 아웃라
인 창의 View Controller에 떨어뜨려 연결한다.

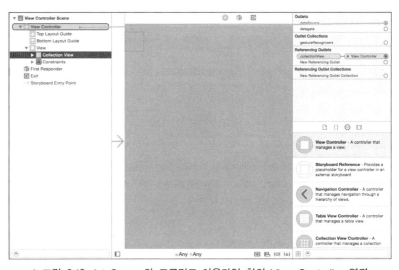

▶그림 6.12 dataSource와 도큐먼트 아웃라인 창의 View Controller 연결

이제 UICollectionView 객체에서 지원하는 여러 프로토콜 메소드를 사용할 수 있는데, 하나씩 알아보자. 먼저, 첫 번째 UICollectionViewDataSource 프로토콜 지원 메소드를 사용할 수 있는데, 이 프로토콜에서 지원하는 메소드는 다음과 같다.

▶ 표 6.2 UICollectionViewDataSource 프로토콜 지원 메소드

UICollectionViewDataSource 메소드	설 명
collectionView:numberOfItemsInSection	지정된 섹션에 표시할 셀의 수를 돌려준다.
collectionView:numberOfSectionsCollectionView	표시할 섹션의 수를 돌려준다. 여기서 섹션이란, 그룹으로 표시되는 자료를 말한다.
collectionView:cellForItemAtIndexPath	각 인덱스에 해당하는 셀을 돌려준다. 즉, numberOfItemsInSection에 지정된 (셀 수) * (섹션 수)만큼 반복하면서 셀을 그려주는 작업을 처리한다.

두 번째, 여기서는 설정만 하고 사용하지 않은 UICollectionViewDelegate 프로코롤 메소드는 다음과 같다.

▶ 표 6.3 UICollectionViewDelegate 프로토롤 지원 메소드

UICollectionViewDelegate 메소드	설 명
collectionView:didSelectItemAtIndexPath	화면에 출력된 셀을 선택했을 때 실행
collectionView:didDeselectItemAtIndexPath	화면에 출력된 셀 선택을 취소했을 때 실행

세 번째, 출력되는 셀의 모양과 섹션과 섹션 사이의 위치를 지정해주는 UICollection ViewFlowLayoutDelegate 프로토콜 지원 메소드는 다음과 같다.

▶ 표 6.4 UICollectionViewFlowLayoutDelegate 프로토콜 지원 메소드

주요 메소드	설 명
collectionView:sizeForItemAtIndexPath	출력하고자 하는 셀의 크기
collectionView:insertForSectionAtIndex	출력하고자 하는 섹션 사이의 거리 설정

이제 UICollectionViewDataSource 프로토콜 관련 메소드를 하나씩 처리해보자. 먼저 섹션section당 현재 출력하고자 하는 항목의 수를 지정하는 numberOfItemsInSection 메소드를 다음과 같이 작성한다. 여기서는 한 섹션당 1개의 그림만을 표시할 것이므로 1로 지정한다.

```
- (NSInteger)collectionView:(UICollectionView *)view
        numberOfItemsInSection:(NSInteger)section {
    return 1;
}
```

이어서, 컬렉션 뷰에 지정하는 섹션의 수를 지정하는 numberOfSectionsInCollectionView를 작성한다. 여기서는 하나의 섹션당 하나의 그림을 표시할 것이고 그림 파일 자료가 모두 mainImageList에 있으므로 이 mainImageList의 수 즉, count 속성을 지정해준다.

```
- (NSInteger)numberOfSectionsInCollectionView: (UICollectionView *)collectionView {
    return [mainImageList count];
}
```

위와 같이 설정되었다면, 이제 (섹션 수 * 셀 수)만큼 다음 cellForItemAtIndex Path를 반복 실행한다. 이 메소드에서는 먼저 〈그대로 따라 하기〉 ❽에서 설정한 Collection Reusable View 항목의 식별자identifier 이름 "MyCell"을 지정하여 컬렉션 뷰 셀을 재사용할 수 있도록 지정한다.

```
- (UICollectionViewCell *)collectionView:(UICollectionView *)cv
        cellForItemAtIndexPath:(NSIndexPath *)indexPath
{
    CollectionImageViewCell *cell =
[cv dequeueReusableCellWithReuseIdentifier:@"MyCell" forIndexPath:indexPath];
    ...
```

mainImageList에는 화면에 출력할 이미지 파일 이름이 지정되어 있는데, objectAtIndex 를 이용하여 이미지 이름을 하나씩 읽는다. 이때 파라미터값으로 지정되는 indexPath 의 section 속성으로 0부터 5섹션까지 자동으로 그 섹션에 지정된 그림을 하나씩 읽 어 출력할 수 있다.

```
NSString *imageName = [mainImageList objectAtIndex:indexPath.section];
...
```

가지고 온 그림 이름을 사용하여 UIImage 객체를 생성하고 UIImage 클래 스의 setContentMode 메소드에 UIViewContentModeScaleAspectFit 상숫 값을 지정하여 이미지의 가로 크기와 세로 크기가 현재 뷰 크기와 맞지 않더라 도 현재 뷰 크기에서 가로와 세로 비율이 원래 이미지 비율과 맞도록 크기를 조정한다.

```
cell.imageView.image = [UIImage imageNamed: imageName];
[cell.imageView setContentMode:UIViewContentModeScaleAspectFit];
...
```

또한, CollectionImageViewCell 객체의 imageTitle.text에 이미지 파일 이름 을 지정하여 이미지 파일 이름이 출력되도록 한다. 마지막으로 cell을 리턴하면 화면에 출력된다.

```
cell.imageTitle.text = imageName;
return cell;
}
```

이제 출력되는 셀의 크기와 섹션과 섹션 사이의 위치를 지정해주는 UICollection ViewFlowLayoutDelegate 프로토콜 지원 메소드를 처리해보자. 먼저 셀의 크기를 지정하는 sizeForItenAtIndexPath 메소드는 다음과 같다. CGSizeMake를 사용하여 가로, 세로가 각각 imageSize와 imageSize인 셀 크기를 지정한다. 여기서 imageSize는 180으로 지정되어있다.

```
- (CGSize)collectionView:(UICollectionView *)collectionView layout:
       (UICollectionViewLayout *) collectionViewLayout
       sizeForItemAtIndexPath:(NSIndexPath *)indexPath
{
    CGSize retval = CGSizeMake(imageSize, imageSize);
    return retval;
}
```

그다음, 섹션 사이의 거리를 설정하는 insetForSectionAtIndex 메소드를 작성해보자.

```
- (UIEdgeInsets)collectionView:(UICollectionView *)collectionView layout:
(UICollectionViewLayout *)collectionViewLayout
       insetForSectionAtIndex:(NSInteger)section {
...
```

먼저 셀의 왼쪽과 오른쪽 마진 길이는 다음과 같이 아이폰 전체 너비에서 이미지 너비를 뺀 뒤 2로 나누어 구할 수 있다.

```
    float margin = (iOSScreenSize.width - imageSize) / 2;
    ...
```

그 값을 UIEdgeInsetsMake 함수를 사용하여 섹션 단위로 출력하고자 하는 셀에 대한 가장자리 크기를 지정한다. 이 함수는 top, left, bottom, right 순의 4개의 파라미터값을 지정하는데 이 값들을 사용하여 셀의 왼쪽 위와 오른쪽 아래 셀의 가장자리 크기를 지정한다.

```
    return UIEdgeInsetsMake(50, margin, 50, margin);
}
```

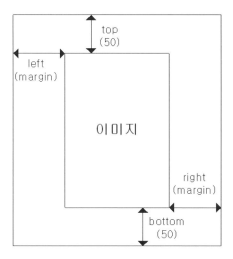

▶ 그림 6.13 UIEdgeInsetsMake 함수의 가장자리 크기 설정

이제 ViewController 클래스에서 사용하는 셀의 모양을 구성하는 Collection ImageViewCell 클래스를 살펴보자. 이 클래스는 다음과 같이 initWithFrame 메소드 하나로 구성된다. 이 메소드는 CollectionImageViewCell 객체를 등록했을 때 자동으로 실행되는 메소드이다.

```
- (id)initWithFrame:(CGRect)frame
{
    self = [super initWithFrame:frame];
    if (self) {
    ...
```

CollectionImageViewCell 객체는 크게 2가지를 처리하는데, 첫 번째는 이미지이다. 여기서 사용된 imageView 객체는 위에서 설명한 ViewController 객체

의 cellForItemAtIndexPath 메소드에 지정되어 넘어온다. 먼저 UIImageView
객체를 생성한다.

```
self.imageView = [[UIImageView alloc] initWithFrame:
                    CGRectMake(0.0, 0.0, frame.size.width, frame.size.height)];
...
```

이어서 UIImageView의 layer 속성을 사용하여 이미지 둘레에 5픽셀 두께로 흰색
테두리를 지정한다.

```
[self.imageView.layer setBorderColor: [[UIColor whiteColor] CGColor]];
[self.imageView.layer setBorderWidth: 5.0];
...
```

이어서 UIImageView의 setContentMode에 UIViewContentModeScaleAspectFit
상수를 지정하여 이미지의 가로세로 길이와 이미지 뷰의 크기와 맞지 않더라도
그 비율을 유지하여 그림의 모양이 이상해지지 않도록 지정한다.

```
[self.imageView setContentMode:UIViewContentModeScaleAspectFit];
[self.contentView addSubview: self.imageView];
...
```

이어서 그림 제목을 입력하기 위해 UILabel을 생성한다.

```
self.imageTitle = [[UILabel alloc]initWithFrame:
        CGRectMake(0, frame.size.height, frame.size.width, 25)];
...
```

textAlignment 속성을 사용하여 중앙 정렬로 지정하고 텍스트 색을 흰색으로 지
정한다.

모든 설정이 끝나면 addSubView를 사용하여 이미지 객체를 추가한다.

```
        self.imageTitle.textAlignment = NSTextAlignmentCenter;
        self.imageTitle.textColor = [UIColor colorWithWhite:1.0f alpha:1.0f];
        [self.contentView addSubview: self.imageTitle];
    }
    return self;
}
```

6-2   뷰 이동 애니메이션

아이폰의 가장 큰 장점 중 하나는 사용자 인터페이스의 부드러운 동작이다. 이러한 부드러운 동작 기능을 제공하기 위해 iOS 8부터 코어 애니메이션Core Anmation이라는 것을 제공한다. 코어 애니메이션은 iOS에서 동작하는 여러 컨트롤 기능에 기본적인 애니메이션 기능을 제공한다. 이 기능을 이용하여 뷰 이동, 뷰 회전, 이미지 전환 등을 쉽게 처리할 수 있다.

먼저 가장 기본적인 뷰 이동 예제를 살펴보자. 다음 예제에서는 버튼을 눌렀을 때, 위에서 아래쪽으로 이동하는 뷰의 애니메이션 기능을 보여준다.

▌그대로 따라 하기

❶ Xcode에서 File-New-Project를 선택한다. 계속해서 왼쪽에서 iOS-Application을 선택하고 오른쪽에서 Single View Application을 선택한다. 이어서 Next 버튼을 누르고 Product Name에 "ViewAnimationExample"이라고 지정한다. 아래쪽에 있는 Language 항목은 "Objective-C", Devices 항목은 "iPhone"으로 설정한다. 그 아래 Include Unit Tests 항목과 Include UI Tests 항목은 체크한

상태로 그대로 둔다. 이어서 Next 버튼을 누르고 Create 버튼을 눌러 프로젝트를 생성한다.

▶그림 6.14 ViewAnimationExample 프로젝트 생성

❷ 왼쪽 프로젝트 탐색기에서 Main.storyboard 파일을 선택한 상태에서 오른쪽 아래에 있는 Object 라이브러리로부터 Button 컨트롤 하나를 선택하고 드래그-앤-드롭으로 캔버스의 ViewController 중앙 아래쪽에 위치시킨다. 또한, 오른쪽 위 Attributes를 선택하고 그 Title 속성값을 Start로 변경한다.

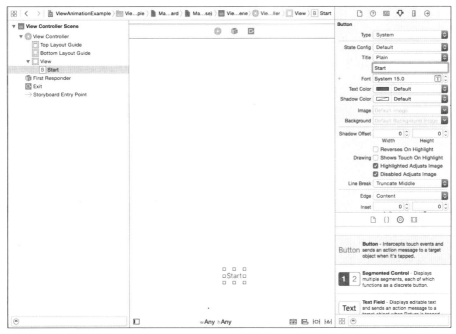

▶그림 6.15 Button 컨트롤을 ViewController에 위치

❸ 캔버스에서 Button 컨트롤을 선택한 상
태에서 캔버스 아래 오토 레이아웃 메뉴
에서 세 번째 Pin을 선택한다. 이때 "제약
조건 설정" 창이 나타나는데, 다음 그림과
같이 남쪽 위치 상자에 50을 입력하고 I 빔
에 체크한 뒤, 그 아래 Width, Height 항
목에 각각 체크한다. 이어서 가장 아래쪽
"Add 3 Constraints" 버튼을 클릭한다.

▶그림 6.16 Button 제약조건 설정

❹ 계속해서 Button 컨트롤을 선택한 상태에서 캔버스 아래 오토 레이아웃 메뉴에서 두 번째 Align을 선택하고 "제약조건 설정" 창이 나타나면, 다음 그림과 같이 "Horizontally in Container"를 선택하고 아래쪽 "Add 1 Constraint" 버튼을 클릭한다.

▶그림 6.17 Horizontally in Container 항목 선택

❺ 이제 캔버스 아래 오토 레이아웃 메뉴의 네 번째 Resolve Auto Layout Issues 를 선택하고 "All Views"의 "Update Frames"를 선택한다.

▶그림 6.18 Update Frames 항목 선택

❻ 계속해서 프로젝트 탐색기에서 Main.storyboard 파일을 선택한 상태에서 Xcode 오른쪽 위에 있는 도움 에디터Assistant Editor를 클릭하여 불러낸다. 도움 에디터의 파일이 ViewController.h 파일임을 확인한다. 이어서 Button 컨트롤을 선택하고 오른쪽 마우스 버튼을 눌러 이벤트 상자를 표시한다. 그중 Sent Events 아래쪽에 있는 Touch Up Inside 항목을 선택하고 그대로 도움 에디터의 @interface 아래쪽으로 드래그-앤-드롭 처리한다. 이때 도움 에디터 연결 패널이 나타나는데, Name 항목에 "buttonClicked"라고 입력하고 Connect 버튼을 눌러 객체 변수를 생성한다.

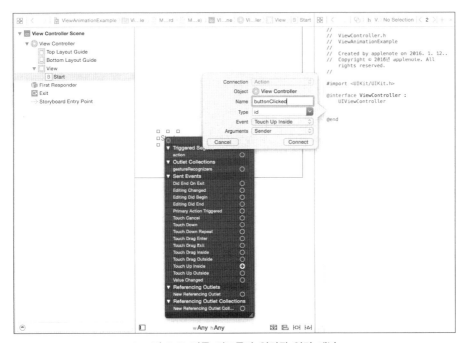

▶그림 6.19 버튼 컨트롤과 연결된 연결 패널

❼ 다시 Xcode 왼쪽 위에 있는 표준 에디터Standard Editor 아이콘을 눌러 표준 에디터로 변경한다. 프로젝트 탐색기에서 ViewController.m 파일을 선택하고 다음 코드를 입력한다.

```objc
#import "ViewController.h"

@interface ViewController ()
{
    UIView *squareView;
}
@end

@implementation ViewController

- (void)viewDidLoad {
    [super viewDidLoad];

    squareView = [[UIView alloc] initWithFrame:CGRectMake(260, 0, 50, 50)];
    squareView.backgroundColor = [UIColor redColor];
    [self.view addSubview:squareView];

}


- (void)didReceiveMemoryWarning {
    [super didReceiveMemoryWarning];
    // Dispose of any resources that can be recreated.
}

- (IBAction)buttonClicked:(id)sender {
    CGSize screenSize = [[UIScreen mainScreen] bounds].size;

    [UIView animateWithDuration:1.0
                          delay:0.0
                        options: UIViewAnimationOptionCurveEaseOut
                     animations:^{
                         squareView.frame = CGRectMake(260,
                                    screenSize.height - 50, 50, 50);
                     }
    completion:nil];
}

@end
```

416

❽ 이제 Xcode 왼쪽에 있는 Run 혹은 Command-R 버튼을 눌러 실행한다. 아래쪽 중앙에 있는 버튼을 눌러본다.

▶그림 6.20 ViewAnimationExample 프로젝트 실행

▌원리 설명

이번 절에서는 애니메이션의 가장 기본적인 기능 중 하나인 지정된 시간 내 뷰 View를 변화해 처리할 수 있는 animateWidthDuration() 블록 함수를 사용하여 애니메이션을 처리해볼 것이다. 먼저 뷰가 생성되었을 때 실행되는 viewDidLoad 메소드를 살펴보자.

```
- (void)viewDidLoad {
    [super viewDidLoad];
    ...
```

이 메소드에서는 먼저 다음과 같이 위에서 아래쪽으로 이동할 50x50 크기의 조그마한 뷰를 생성하고 시작 위치를 (260, 0)에 지정한다. (0, 0)이 왼쪽 위이므로 약간 오른쪽 가장 위에 위치시킨다. backgroundColor 속성을 사용하여 색깔은 빨간색으로 지정하고 addSubview를 호출하여 메인 뷰에 추가한다.

```
    squareView = [[UIView alloc] initWithFrame:CGRectMake(260, 0, 50, 50)];
    squareView.backgroundColor = [UIColor redColor];
    [self.view addSubview:squareView];
}
```

이제 버튼을 클릭하면 다음과 같은 buttonClicked 메소드가 실행되는데, UIScreen 객체를 생성하여 현재 기기의 너비와 높이를 알아낸다.

```
- (IBAction)buttonCl
    CGSize screenSize = [[UIScreen mainScreen] bounds].size;
    ...
```

그다음, 실제로 애니메이션을 처리하는 animateWidthDuration 블록 함수를 호출한다.

animateWidthDuration 블록 함수는 다음과 같은 형식을 갖는다.

```
+ (void)animateWithDuration:(NSTimeInterval) duration
                      delay:(NSTimeInterval) delay
     usingSpringWithDampin:(CGFloat) dampingRatio
         initialSpringVelocity:(CGFloat) velocity
```

418

```
        options:(UIViewAnimationOptions) options
    animations:(void (^)(void)) animations
    completion:(void (^)(BOOL finished)) completion
```

블록(Block)

블록은 OSX 10.6부터 Objective-C에 도입한 것으로 인라인(inline) 형식으로 작성할 수 있는 함수와 비슷하다. 블록은 파이썬과 루비와 같은 다른 언어에서는 클로져(closure)라고 불리기도 하는데, 블록 안의 모든 상태를 그대로 인캡슐화하기 때문에 마치 클래스와 비슷하다.

다음은 위 블록 함수에 대한 파라미터 설명이다.

▶ 표 6.5 animateWidthDuration 메소드 파라미터

animateWidthDuration 메소드 파라미터	설 명
duration	애니메이션 실행 시간. 초 단위로 설정
delay	애니메이션이 실행되기 전 대기 시간. 초 단위로 설정
dampingRatio	진동 애니메이션 구현 시 정지 상태로 도달하기 위한 제동 비율(damping ratio)
velocity	초기 진동 속도
options	애니메이션을 실행 속도 처리에 대한 옵션
animations	애니메이션을 처리하는 블록 객체. 애니메이션의 마지막 위치를 지정한다.
completion	애니메이션 처리가 끝난 뒤에 실행되는 블록 객체

위 animateWithDuration 블록 함수의 5번째 파라미터는 애니메이션 실행 속도 처리에 대한 옵션을 지정할 수 있는데 여기서 사용 가능한 옵션은 다음과 같다.

애니메이션 실행 속도 관련 options	설 명
UIViewAnimationOptionCurveEaseInOut	처음에는 천천히 시작하다가 중간에 빨라지고 다시 마지막 부분에 느려진다.
UIViewAnimationOptionCurveEaseIn	처음에는 천천히 시작하다가 점점 빨라진다.
UIViewAnimationOptionCurveEaseOut	처음에는 빠르게 시작하다가 점점 느려진다.
UIViewAnimationOptionCurveLinear	처음부터 끝까지 동일한 속도로 움직인다.

이제 실제로 animateWithDuration 블록 코드를 살펴보자. 먼저 duration 파라미터에 1.0이 지정되어있으므로 애니메이션의 지속 시간은 1초이다. 또한, delay 파라미터값은 0.0이므로 명령이 실행되면 대기 시간 없이 바로 실행된다. 그다음, option 파라미터에 UIViewAnimationOptionCurveEaseOut 값이 지정되었으므로 움직이는 속도는 처음에는 천천히 시작하다가 중간에 빨라지고 다시 마지막 부분에 느려진다. 그다음 animation 파라미터는 실제 애니메이션을 처리하는 부분이다. 여기서는 UIView 객체의 frame 속성을 사용하여 뷰 객체를 이동시키는데, 애니메이션 동작의 마지막 위치인 (260, screenSize.height – 50) 위치를 지정한다. 즉, 좌표 (260, 0)에서 (260, screenSize.height – 50)까지 애니메이션 동작이 처리된다. 여기서 50을 빼는 이유는 뷰의 기준점은 항상 왼쪽 위이므로 빨간색 작은 뷰 아래쪽 부분이 전체 뷰 화면 아래쪽까지 닿는 것을 보여주기 위해서는 작은 뷰의 높이 크기를 빼준 것이다(그림 6.21 참조).

```
[UIView animateWithDuration:1.0
                 delay:0.0
              options: UIViewAnimationOptionCurveEaseOut
           animations:^{
              squareView.frame = CGRectMake(260,
                      screenSize.height - 50, 50, 50);
           }
           completion:nil];
}
```

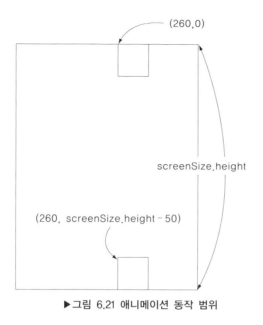

(260,0)

screenSize.height

(260, screenSize.height - 50)

▶그림 6.21 애니메이션 동작 범위

여러 가지 색깔의 비(rain) 애니메이션

이제 위에서 배운 animateWithDuration 블록 함수를 사용하여 좀 더 복잡한 애니메이션을 만들어보자. 여기서 처리할 것은 여러 가지 색깔의 비가 내리는 애니메이션을 만들어 볼 것이다. 즉, 임의로 여러 가지 색깔의 비를 10개 정도 생성한 뒤에, 바닥에 닿는 순간 사라지는 기능을 구현해 볼 것이다.

┃그대로 따라 하기

❶ Xcode에서 File-New-Project를 선택한다. 계속해서 왼쪽에서 iOS-Application을 선택하고 오른쪽에서 Single View Application을 선택한다. 이

어서 Next 버튼을 누르고 Product Name에 "MultiColorRainExample"이라고
지정한다. 아래쪽에 있는 Language 항목은 "Objective-C", Devices 항목은
"IPhone"으로 설정한다. 그 아래 Include Unit Tests 항목과 Include UI Tests
항목은 체크한 상태로 그대로 둔다. 이어서 Next 버튼을 누르고 Create 버튼을
눌러 프로젝트를 생성한다.

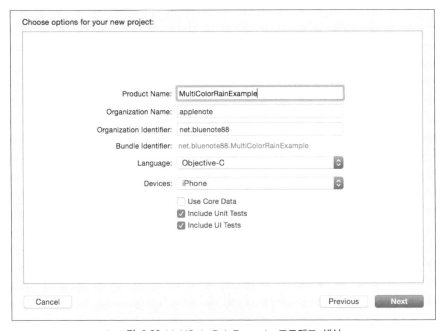

▶그림 6.22 MultiColorRainExample 프로젝트 생성

❷ 왼쪽 프로젝트 탐색기에서 Main.storyboard 파일을 선택한 상태에서 오른
쪽 아래에 있는 Object 라이브러리로부터 Button 컨트롤 하나를 선택하고
드래그-앤-드롭으로 캔버스의 ViewController 중앙 아래쪽에 위치시킨
다. 또한, 오른쪽 위 Attributes를 선택하고 그 Title 속성값을 Start로 변
경한다.

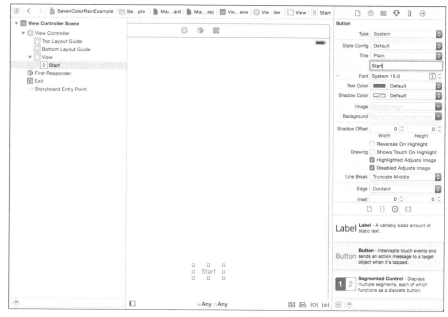

▶그림 6.23 Button 컨트롤을 ViewController에 위치

❸ 캔버스에서 Button 컨트롤을 선택한
상태에서 캔버스 아래 오토 레이아웃
메뉴에서 세 번째 Pin을 선택한다. 이
때 "제약조건 설정" 창이 나타나는데,
다음 그림과 같이 남쪽 위치 상자에 50을
입력하고 I 빔에 체크한 뒤, 그 아래
Width, Height 항목에 각각 체크한다.
이어서 가장 아래쪽 "Add 3 Constraints"
버튼을 클릭한다.

▶그림 6.24 Button 제약조건 설정

❹ 계속해서 Button 컨트롤을 선택한 상태에서 캔버스 아래 오토 레이아웃 메뉴에서 두 번째 Align을 선택하고 "제약조건 설정" 창이 나타나면, 다음 그림과 같이 "Horizontally in Container"를 선택하고 아래쪽 "Add 1 Constraint" 버튼을 클릭한다.

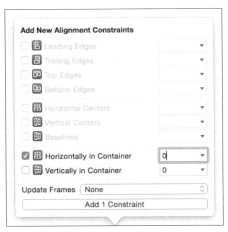

▶그림 6.25 Horizontally in Container 항목 선택

❺ 이제 캔버스 아래 오토 레이아웃 메뉴의 네 번째 Resolve Auto Layout Issues를 선택하고 "All Views"의 "Update Frames"를 선택한다.

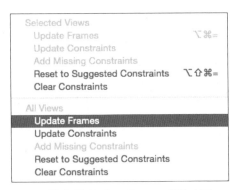

▶그림 6.26 Update Frames 항목 선택

❻ 계속해서 프로젝트 탐색기에서 Main.storyboard 파일을 선택한 상태에서 Xcode 오른쪽 위에 있는 도움 에디터Assistant Editor를 클릭하여 불러낸다. 도움 에디터의 파일이 ViewController.h 파일임을 확인한다. 이어서 Button 컨트롤을 선택하고 오른쪽 마우스 버튼을 눌러 이벤트 상자를 표시한다. 그중 Sent Events 아래쪽에 있는 Touch Up Inside 항목을 선택하고 그대로 도움 에디터의 @interface 아래쪽으로 드래그-앤-드롭 처리한다. 이때 도움 에디터 연결 패널이 나타나는데, Name 항목에 "buttonClicked"라고 입력하고 Connect 버튼을 눌러 객체 변수를 생성한다.

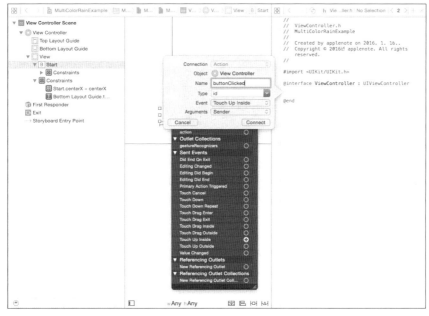

▶그림 6.27 Button 컨트롤과 연결된 연결 패널

❼ 다시 Xcode 왼쪽 위에 있는 표준 에디터Standard Editor 아이콘을 눌러 표준 에디터로 변경한다. 프로젝트 탐색기에서 ViewController.m 파일을 선택하고 다음 코드를 입력한다.

```objc
#import "ViewController.h"

@interface ViewController ()
{
    NSTimer *myTimer;
    int rainCount;
}
@end

@implementation ViewController

- (void)viewDidLoad {
    [super viewDidLoad];

    rainCount = 0;
}

- (void)didReceiveMemoryWarning {
    [super didReceiveMemoryWarning];
    // Dispose of any resources that can be recreated.
}

-(UIColor *) randomColor
{
    float randomRed = (arc4random() % 256) / 255.0;
    float randomGreen = (arc4random() % 256) / 255.0;
    float randomBlue = (arc4random() % 256) / 255.0;
    UIColor *color = [UIColor colorWithRed:randomRed green:randomGreen
blue:randomBlue alpha:1.0];
    return color;
}

- (void) processDropRains
{
    CGSize screenSize = [[UIScreen mainScreen] bounds].size;

    int xpos = arc4random() % 300;

    UIView *rainView = [[UIView alloc] initWithFrame:CGRectMake(xpos, 0, 5, 50)];
```

```objc
    rainView.backgroundColor = [self randomColor];
    [self.view addSubview:rainView];

    [UIView animateWithDuration:1.0
                          delay:0.0
                        options: UIViewAnimationOptionCurveEaseOut
                     animations:^
     {
         rainView.frame = CGRectMake(xpos, screenSize.height - 50, 5, 50);
     }
                     completion:^(BOOL finished)
     {
         [rainView removeFromSuperview];
     }];
    rainCount++;
    if (rainCount == 10)
    {
        [myTimer invalidate];
        myTimer = nil;
    }
}

- (IBAction)buttonClicked:(id)sender {
    myTimer = [NSTimer scheduledTimerWithTimeInterval:0.7
                                               target:self
                                             selector:@selector(processDropRains)
                                             userInfo:nil
                                              repeats:YES];
}

@end
```

❽ 제 Xcode 왼쪽에 있는 Run 혹은 Command-R 버튼을 눌러 실행한다. 아래
쪽 중앙에 있는 버튼을 눌러본다.

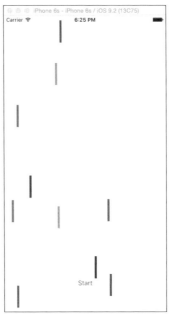

▶그림 6.28 ViewAnimationExample 프로젝트 실행

▌원리 설명

이번 절에서는 위에서 배운 animateWidthDuration() 블록 함수를 사용하여 여러 가지 색깔의 비를 내리는 애니메이션을 구현해보았다. 가장 먼저 실행되는 viewDidLoad() 이벤트 함수에 다음과 같이 처리해야 할 비의 개수를 제한하기 위한 변수를 생성하고 초기화한다.

```
- (void)viewDidLoad {
    [super viewDidLoad];

    rainCount = 0;
}
```

앱이 실행되고 아래쪽에 있는 버튼을 누르면 buttonClick() 이벤트 함수가 생성되

느데, 이 함수에서는 NSTimer를 사용하여 비를 처리하는 함수 processDropRains() 함수를
반복 실행하게 한다. NSSTimer 객체에서는 scheduledTimerWithTimeInterval 함수
를 사용하여 원하는 함수를 반복 실행할 수 있는데, 이 함수의 사용 형식은 다음과
같다.

```
+ (NSTimer *)scheduledTimerWithTimeInterval:(NSTimeInterval)seconds
                            target:(id)target
                          selector:(SEL)aSelector
                          userInfo:(id)userInfo
                           repeats:(BOOL)repeats
```

여기서 scheduledTimerWithTimeInterval 함수에서 사용된 파라미터값은 다
음과 같다.

▶ 표 6.7 scheduledTimerWithTimeInterval의 파라미터 설명

파라미터	설 명
seconds	반복 실행될 타이머 지정 함수 사이의 간격. 단위는 초
target	다음 Selector 함수가 위치할 객체. self이면 현재 클래스를 의미
selector	타이머에서 반복 처리할 함수 이름
userInfo	타이머에서 참조할 사용자 정보. 일반적으로 nil을 지정
repeats	타이머 반복 처리 결정. YES이면 반복처리, NO이면 1회만 처리

이제 위 함수를 Start 버튼을 눌렀을 때 실행되는 buttonClicked 함수에서 어떻게
사용되는지 살펴보자. 먼저 seconds 파라미터값에 0.7을 지정하여 0.7초 간격으로
지정된 함수를 실행시키도록 한다. 두 번째 target 파라미터에 다음 selector 파라미
터에 지정된 함수가 위치할 객체를 지정한다. 여기서는 self를 지정하여 현재 클래스에
위치하도록 한다. 세 번째 파라미터 selector는 타이머에서 반복 처리할 함수 이름을
지정한다. 이때 @selector() 지시자를 사용하여 함수를 지정하는데, 이 @selector()

는 컴파일된 코드의 메소드 이름을 직접 참조할 방법이다. 이렇게 @selector()를 사용하는 이유는 컴파일러에서 유일한 이름을 지정하여 어떤 위치에 있든 쉽게 그 위치를 지정하기 위함이다. 타이머에서 참조할 사용자 정보를 나타내는 userInfo는 nil 값으로 지정하고 마지막 repeats 파라미터값에 YES를 지정하여 sSelector에 지정된 함수를 반복 처리하도록 한다.

```
- (IBAction)buttonClicked:(id)sender {
    myTimer = [NSTimer scheduledTimerWithTimeInterval:0.7
                                    target:self
                                    selector:@selector(processDropRains)
                                    userInfo:nil
                                    repeats:YES];
}
```

그다음, 위에서 지정된 processDropRain 함수를 설명하기 전에 먼저 이 process DropRain 함수에서 임의의 여러 가지 색깔을 만들어주는 randomColor() 함수를 살펴보자. 임의의 색깔을 만들기 위해서는 임의의 숫자를 만들어주는 rand() 혹은 arc4random() 함수를 사용해야 한다. rand()는 0에서 RAND_MAX로 정의된 0x7fffffff(2,147,483,647) 까지의 숫자를 생성할 수 있고 arc4random()은 0에서 0x100000000(4,294,967,296) 까지의 숫자를 만들 수 있다. arc4random() 함수가 더 많은 숫자를 생성할 수 있으므로 더 효율적이라고 할 수 있다.

만일 0부터 99까지 임의의 숫자를 만들고자 한다면, 이 함수에 100으로 나누어 그 나머지를 취하는 arc4random() % 100과 같은 표현을 사용하면 된다. 색을 지정할 때 사용되는 UIColor() 함수는 다음과 같이 red, green, blue, alpha 파라미터값을 갖는 데 각각, 빨간색, 녹색, 파란색, 투명도를 의미하며 모두 0부터 1.0까지의 값을 갖는다.

```
+ (UIColor *)colorWithRed:(CGFloat)red
                    green:(CGFloat)green
                     blue:(CGFloat)blue
                    alpha:(CGFloat)alpha
```

이제 색깔에 대한 임의의 색을 지정하기 위해 먼저 0부터 255까지 숫자를 생성
해보자.

```
(arc4random() % 256)
```

[UIColor colorWithRed:green:blue:alpha]의 파라미터값은 각각 0에서 1.0까지
의 값을 가지므로 위 값을 255로 나누어주고 UIColor 파라미터에 각각 지정한다.
투명도를 의미하는 네 번째 파라미터 alpha는 1.0으로 지정한다.

```
-(UIColor *) randomColor
{
    float randomRed = (arc4random() % 256) / 255.0;
    float randomGreen = (arc4random() % 256) / 255.0;
    float randomBlue = (arc4random() % 256) / 255.0;
    UIColor *color = [UIColor colorWithRed:randomRed green:randomGreen
blue:randomBlue alpha:1.0];
    return color;
}
```

이제 일정 간격의 시간마다 호출되는 processDropRains() 함수를 살펴보자.
먼저 UIScreen 객체를 사용하여 현재 화면의 크기를 얻는다.

```
- (void) processDropRains
{
    CGSize screenSize = [[UIScreen mainScreen] bounds].size;
    ...
```

arc4random() % 300을 지정하여 비를 시작할 임의의 x 좌표를 얻는다. 이 x 좌표의 값은 0부터 299까지 임의의 값으로 지정된다.

```
int xpos = arc4random() % 300;
...
```

이제 UIView 객체를 사용하여 비를 생성한다. 그 크기는 5x50이고 임의의 가장 위쪽 임의의 x 좌표에 생성된다. 또한, backgroundColor 속성에 색을 지정하는데, 이 색깔은 위에서 설명한 randomColor 함수를 호출하여 임의로 만들어낸다. 만들어진 뷰는 addSubView를 호출하여 현재 뷰에 추가한다.

```
UIView *rainView = [[UIView alloc] initWithFrame:CGRectMake(xpos, 0, 5, 50)];
rainView.backgroundColor = [self randomColor];
[self.view addSubview:rainView];
...
```

이제 animateWithDuration 블록 코드를 살펴보자. 먼저 duration 파라미터에 1.0이 지정되어있으므로 애니메이션의 지속 시간은 1초이다. 또한, delay 파라미터값은 0.0이므로 명령이 실행되면 대기 시간 없이 바로 실행된다. 그다음, option 파라미터에 UIViewAnimationOptionCurveEaseOut 값이 지정되었으므로 비의 움직이는 속도는 처음에는 천천히 시작하다가 중간에 빨라지고 다시 마지막 부분에 느려진다. 그다음 animation 파라미터는 실제 애니메이션을 처리하는 부분이다. 여기서는 UIView 객체의 frame 속성을 사용하여 뷰 객체를 이동시키는데, 애니메이션 동작의 마지막 위치인 (xpos, screenSize.height − 50) 위치를 지정한다. 즉, 좌표 (xpos, 0)에서 (xpos, screenSize.height − 50)까지 애니메이션 동작이 처리된다. 여기서 50을 빼는 이유는 뷰의 기준점은 항상 왼쪽 위이므로 비를 표시하는 뷰 아래쪽 부분이 전체 뷰 화면 아래쪽에 닿는 것까지 보여주기 위해서는 비를 표시하는 뷰의 높이 크기를 빼준 것이다.

```
[UIView animateWithDuration:1.0
                delay:0.0
            options: UIViewAnimationOptionCurveEaseOut
        animations:^
        {
            rainView.frame = CGRectMake(xpos,
                    screenSize.height - 50, 5, 50);
        }
        completion:^(BOOL finished)
        {
            [rainView removeFromSuperview];
        }
];
```

이어서 비의 개수를 의미하는 rainCount를 증가시키고 만일 그 개수가 10인
경우에는 NSTimer 객체의 invalidate를 호출하여 타이머를 종료시킨다.

```
rainCount++;
if (rainCount == 10)
{
    [myTimer invalidate];
    myTimer = nil;
}
}
```

6-4 이미지 전환 애니메이션

애니메이션 기능은 뷰를 이동하는 기능만을 제공하지 않는다. 즉, 애니메이션
기능을 이미지에도 적용할 수 있다. 이번에는 애니메이션을 사용하여 하나의 그
림 이미지에서 다른 그림 이미지로 전환할 때 부드럽게 전환되는 방법을 알아볼
것이다.

▍그대로 따라 하기

❶ Xcode에서 File-New-Project를 선택한다. 계속해서 왼쪽에서 iOS-Application을 선택하고 오른쪽에서 Single View Application을 선택한다. 이어서 Next 버튼을 누르고 Product Name에 "ImageTransitionExample"이라고 지정한다. 아래쪽에 있는 Language 항목은 "Objective-C", Devices 항목은 "iPhone"으로 설정한다. 그 아래 Include Unit Tests 항목과 Include UI Tests 항목은 체크한 상태로 그대로 둔다. 이어서 Next 버튼을 누르고 Create 버튼을 눌러 프로젝트를 생성한다.

▶그림 6.29 ImageTransitionExample 프로젝트 생성

❷ 프로젝트 탐색기의 프로젝트 이름(파란색 아이콘)에서 오른쪽 마우스 버튼을 누르고 New Group 항목을 선택하고 Resources라는 이름으로 새로운 그룹을 만

434

들고, 제공되는 예제 파일로부터 "감나무.jpg", "배나무.jpg" 파일 등을 새로 생성한 Resources 폴더에 드래그-앤-드롭으로 복사한다.

▶그림 6.30 그림 파일을 Resources 폴더에 추가

❸ 왼쪽 프로젝트 탐색기에서 Main.storyboard 파일을 선택한 상태에서 오른쪽 아래에 있는 Object 라이브러리로부터 Button 컨트롤 하나를 선택하고 드래그-앤-드롭으로 캔버스의 ViewController 오른쪽 위에 위치시킨 뒤 그 너비를 적당히 늘려준다. 또한, 오른쪽 위 Attributes를 선택하고 그 Title 속성값을 "Next Image"로 변경한다.

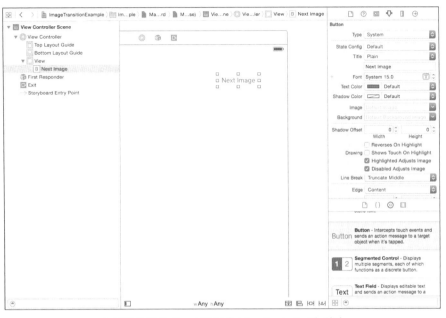

▶그림 6.31 Button 컨트롤을 ViewController에 위치

❹ 캔버스에서 Button 컨트롤을 선택한 상태에서 캔버스 아래 오토 레이아웃 메뉴에서 세 번째 Pin을 선택한다. 이때 "제약조건 설정" 창이 나타나는데, 다음 그림과 같이 북쪽과 동쪽 위치 상자에 각각 25를 입력하고 I 빔에 체크한 뒤, 그 아래 Width, Height 항목에 각각 체크한다. 이어서 가장 아래쪽 "Add 4 Constraints" 버튼을 클릭한다.

▶그림 6.32 Button 제약조건 설정

❺ 이제 캔버스 아래 오토 레이아웃 메뉴의 네 번째 Resolve Auto Layout Issues를 선택하고 "All Views"의 "Update Frames"를 선택한다.

▶그림 6.33 Update Frames 항목 선택

❻ 계속해서 프로젝트 탐색기에서 Main.storyboard 파일을 선택한 상태에서 Xcode 오른쪽 위에 있는 도움 에디터Assistant Editor를 클릭하여 불러낸다. 도움 에디터의 파일이 ViewController.h 파일임을 확인한다. 이어서 Button 컨트롤을 선택하고 오른쪽 마우스 버튼을 눌러 이벤트 상자를 표시한다. 그 중 Sent Events 아래쪽에 있는 Touch Up Inside 항목을 선택하고 그대로 도움 에디터의 @interface 아래쪽으로 드래그-앤-드롭 처리한다. 이때 도움 에디터 연결 패널이 나타나는데, Name 항목에 "buttonClicked"라고 입력하고 Connect 버튼을 눌러 객체 변수를 생성한다.

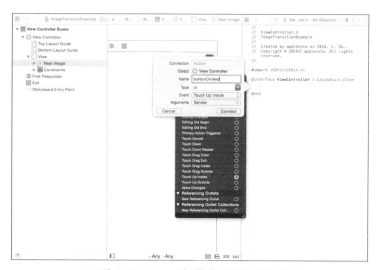

▶그림 6.34 Button 컨트롤과 연결된 연결 패널

❼ 다시 Xcode 왼쪽 위에 있는 표준 에디터Standard Editor 아이콘을 눌러 표준 에디터로 변경한다. 프로젝트 탐색기에서 ViewController.m 파일을 선택하고 다음 코드를 입력한다.

```
#import "ViewController.h"

@interface ViewController ()
{
    CGRect imgFrame;
    UIImageView *firstImgView;
    UIImageView *secondImgView;
    UIImageView *currentView;
}
@end

@implementation ViewController

- (void)viewDidLoad {
    [super viewDidLoad];
    // Do any additional setup after loading the view, typically from a nib.

    imgFrame = self.view.frame;
    [self makeFirstImage];
    [self.view addSubview:firstImgView];

    [self makeSecondImage];
    [self.view insertSubview:secondImgView aboveSubview:firstImgView];
    currentView = secondImgView;
}

- (void)didReceiveMemoryWarning {
    [super didReceiveMemoryWarning];
    // Dispose of any resources that can be recreated.
}

-(void) makeFirstImage
{
    firstImgView = [[UIImageView alloc]
        initWithFrame:CGRectMake(imgFrame.origin.x,
```

```
            imgFrame.origin.y + 80,
            imgFrame.size.width,
            imgFrame.size.height - 80)];
    UIImage *image1 = [UIImage imageNamed:@"감나무.jpg"];
    firstImgView.image = image1;
    [firstImgView setContentMode:UIViewContentModeScaleAspectFit];
    firstImgView.alpha = 1.0;
}

-(void) makeSecondImage
{
    secondImgView = [[UIImageView alloc]
                initWithFrame:CGRectMake(imgFrame.origin.x,
                imgFrame.origin.y + 80,
                imgFrame.size.width,
                imgFrame.size.height - 80)];
    UIImage *image2 = [UIImage imageNamed:@"배나무.jpg"];
    secondImgView.image = image2;
    [secondImgView setContentMode:UIViewContentModeScaleAspectFit];
    secondImgView.alpha = 1.0;
}

- (IBAction)buttonClicked:(id)sender {
    [UIView animateWithDuration:3.0
                          delay:0.0
                        options: UIViewAnimationOptionCurveEaseOut
                     animations:^
    {
        currentView.alpha = 0.0;
    }
    completion:^(BOOL finished)
    {
        if (currentView == firstImgView)
        {
            [currentView removeFromSuperview];
            [self makeFirstImage];
            [self.view insertSubview:firstImgView
belowSubview:secondImgView];
            currentView = secondImgView;
        }
```

```
        else
        {
            [currentView removeFromSuperview];
            [self makeSecondImage];
            [self.view insertSubview:secondImgView
belowSubview:firstImgView];
            currentView = firstImgView;
        }
    }];
}

@end
```

❽ 이제 Xcode 왼쪽에 있는 Run 혹은 Command-R 버튼을 눌러 실행한다. 오른쪽 위에 있는 Next Image 버튼을 눌러본다. 2개의 그림이 교대로 천천히 전환되는지 확인해 본다.

▶그림 6.35 ImageTransitionExample 프로젝트 실행

▌원리 설명

이번 절에서는 애니메이션을 이미지 그림에 적용해보았다. 즉, 하나의 그림에서 다른 그림으로 적용할 때 이 애니메이션 기능을 사용하면 그 전환 과정을 더 부드럽게 만들 수 있다.

먼저, 자료를 초기화하는 viewDidLoad 함수를 살펴보자. 이 함수에서는 현재 뷰의 크기를 알아내고 imgFrame에 저장한다.

```
- (void)viewDidLoad {
    [super viewDidLoad];

    imgFrame = self.view.frame;
    ...
```

이어서 makeFirstImage 함수를 호출하는데 이 함수는 뒤에서 설명하겠지만, 위에서 저장한 이미지 중 하나인 "감나무.jpg" 파일을 UIImageView 객체에 생성하여 화면을 출력하는 기능을 처리한다. 이미지를 생성한 뒤에는 addSubview를 호출하여 생성된 UIImageView 객체를 현재 뷰에 추가한다.

```
    [self makeFirstImage];
    [self.view addSubview:firstImgView];
    ...
```

이번에는 "배나무.jpg" 이미지 파일을 UIImageView 객체에 생성하고 이미지를 생성한 뒤에는 addSubview를 호출하여 생성된 UIImageView 객체를 현재 뷰에 추가한다. 이 두 번째 이미지 객체를 currentView로 지정하는 것을 잊지 않도록 한다.

```
    [self makeSecondImage];
    [self.view insertSubview:secondImgView aboveSubview:firstImgView];
```

```
        currentView = secondImgView;
}
```

지금까지 처리한 것을 그림으로 표현하면 다음과 같다. 즉, 메인 뷰 위에 첫 번째 이미지가 올라가 있고 그 위에 두 번째 이미지가 올라가 있는 상태이다. 사용자는 당연히 첫 번째 이미지는 보지 못하고 가장 위쪽에 있는 두 번째 이미지만 볼 수 있다.

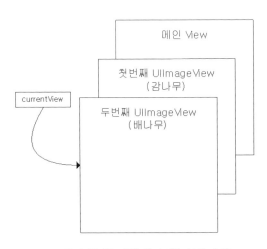

▶그림 6.36 두 개의 이미지를 뷰에 추가

이제 위에서 호출한 첫 번째 이미지를 출력하는 makeFirstImage 함수를 살펴보자. 이 함수는 먼저 UIImageView 객체를 생성하는데, initWithFrame 속성을 사용하여 이미지 크기를 지정한다. 이미지 크기는 CGRectMake()를 사용하는데, 이 함수는 다음과 같이 선언된다.

```
CGRect CGRectMake ( CGFloat x, CGFloat y, CGFloat width, CGFloat height );
```

즉, 첫 번째 파라미터값은 이미지의 시작 x 좌표이고 두 번째는 이미지의 시작 y

좌표, 세 번째와 네 번째는 이미지의 너비와 높이를 지정한다. 여기서는 현재 메인 뷰의 크기를 그대로 얻어 x 좌표와 너비는 그대로 지정하고 y 값만 80을 더해 80픽셀만큼 아래로 내려준다. 아래쪽으로 내린 만큼 높이 길이에서 빼주어야 한다. 이렇게 80픽셀 크기만큼 내리는 이유는 뷰 위쪽이 버튼이 있어 버튼 아래쪽에 이미지를 표시하기 위함이다.

```
-(void) makeFirstImage
{
    firstImgView = [[UIImageView alloc]
                initWithFrame:CGRectMake(imgFrame.origin.x,
                imgFrame.origin.y + 80,
                imgFrame.size.width,
                imgFrame.size.height - 80)];
    ...
```

이제 UIImage 객체를 사용하여 이미지를 생성하고 생성된 변수는 UIImageView 객체의 image 속성에 지정해준다.

```
    UIImage *image1 = [UIImage imageNamed:@"감나무.jpg"];
    firstImgView.image = image1;
    ...
```

이어서, UIViewContentModeScaleAspectFit 상수를 지정하여 그림 크기와 UIImage View 크기가 서로 다르더라도 이미지의 긴 부분이 화면에 출력될 수 있도록 가로와 세로 비율을 똑같이 유지하도록 한다. 또한, alpha 속성은 1.0으로 지정하여 그림의 투명도를 100%로 설정한다.

```
    [firstImgView setContentMode:UIViewContentModeScaleAspectFit];
    firstImgView.alpha = 1.0;
}
```

두 번째 이미지를 출력하는 makeSecondImage 함수 역시 처리되는 이미지 파일 이 "배나무.jpg"로 변경되는 점을 제외하고 첫 번째 함수와 동일하다.

```
-(void) makeSecondImage
{
    secondImgView = [[UIImageView alloc]
            initWithFrame:CGRectMake(imgFrame.origin.x,
            imgFrame.origin.y + 80,
            imgFrame.size.width,
            imgFrame.size.height - 80)];
    UIImage *image2 = [UIImage imageNamed:@"배나무.jpg"];
    secondImgView.image = image2;
    [secondImgView setContentMode:UIViewContentModeScaleAspectFit];
    secondImgView.alpha = 1.0;
}
```

이제 화면 위쪽에 있는 Next Image 버튼을 눌렀을 때 실행되는 buttonClicked 함 수를 살펴보자.

이 함수에서는 animateWithDuration 블록을 사용하였는데, 먼저 첫 번째 duration 파라미터에 3.0을 지정하여 이미지 처리의 지속 시간을 3초로 설정한다. 또한, delay 파라미터값은 0.0이므로 대기 시간 없이 바로 실행되도록 지정하였다. 그다음, option 파라미터에 UIViewAnimationOptionCurveEaseOut 값을 지정하여 이미지의 변환 속도는 처음에는 천천히 시작하다가 중간에 빨라지고 다시 마지막 부분에 느려지도록 한다. 그다음 animation 파라미터는 실제 이미지 애니메이션을 처리하는 부분이다. 여기서는 투명도를 지정하는 alpha 속성에 0값을 지정하여 투명도를 0%로 만들어버 린다. 즉, 3초 동안 투명도가 100%에서 0%까지 변환시켜 마치 사진이 점점 사라지는 것처럼 보이게 하는 것이다.

```
- (IBAction)buttonClicked:(id)sender {
    [UIView animateWithDuration:3.0
                          delay:0.0
                        options: UIViewAnimationOptionCurveEaseOut
                     animations:^
    {
        currentView.alpha = 0.0;
    }
    ...
```

마지막으로 completion 파라미터에서는 이미지 변환이 종료된 뒤에 처리할 일
을 지정하는데, 여기서는 다시 두 가지 경우로 나눈다. 현재 가장 위를 가리키는
currentView 변수가 가리키는 것이 첫 번째 이미지(감나무)인 경우와 첫 번째 이미지가
아닌 경우 즉, 두 번째 이미지(배나무)인 경우이다. 만일 첫 번째 이미지라면 remove
FromSuperview를 호출하여 현재 뷰의 가장 위에 있는 뷰를 제거한다. 가장 위에
있는 이미지는 alpha 속성 때문에 투명하게 되어 보이지 않게 설정된 것이지 완전히
사라진 것은 아니기 때문이다.

```
    completion:^(BOOL finished)
    {
        if (currentView == firstImgView)
        {
            [currentView removeFromSuperview];
            ...
```

이어서 makeFirstImage 함수를 호출하여 첫 번째 이미지(감나무)를 생성하고
UIView의 insertSubview:blowSubview를 사용하여 현재 가장 위에 있는 두 번째
이미지(배나무) 뷰 아래쪽에 끼워 넣는다(그림 6.37 참조).

```
            [self makeFirstImage];
            [self.view insertSubview:firstImgView belowSubview:secondImgView];
            ...
```

가장 위를 가리키는 currentView는 두 번째 뷰를 가리키게 처리한다.

```
    currentView = secondImgView;
}
```

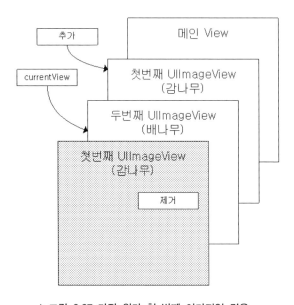

▶그림 6.37 가장 위가 첫 번째 이미지인 경우

이번에는 가장 위를 가리키는 currentView 변수가 가리키는 것이 두 번째 이미지 (배나무)인 경우를 처리해보자. 처음 앱이 실행되고 Next Image 버튼을 누르게 되면, 이 조건이 실행된다. 이전과 마찬가지로 removeFromSuperview를 호출하여 현재 뷰의 가장 위에 있는 뷰를 제거한다.

```
    else
    {
        [currentView removeFromSuperview];
        ...
```

이어서 makeSecondImage 함수를 호출하여 두 번째 이미지(배나무)를 생성하고 UIView의 insertSubview:blowSubview를 사용하여 현재 가장 위에 있는 첫 번째 이미지(감나무) 뷰 아래쪽에 끼워 넣는다(그림 6.38 참조).

```
[self makeSecondImage];
[self.view insertSubview:secondImgView belowSubview:firstImgView];
...
```

가장 위를 가리키는 currentView는 첫 번째 뷰를 가리키게 처리한다.

```
        currentView = firstImgView;
    }
  }];
}
@end
```

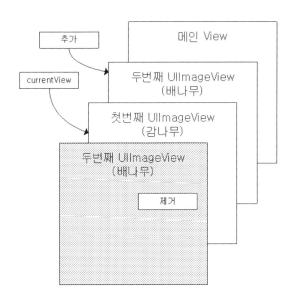

▶그림 6.38 가장 위가 두 번째 이미지인 경우

이 장에서는 텍스트뿐만 아니라 이미지의 그리드 형식, 스택 형식 등의 부가적인 기능을 제공하여 테이블 뷰를 사용하는 것보다 쉽게 원하는 자료를 처리할 수 있는 컬렉션 뷰(Collection View)에 대하여 설명하였다. 먼저 컬렉션 뷰를 이용하여 6개의 꽃 이미지를 그리드 형식으로 위에서 아래쪽으로 출력하는 예제를 작성해보았다. 그다음, 사용자 인터페이스의 부드러운 동작 기능을 제공하는 코어 애니메이션(Core Anmation) 기능을 사용해보았다. 코어 애니메이션은 iOS에서 동작하는 여러 컨트롤 기능에 기본적인 애니메이션 기능을 제공한다. 이 기능을 이용하여 뷰 이동, 뷰 회전, 이미지 전환 등을 쉽게 처리할 수 있는데, 여기서는 버튼을 눌렀을 때 위에서 아래쪽으로 이동하는 뷰의 애니메이션 기능을 보여주는 예제를 소개하였다. 또 다음 부분에서는 뷰 애니메이션 기능의 조금 더 진보된 기능으로 animateWithDuration 블록 함수를 사용하여 임의로 여러 가지 색깔의 비를 10개 정도 생성한 뒤에, 바닥에 닿는 순간 사라지는 예제를 구현해 보았다. 마지막으로 이미지 전환 애니메니션 기능을 이용하여 하나의 그림 이미지에서 다른 그림 이미지로 부드럽게 전환시키는 예제도 구현해 보았다.

음악 파일 재생

스마트폰에서 제공하는 기능은 무궁무진하지만, 그중 가장 유용한 기능 중 하나는 언제 어디서든지 원하는 mp3 음악을 들을 수 있다는 점이다. 물론 그 이전에도 mp3 플레이어가 있어서 쉽게 음악을 듣거나 녹음을 할 수 있었지만, 동영상 플레이어 기능, 동영상 녹음 기능, 네트워크를 이용한 인터넷 음악 방송 등을 제공하는 스마트폰의 복합적인 강력한 기능 등과는 비교할 수 없다. 이 장에서는 iOS에서 제공하는 여러 가지 기능 중에서 AvAudioPlayer 객체를 사용하여 mp3 재생 플레이어를 만들어 볼 것이다. 먼저, 재생과 중지 같은 간단한 기능을 가진 플레이어를 만들어보고 여기에 음악 정보, 시간, 타임 슬라이더 등 몇 가지 기능을 계속 추가해 여러 가지 기능을 가진 플레이어를 처리하는 방법을 다루어 볼 것이다.

iOS에서 제공하는 최신 SDK에서는 동영상, mp3 등의 재생을 위해 여러 가지 프레임워크를 제공하는데, 그중 하나가 AV Foundation 프레임워크의 AVAudioPlayer 클래스이다. 먼저 이 클래스를 사용하여 Play, Stop, 재생 시간을 출력하는 간단한 기본 mp3 오디오 재생 플레이어를 작성해 본다.

▌그대로 따라 하기

❶ Xcode에서 File-New-Project를 선택한다. 계속해서 왼쪽에서 iOS-Application을 선택하고 오른쪽에서 Single View Application을 선택한다. 이어서 Next 버튼을 누르고 Product Name에 "AudioPlayerExample"이라고 지정한다. 아래쪽에 있는 Language 항목은 "Objective-C", Devices 항목은 "iPhone"으로 설정한다. 그 아래 Include Unit Tests 항목과 Include UI Tests 항목은 체크한 상태로 그대로 둔다. 이어서 Next 버튼을 누르고 Create 버튼을 눌러 프로젝트를 생성한다.

▶그림 7.1 AudioPlayerExample 프로젝트 생성

❷ 프로젝트 탐색기는 기본적으로 프로젝트 속성 중 General 부분을 보여주는데 여섯 번째 탭 Build Phases 탭을 선택한다. 이때 세 번째 줄에 있는 Link Binary With Libraries(0 items) 왼쪽에 있는 삼각형을 클릭하면 삼각형 모양이 아래쪽으로 향하면서 이 프로젝트에서 사용되는 여러 가지 프레임워크가 나타나는데, 아래쪽에 있는 + 버튼을 눌러 다음 프레임워크를 선택하고 아래쪽 Add 버튼을 눌러 추가한다.

```
AVFoundation.framework
```

▶그림 7.2 Link Binary With Libraries 항목에서 프레임워크 추가

❸ 이번에는 이 프로젝트에서 사용할 mp3 파일을 추가해보자. 프로젝트 탐색기 위쪽에 있는 프로젝트 이름 SimpleAudioPlayer(파란색 이미지)를 선택하고 오른쪽 마우스 버튼을 눌러 New Group을 선택한다. New Group 폴더가 만들어

지면 Resources라는 이름으로 변경한다. 이어서 원하는 mp3 파일을 드래그-
앤-드롭으로 이 Resources 폴더에 추가해준다. 반드시 커버 이미지가 있는
mp3을 선택하도록 한다.

▶그림 7.3 New Group 폴더 생성 및 mp3 파일 복사

❹ 왼쪽 프로젝트 탐색기에서 Main.storyboard 파일을 클릭하고 오른쪽 아래
Object 라이브러리에서 Button 2개, Label 4개를 캔버스의 View Controller
에 떨어뜨리고 다음 그림과 같이 위치시킨다. 먼저 Attributes 인스펙터를 사
용하여 라벨의 Text 속성을 "title :", "album :", "artist :"로 변경한다. 이어
서 그 아래 있는 버튼의 Title 속성을 각각 "Play", "Stop"으로 변경한다. 마지
막으로 가장 아래쪽에 있는 라벨의 Text 속성을 "00:00 / 00:00"으로 변경하
고 그 Alignment 속성을 중앙으로 지정한다. 지정된 모든 컨트롤의 너비를 모
두 동일하게 설정하는 것을 잊지 않도록 한다.

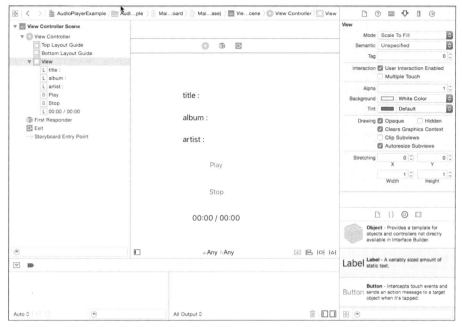

▶그림 7.4 캔버스의 뷰 컨트롤러에 여러 컨트롤 추가

❺ 먼저 첫 번째 Label 컨트롤을 선택한 상태
에서 캔버스 아래 오토 레이아웃 메뉴에서
세 번째 Pin을 선택한다. "제약조건 설정"
창이 나타나면, 다음 그림과 같이 서, 북 위
치 상자에 각각 80, 80, 100을 입력하고 각
각의 I 빔에 체크한다. 또한, 그 아래 Height
항목에도 체크한 다음, "Add 4 Constraints"
버튼을 클릭한다.

▶그림 7.5 첫 번째 Label 컨트롤 Pin
제약조건 설정

❻ 이어서 그 아래 두 번째 Label 컨트롤을 선택한 상태에서 캔버스 아래 오토 레이아웃 메뉴에서 세 번째 Pin을 선택한다. "제약조건 설정" 창이 나타나면, 다음 그림과 같이 서, 북 위치 상자에 각각 80, 80, 20을 입력하고 각각의 I 빔에 체크한다. 또한, 그 아래 Height 항목에도 체크한 다음, "Add 4 Constraints" 버튼을 클릭한다. 그 아래 세 번째 라벨 컨트롤 역시 동일한 방법으로 처리한다.

▶그림 7.6 두 번째와 세 번째 Label 컨트롤 Pin 제약조건 설정

❼ 그다음, 그 아래 Play 버튼을 선택한 상태에서 캔버스 아래 오토 레이아웃 메뉴에서 세 번째 Pin을 선택한다. "제약조건 설정" 창이 나타나면, 다음 그림과 같이 동, 서, 북 위치 상자에 각각 80, 80, 20을 입력하고 I 빔에 체크한다. 또한, 그 아래 Height 항목에도 체크한 다음, "Add 4 Constraints" 버튼을 클릭한다.

▶그림 7.7 Play 버튼 컨트롤 Pin 제약조건 설정

❽ 이어서 그 아래 Stop 버튼을 선택한 상태에서 캔버스 아래 오토 레이아웃 메뉴에서 세 번째 Pin을 선택한다. "제약조건 설정" 창이 나타나면, 다음 그림과 같이 동, 서, 북 위치 상자에 각각 80, 80, 20을 입력하고 I 빔에 체크한다. 또한, 그 아래 Height 항목에도 체크한 다음, "Add 4 Constraints" 버튼을 클릭한다.

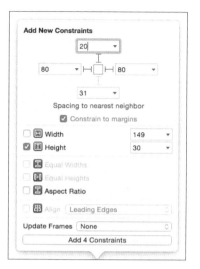

▶그림 7.8 Stop 버튼 컨트롤 Pin 제약조건 설정

❾ 계속해서 그 아래 마지막 Label 컨트롤을 선택한 상태에서 캔버스 아래 오토 레이아웃 메뉴에서 세 번째 Pin을 선택한다. "제약조건 설정" 창이 나타나면, 다음 그림과 같이 서, 북 위치 상자에 각각 80, 80, 20을 입력하고 각각의 I 빔에 체크한다. 또한, 그 아래 Height 항목에도 체크한 다음, "Add 4 Constraints" 버튼을 클릭한다.

▶그림 7.9 마지막 Label 컨트롤 Pin 제약조건 설정

❿ 이제 캔버스 아래 오토 레이아웃 메뉴의 네 번째
Resolve Auto Layout Issues를 선택하고 "All
Views"의 "Update Frames"를 선택한다.

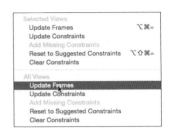

▶그림 7.10 Update Frames
항목 선택

⓫ 프로젝트 탐색기 오른쪽 위에 있는 도움 에디터Assistant Editor를 선택하여 불러낸다.
만일 ViewController.h 파일이 아닌 경우, 도움 에디터 오른쪽 위에 있는 화살표
버튼을 눌러 변경한다. 도움 에디터의 파일이 ViewController.h 파일임을 확인
하고 캔버스의 첫 번째 Label 컨트롤을 선택한다. 이어서 Ctrl 키와 함께 그대
로 도움 에디터의 @interface 아래쪽으로 드래그-앤-드롭 처리한다. 이때 도
움 에디터 연결 패널이 나타나면, Name 항목에 lblTitle이라고 입력하고
Connect 버튼을 눌러 객체 변수를 생성한다.

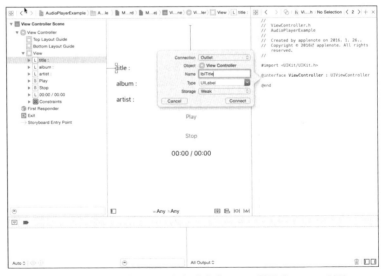

▶그림 7.11 첫 번째 Label 연결 패널의 Name 항목에 lblTitle 입력

⓬ 이어서 캔버스의 두 번째 Label 컨트롤을 선택한다. 이어서 Ctrl 키와 함께 그대로 도움 에디터의 @interface 아래쪽으로 드래그-앤-드롭 처리한다. 이때 도움 에디터 연결 패널이 나타나면, Name 항목에 lblAlbum이라고 입력하고 Connect 버튼을 눌러 객체 변수를 생성한다.

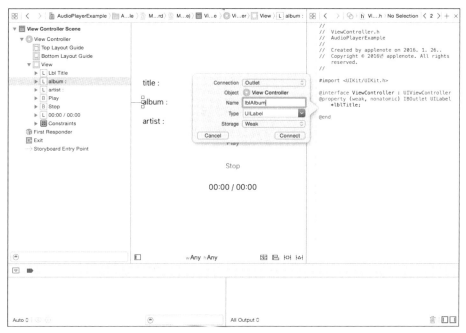

▶그림 7.12 두 번째 Label 연결 패널의 Name 항목에 lblAlbum 입력

⑬ 그 아래 캔버스의 세 번째 Label 컨트롤을 선택한다. 이어서 Ctrl 키와 함께 그대로 도움 에디터의 @interface 아래쪽으로 드래그-앤-드롭 처리한다. 이 때 도움 에디터 연결 패널이 나타나면, Name 항목에 lblArtist라고 입력하고 Connect 버튼을 눌러 객체 변수를 생성한다.

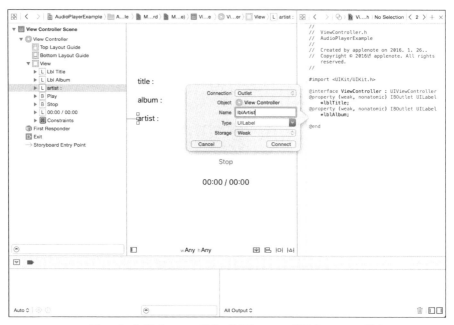

▶그림 7.13 세 번째 Label 연결 패널의 Name 항목에 lblArtist 입력

❶❹ 이제 그 아래 Play 버튼을 선택한 상태에서 오른쪽 마우스 버튼을 누르고 이벤트 연결 패널을 불러낸다. 연결 패널의 Sent Events 안에 있는 Touch Up Inside 항목을 선택하고 그대로 도움 에디터의 @interface 아래쪽으로 드래그-앤-드롭 처리한다. 도움 에디터 연결 패널이 나타나면 Name 항목에 playMusic이라고 입력하고 Connect 버튼을 누른다.

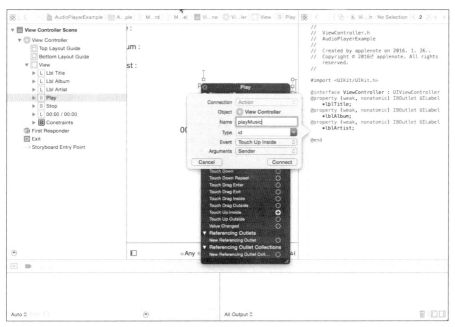

▶그림 7.14 Play Button 연결 패널의 Touch Up Inside 이벤트 생성

⓯ 이어서 그 아래 있는 Stop 버튼을 선택한 상태에서 오른쪽 마우스 버튼을 누르고 이벤트 연결 패널을 불러낸다. 연결 패널의 Sent Events 안에 있는 Touch Up Inside 항목을 선택하고 그대로 도움 에디터의 @interface 아래쪽으로 드래그-앤 -드롭 처리한다. 도움 에디터 연결 패널이 나타나면, Name 항목에 stopMusic 이라고 입력하고 Connect 버튼을 누른다.

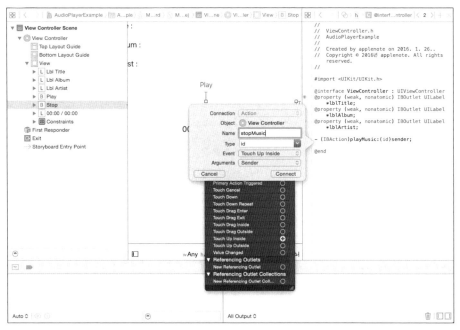

▶그림 7.15 Stop Button 연결 패널의 Touch Up Inside 이벤트 생성

⑯ 계속해서 그 아래쪽에 있는 마지막 Label 컨트롤을 선택한다. 이어서 Ctrl 키와 함께 그대로 도움 에디터의 @interface 아래쪽으로 드래그-앤-드롭 처리한 다. 이때 도움 에디터 연결 패널이 나타나면, Name 항목에 lblTime이라고 입 력하고 Connect 버튼을 눌러 객체 변수를 생성한다.

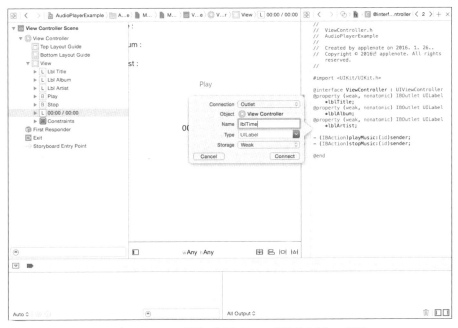

▶ 그림 7.16 Label 연결 패널의 Name 항목에 lblTime 입력

⑰ 이제 Xcode 오른쪽 위에 있는 표준 에디터 아이콘을 눌러 표준 에디터로 변경한다. 왼쪽 프로젝트 탐색기에서 ViewController.m 파일을 선택하고 다음을 입력한다.

```objc
#import <AVFoundation/AVFoundation.h>
#import "ViewController.h"

@interface ViewController ()
{
    AVAudioPlayer *player;
    NSTimer *tsTimer;
}
@end

@implementation ViewController
@synthesize lblTitle, lblAlbum, lblArtist, lblTime;

- (void)viewDidLoad {
    [super viewDidLoad];
    // Do any additional setup after loading the view, typically from a nib.
    NSString *urlString = [[NSBundle mainBundle] pathForResource:@"Get Got"
ofType:@"mp3"];
    NSURL *url = [NSURL fileURLWithPath:urlString];

    AVURLAsset *asset = [AVURLAsset URLAssetWithURL:url options:nil];
    NSArray *musicDataItems = [asset metadataForFormat:@"org.id3"];
    for (AVMetadataItem *metadataItem in musicDataItems)
    {
        if ([metadataItem.commonKey isEqualToString:@"title"])
        {
            lblTitle.text = [NSString stringWithFormat:
                        @"title : %@", metadataItem.value];
        }
        else if ([metadataItem.commonKey isEqualToString:@"albumName"])
        {
            lblAlbum.text = [NSString stringWithFormat:
                        @"album : %@", metadataItem.value];
        }
        else if ([metadataItem.commonKey isEqualToString:@"artist"])
        {
```

```
            lblArtist.text = [NSString stringWithFormat:
                        @"artist : %@", metadataItem.value];
        }
    }

    NSError *error;
    player = [[AVAudioPlayer alloc] initWithContentsOfURL: url error:&error];
    player.volume = 0.5f;

    [player prepareToPlay];
    [player setNumberOfLoops:0];
}

- (void)didReceiveMemoryWarning {
    [super didReceiveMemoryWarning];
    // Dispose of any resources that can be recreated.
}

- (void) updateTimeStamp
{
    if(player == nil)
    {
        [tsTimer invalidate];
        tsTimer = nil;
        return;
    }

    int curTime = (int)[player currentTime];
    int totTime = (int)[player duration];

    [lblTime setText:[NSString stringWithFormat:@"%02d:%02d / %02d:%02d",
                    curTime/60, curTime%60, totTime/60, totTime%60]];
    if (curTime == totTime)
    {
        player = nil;
    }
}

- (IBAction)playMusic:(id)sender {
    if(!player.isPlaying)
    {
        tsTimer = [NSTimer scheduledTimerWithTimeInterval:1.0f
```

```
        target:self selector:@selector(updateTimeStamp) userInfo:nil repeats:YES];
        [player play];
    }
}

- (IBAction)stopMusic:(id)sender {
    if(player.isPlaying)
    {
        [player stop];
    }
}
@end
```

⑱ 이제 Xcode 왼쪽에 있는 Run 혹은 Command-R 버튼을 눌러 실행한다. Play 버튼 혹은 Stop 버튼을 눌러 음악이 재생되고, 재생된 음악이 중지되는지 확인해본다. 또한, 음악이 플레이 되면서 재생 시간이 표시되는지도 살펴본다.

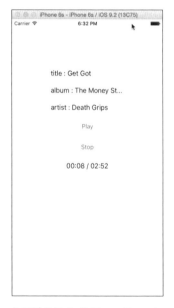

▶ 그림 7.17 AudioPlaye rExample
프로젝트 실행

▌원리 설명

이번 절에서 AV Foundation 프레임워크의 AVAudioPlayer 클래스를 사용하여 간단하게 재생과 중지, 재생 시간 및 mp3 음악 정보를 보여주는 플레이어를 작성해 본다.

먼저, AVAudioPlayer 관련 클래스를 사용하기 위해 다음과 같이 AVFoundation 라이브러리를 import 한다.

```
#import <AVFoundation/AVFoundation.h>
...
```

이 클래스를 이용한 소스 코드를 설명하기 전에 먼저 이 mp3 파일을 제어하는 데 필요한 몇 가지 클래스에 대하여 알아보자.

▶ 표 7.1 mp3 파일을 제어하는 데 필요한 여러 클래스

클래스 이름	설 명
NSBundle	리소스 파일이 있는 공간을 참조할 때 사용
NSURL	리모트 서버 혹은 로컬 서버에 있는 리소스 파일에 대한 정보를 얻는다.
AVURLAsset	위 NSURL 객체를 사용하여 AV 파일 위치를 지정하여 객체를 참조한다.
AVMetadataItem	위 AVURLAsset 객체를 이용하여 AV 파일에 대한 여러 정보를 얻는다.

mp3 파일에 대한 정보를 참조하기 위해서는 먼저 NSBundle 클래스를 사용하여 mp3 파일이 있는 공간의 위치를 알아낸다. 생성된 NSBundle 객체를 사용하여 NSURL 객체를 생성하고 다시 이 객체를 이용하여 mp3 파일을 애셋 정보를 알아 낼 수 있는 AVURLAsset 객체를 생성한다. AVURLAsset 객체를 생성한 뒤에는 AVMetadataItem 객체를 통하여 mp3 파일의 여러 정보를 가지고 있는 ID3 메터 데이터 정보를 읽어낼 수 있다. 이제 이러한 과정을 하나하나 처리해보자.

자료를 초기화하는 viewDidLoad 이벤트 함수에서 먼저 NSBundle 객체를 사용하여 프로젝트에 있는 mp3 파일을 읽어 들이는 일을 처리한다. 이 NSBundle에 대해서는 이미 4장에서 자세히 설명하였다. iOS에서는 애플리케이션에서 사용하는 실행 파일, 동적 라이브러리, 실행에 필요한 이미지, 데이터베이스 파일과 같은 여러 리소스 파일을 위치시킬 수 있는 물리적 공간을 제공하는데, 이것이 바로 번들bundle이다. 바

로 NSBundle 클래스를 사용하여 이 번들에 있는 파일을 참조할 수 있다.

다음과 같이 NSBundle 클래스의 pathForResource를 사용하여 번들에 지정된 mp3 파일을 참조할 수 있다. pathForResource 다음에 mp3 파일 이름 "Get Got"을 지정하고 ofType 다음에 mp3 확장자 이름 "mp3"을 지정한다.

```objc
- (void)viewDidLoad {
    [super viewDidLoad];

NSString *urlString = [[NSBundle mainBundle] pathForResource:
                @"Get Got" ofType:@"mp3"];
    ...
```

이어서, mp3 파일과 같은 리소스에 대한 정보를 참조하기 위해서는 NSURL 객체로 변경이 필요하다. NSURL 객체는 리모트 서버 혹은 로컬 서버에 있는 리소스 파일에 대한 정보를 가지고 있는데, 이 뒤에서 사용될 AV 파일 애셋asset을 다루기 위해서 반드시 필요한 객체이다. NSURL 객체를 생성하고 이 객체의 fileURLWithPath에 위에서 생성한 NSBundle에 대한 정보를 넘겨준다.

```objc
    NSURL *url = [NSURL fileURLWithPath:urlString];
    ...
```

이제 AV 파일에 대한 여러 가지 정보를 가진 AVURLAsset 객체를 생성한다. 여기서 사용되는 애셋asset은 이미지, 비디오, 음악 파일과 같은 자원을 의미한다. 즉, 이미지, 비디오, 음악 파일 등의 자원을 세부적으로 제어하기 위해 AVURLAsset 객체의 URLAssetWithURL 파라미터에 위에서 얻은 NSURL 객체 변수를 지정해준다.

```objc
    AVURLAsset *asset = [AVURLAsset URLAssetWithURL:url options:nil];
    ...
```

이 생성된 AVURLAsset 객체를 이용하여 AVMetadataItem 객체를 통하여 mp3 파일의 정보를 가지고 있는 ID3 메타 파일의 정보를 알아낼 수 있다.

참고   ID3 메타 파일

mp3 파일에서 사용하는 메타 데이터 형식으로 음악 제목, 가수, 년도 등 음악 파일에 대한 여러 정보를 제공한다. 일반적으로 mp3 파일 앞쪽 혹은 뒤쪽에 추가된다. 이 ID3는 ID3v1과 ID3v2 두 가지 버전의 형식을 제공하는데, ID3v1은 TAG라는 문자열로 시작되고 128바이트 길이를 갖는다. 음악 제목, 가수 이름, 음반 출시 연도, 장르 등의 간단한 자료를 제공한다. 이에 반하여 ID3v2는 최대 256MB 길이까지 지원하며 ID3v1에서 제공하지 못하던 작사자, 지휘자, 가사, 이미지, 볼륨 등 다양한 정보까지 제공한다.

이제 AVURLAsset 객체의 metadataForFormat 메소드를 호출하여 mp3 파일의 ID3 메타 파일 정보를 읽어보자. metadataForFormat 메소드에 "org.id3" 값을 지정하면 위에서 지정한 mp3 파일에 대한 메터 데이터을 모두 읽어 NSArray 배열 타입의 musicDataItems에 지정한다.

```
NSArray *musicDataItems = [asset metadataForFormat:@"org.id3"];
...
```

즉, musicDataItems 변수에 mp3 파일에 입력된 모든 정보가 추가되면, 추가된 자료는 AVMedataItem 객체에서 key 속성 혹은 commonKey 속성에 원하는 키 값을 지정하여 원하는 자료를 찾을 수 있다. AVMedataItem 객체는 5장에서 설명하였던 NSMutableDictionary 객체처럼 '키'와 '값' 2개로 구성되는데, 원하는 '키'에 해당하는 '값'이 지정되어 있어 언제든지 원하는 '키'에 해당하는 '값'을 검색할 수 있다. 단지 다른 점이 있다면 AVMedataItem 객체에서는 키를 지정할 때 key 속성과 commonkey 속성 두 개를 사용할 수 있다.

key 속성은 ID3의 ID3v2 형식에서 사용되는 지정된 프레임 코드를 사용하는데, 이 코드는 4개의 문자로 이루어져 있어 키 길이가 짧아 사용하기 편리하지만, 인지하기가 쉽지 않다는 단점이 있다. 예를 들어, 키 값 "TPE1"은 연주가를 의미하고 "TALB"는 앨범 제목을 의미한다. 이에 반하여 commonKey 속성은 "artist", "albumName"과 같은 영문 단어를 사용하여 키의 길이는 길지만 쉽게 인지할 수 있어 사용하기 쉽다. 두 개의 키 값 중 하나를 검색한 뒤, value 속성을 참조하여 원하는 자료를 얻을 수 있다. 표 7.2와 표 7.3은 각각 key 속성과 commonKey 속성에서 사용할 수 있는 키 값을 보여준다.

▶ 표 7.2 key 속성에 사용할 수 있는 값

key 값	설 명
COMM	Comments(설명)
TCOM	Composer(작곡가)
TDAT	Date(날짜)
TIME	Time(시간)
TPE1	Lead Performer(연주가)
TPE2	Band/Orchestra(밴드/오케스트라)
TPE3	Conductor(지휘자)
TALB	Album Title(앨범 제목)
TIT2	Title(제목 설명)
TLEN	Length(곡 길이)

▶ 표 7.3 commonKey 속성에 사용할 수 있는 값

commonKey 값	설 명
artist	연주가
albumName	앨범 이름
title	노래 제목
artwork	앨범 이미지

이제 for 문장을 이용하여 musicDataItems에 있는 자료를 하나하나 검색하면서 commonKey 값이 "title" 즉, 노래 제목을 찾는다. 문자열 비교는 isEqualToString 함수를 사용한다.

```
for (AVMetadataItem *metadataItem in musicDataItems)
{
    if ([metadataItem.commonKey isEqualToString:@"title"])
    {
    ...
```

검색이 되었다면 AVMetadataItem 객체의 value를 참조하고 그 앞쪽에 "title : "를 추가하여 첫 번째 라벨 객체에 제목을 출력한다.

```
        lblTitle.text = [NSString stringWithFormat:@"title : %@",
            metadataItem.value];
    }
    ...
```

동일한 방법으로 commonKey 키 값이 "albumName"인 자료를 검색하고 그 value 값에 "album :"을 추가하여 두 번째 라벨 컨트롤에 앨범 제목을 출력한다.

```
        else if ([metadataItem.commonKey isEqualToString:@"albumName"])
        {
            lblAlbum.text = [NSString stringWithFormat:@"album : %@",
                metadataItem.value];
        }
        ...
```

마지막으로 commonKey 키 값이 "artist"인 자료를 검색하고 그 value 값에 "artist :"을 추가하여 세 번째 라벨 컨트롤에 연주가를 출력한다.

```
        else if ([metadataItem.commonKey isEqualToString:@"artist"])
        {
            lblArtist.text = [NSString stringWithFormat:@"artist : %@",
                metadataItem.value];
        }
}
```

이어서, mp3를 재생하기 위한 AVAudioPlayer 객체를 생성한다. 이때 파라미터 값으로 위에서 생성한 NSURL 객체와 NSError 객체가 필요하다. AVAudioPlayer 객체의 주요 속성은 다음과 같다.

▣ 표 7.4 AVAudioPlayer 주요 속성 및 메소드

AVAudioPlayer 속성 및 메소드	설 명
volumn	플레이어의 볼륨 설정
prepareToPlay	자료를 미리 버퍼로 로드하여 재생 준비를 한다.
numberOfLoops	재생 반복 수
duration	음악의 전체 길이(초 단위 표시).
currentTime	현재 재생 중인 시간(초 단위 표시).
play	재생
stop	중지

```
NSError *error;
player = [[AVAudioPlayer alloc] initWithContentsOfURL: url error:&error];
...
```

생성된 객체 변수를 이용하여 볼륨을 지정한다. 볼륨의 크기는 1~1.0까지이므로 중간 정도인 0.5 정도를 지정한다.

```
player.volume = 0.5f;
...
```

그다음, prepareToPlay를 사용하여 위에서 읽은 mp3 자료를 버퍼에 로드하기 재생할 준비를 하고 반복할 숫자를 지정하는 setNumberOfLoop에 0을 지정하여 반복 실행되지 않도록 한다.

```
[player prepareToPlay];
[player setNumberOfLoops:0];
}
```

이제 Play 버튼을 눌렀을 때 실행되는 playMusic 메소드를 살펴보자. 먼저, isPlaying 속성을 체크하여 현재 재생 중인지를 체크한다. isPlaying은 재생 중인 경우, YES를 돌려주고 아닌 경우에는 NO를 돌려준다.

```
- (IBAction)playMusic:(id)sender {
    if(!player.isPlaying)
    {
    ...
```

현재 재생 중이 아닌 경우, NSTimer 객체를 사용하여 1초 간격을 두고 updateTime Stamp 함수를 계속 반복해서 실행한다.

```
        tsTimer = [NSTimer scheduledTimerWithTimeInterval:1.0f target:self
                selector:@selector(updateTimeStamp) userInfo:nil repeats:YES];
    ...
```

그다음, play 메소드를 호출하여 음악을 재생한다.

```
        [player play];
    }
}
```

여기서 가장 중요한 부분은 반복 함수인 updateTimeStamp이다. 이 함수에서는 먼저 AVAudioPlayer 객체 변수인 player를 체크하여 이 값이 null인 경우, NSTimer 객체의 invalidate를 호출하여 타이머를 중지하고 제거한다. 뒤에서 설명하겠시만, 재생 끝부분에서 player 값은 null이 되고 null이 되자마자 타이머가 제거된다.

```
- (void) updateTimeStamp
{
```

```
    if(player == nil)
    {
        [tsTimer invalidate];
        tsTimer = nil;
        return;
    }
    ...
```

그다음, AVAudioPlayer 객체의 currentTime과 duration 속성을 사용하여 현재 재생 중인 시간과 전체 시간을 읽어온다.

```
    int curTime = (int)[player currentTime];
    int totTime = (int)[player duration];
    ...
```

읽은 자료는 모두 초 단위이므로 각각 60으로 나누어 그 몫과 나머지 값을 계산하면 분과 초가 나오므로 현재 재생 시간과 전체 시간을 각각 출력할 수 있다. 계산된 값은 아래쪽 라벨 컨트롤에 출력한다.

```
    [lblTime setText:[NSString stringWithFormat:@"%02d:%02d / %02d:%02d",
                    curTime/60, curTime%60, totTime/60, totTime%60]];
    ...
```

만일 현재 시각이 전체 시간과 같다면 즉, 마지막까지 도달하면 player 변숫값을 null로 만들고 타이머를 종료시킨다.

```
    if (curTime == totTime)
    {
        player = nil;
    }
}
```

이번에는 Stop 버튼을 처리해보자. 역시 isPlaying 속성을 체크하여 현재 재생 중인지를 체크한다. isPlaying은 재생 중인 경우Yes를 돌려주므로, AVAudioPlayer 객체의 stop을 호출하여 재생을 멈춘다.

```
- (IBAction)stopMusic:(id)sender {
    if(player.isPlaying)
    {
        [player stop];
    }
}
```

7-2 간단한 기능의 mp3 재생 플레이어

위에서 간단한 기능의 mp3 재생 플레이어를 작성해보았으니 이 기능을 기본으로 앨범 이미지, 연주 시간에 따라 움직이는 슬라이드 바, 총 재생 시간 및 현재 재생 시간 등이 추가된 간단한 기능의 재생 플레이어를 작성해 본다.

▌그대로 따라 하기

❶ Xcode에서 File-New-Project를 선택한다. 계속해서 왼쪽에서 iOS-Application을 선택하고 오른쪽에서 Single View Application을 선택한다. 이어서 Next 버튼을 누르고 Product Name에 "SimpleAudioPlayer"이라고 지정한다. 아래쪽에 있는 Language 항목은 "Objective-C", Devices 항목은 "iPhone"으로 설정한다. 그 아래 Include Unit Tests 항목과 Include UI Tests 항목은 체크한 상태로 그대로 둔다. 이어서 Next 버튼을 누르고 Create 버튼을 눌러 프로젝트를 생성한다.

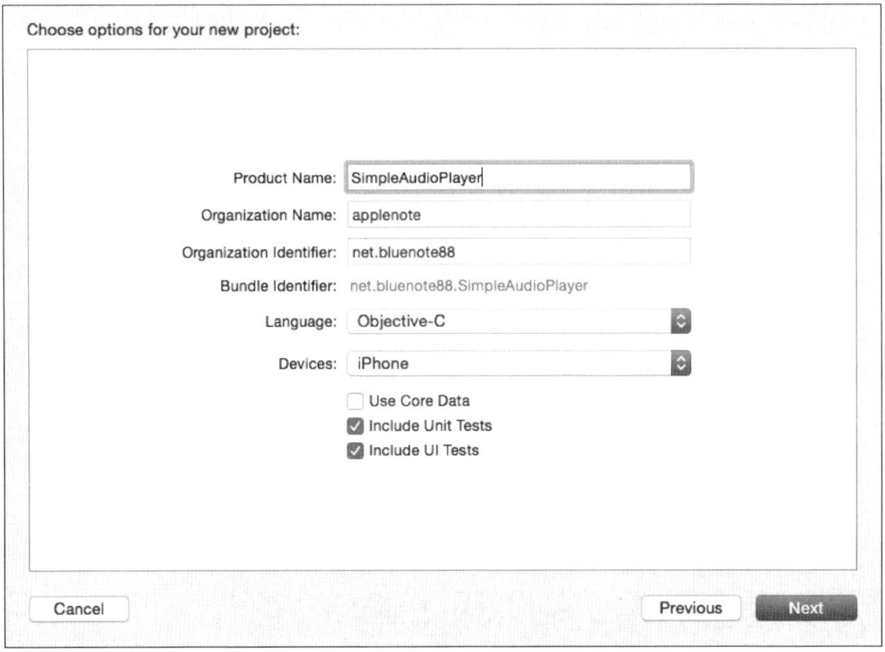

▶그림 7.18 SimpleAudioPlayer 프로젝트 생성

❷ 프로젝트 탐색기는 기본적으로 프로젝트 속성 중 General 부분을 보여주는데, 여섯 번째 탭 Build Phases 탭을 선택한다. 이때 세 번째 줄에 있는 Link Binary With Libraries(0 items) 왼쪽에 있는 삼각형을 클릭하면 삼각형 모양이 아래쪽으로 향하면서 이 프로젝트에서 사용되는 여러 가지 프레임워크가 나타나는데, 아래쪽에 있는 + 버튼을 눌러 다음 프레임워크를 선택하고 아래쪽 Add 버튼을 눌러 추가한다.

```
AVFoundation.framework
```

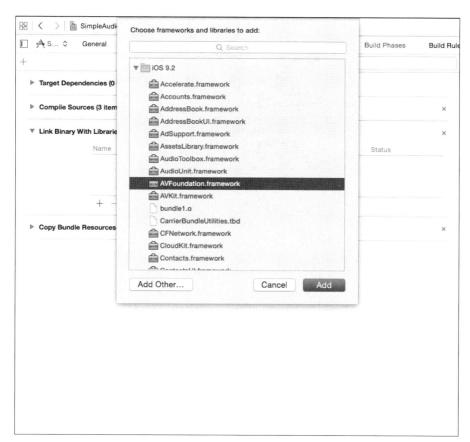

▶그림 7.19 Link Binary With Libraries 항목에서 프레임워크 추가

❸ 이번에는 이 프로젝트에서 사용할 mp3 파일을 추가해보자. 프로젝트 탐색기
위쪽에 있는 프로젝트 이름 SimpleAudioPlayer(파란색 이미지)를 선택하고 오
른쪽 마우스 버튼을 눌러 New Group을 선택한다. New Group 폴더가 만들어
지면 Resources라는 이름으로 변경한다. 이어서 원하는 mp3 파일을 드래그-
앤-드롭으로 이 Resources 폴더에 추가해준다. 반드시 커버 이미지가 있는
mp3을 선택하도록 한다.

▶그림 7.20 New Group 폴더 생성 및 mp3 파일 복사

❹ 왼쪽 프로젝트 탐색기에서 Main.storyboard 파일을 클릭하고 오른쪽 아래
Object 라이브러리에서 Image View 1개, Button 2개, Label 2개, Slider 1개
를 캔버스의 View Controller에 떨어뜨리고 다음 그림과 같이 위치시킨다.
Image View의 크기는 약 260x260 정도로 지정한다. Attributes 인스펙터를
사용하여 Button의 Title 속성을 각각 "Play", "Stop"으로 변경하고 Label의
Text 속성을 각각 "00:00", "-00:00"으로 변경한다. 여기서 주의해야 할 것은
Image View, Button, Slider 컨트롤의 너비를 동일하게 지정하도록 한다.

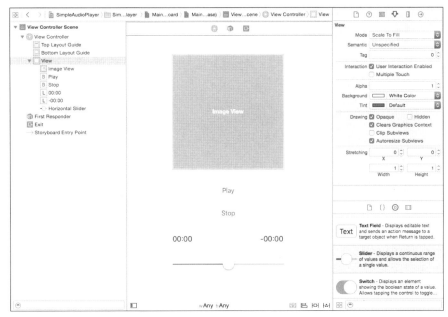

▶그림 7.21 캔버스의 뷰 컨트롤러에 여러 컨트롤 추가

❺ 이제 캔버스에서 Image View를 선택한 상
태에서 캔버스 아래 오토 레이아웃 메뉴에서
세 번째 Pin을 선택한다. "제약조건 설정"
창이 나타나면 다음 그림과 같이 동, 서, 북
위치 상자에 각각 10, 10, 20을 입력하고 각
각의 I 빔에 체크한다. 또한, 그 아래 Height
항목에도 체크한 다음, 아래쪽 "Add 4
Constraints" 버튼을 클릭한다.

▶그림 7.22 Image View 컨트롤의 제약
조건 설정

❻ 이번에는 그 아래 Play 버튼을 선택한 상
태에서 캔버스 아래 오토 레이아웃 메뉴
에서 세 번째 Pin을 선택한다. "제약조건
설정" 창이 나타나면, 다음 그림과 같이
동, 서, 북 위치 상자에 각각 10, 10, 20
을 입력하고 I 빔에 체크한다. 또한, 그
아래 Height 항목에도 체크한 다음,
"Add 4 Constraints" 버튼을 클릭한다.

▶그림 7.23 Play 버튼 컨트롤 Pin 제약조건
　설정

❼ 이번에는 그 아래 Stop 버튼을 선택한 상
태에서 캔버스 아래 오토 레이아웃 메뉴
에서 세 번째 Pin을 선택한다. "제약조건
설정" 창이 나타나면 다음 그림과 같이
동, 서, 북 위치 상자에 각각 10, 10, 20을
입력하고 I 빔에 체크한다. 또한, 그 아래
Height 항목에도 체크한 다음, "Add 4
Constraints" 버튼을 클릭한다.

▶그림 7.24 Stop 버튼 컨트롤 Pin 제약조
　건 설정

❽ 계속해서 그 아래 왼쪽 Label 컨트롤을 선택한 상태에서 캔버스 아래 오토 레이아웃 메뉴에서 세 번째 Pin을 선택한다. "제약 조건 설정" 창이 나타나면 다음 그림과 같이 서, 북 위치 상자에 각각 10, 20을 입력하고 각각의 I 빔에 체크한다. 또한, 그 아래 Width와 Height 항목에도 체크한 다음, "Add 4 Constraints" 버튼을 클릭한다.

▶그림 7.25 왼쪽 Label 컨트롤 Pin 제약조건 설정

❾ 이번에는 오른쪽 Label 컨트롤을 선택한 상태에서 캔버스 아래 오토 레이아웃 메뉴에서 세 번째 Pin을 선택한다. "제약조건 설정" 창이 나타나면, 다음 그림과 같이 동, 북 위치 상자에 각각 10, 20을 입력하고 각각의 I 빔에 체크한다. 또한, 그 아래 Width와 Height 항목에도 체크한 다음 "Add 4 Constraints" 버튼을 클릭한다.

▶그림 7.26 오른쪽 Label 컨트롤 Pin 제약 조건 설정

⑩ 다시 그 아래 Slider 컨트롤을 선택한 상태에서 캔버스 아래 오토 레이아웃 메뉴에서 세 번째 Pin을 선택한다. "제약조건 설정" 창이 나타나면, 다음 그림과 같이 동, 서, 북 위치 상자에 각각 10, 10, 20을 입력하고 각각의 I 빔에 체크한다. 또한, 그 아래 Height 항목에도 체크한 다음, "Add 4 Constraints" 버튼을 클릭한다.

▶그림 7.27 Slider 컨트롤 Pin 제약조건 설정

⑪ 이제 캔버스 아래 오토 레이아웃 메뉴의 네 번째 Resolve Auto Layout Issues를 선택하고 "All Views"의 "Update Frames"를 선택한다.

▶그림 7.28 Update Frames 항목 선택

⑫ 프로젝트 탐색기 오른쪽 위에 있는 도움 에디터Assistant Editor를 선택하여 불러낸다. 도움 에디터의 파일이 ViewController.h 파일임을 확인하고 ViewController 가장 위쪽에 있는 Image View 컨트롤을 선택한다. 만일 ViewController.h 파일이 아닌 경우, 도움 에디터 오른쪽 위에 있는 화살표 버튼을 눌러 변경한다. 이어서 Ctrl 키와 함께 그대로 도움 에디터의 @interface 아래쪽으로 드래그-앤-드롭 처리한다. 이때 도움 에디터 연결 패널이 나타나면, Name 항목에 imageView 라고 입력하고 Connect 버튼을 눌러 객체 변수를 생성한다.

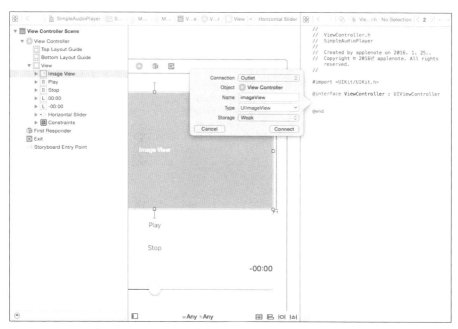

▶ 그림 7.29 Image View 연결 패널의 Name 항목에 imageView 입력

⑬ 계속해서 그 아래쪽에 있는 왼쪽 Label 컨트롤을 선택한다. 이어서 Ctrl 키와 함께 그대로 도움 에디터의 @interface 아래쪽으로 드래그-앤-드롭 처리한다. 이때 도움 에디터 연결 패널이 나타나면, Name 항목에 currentTime이라고 입력하고 Connect 버튼을 눌러 객체 변수를 생성한다.

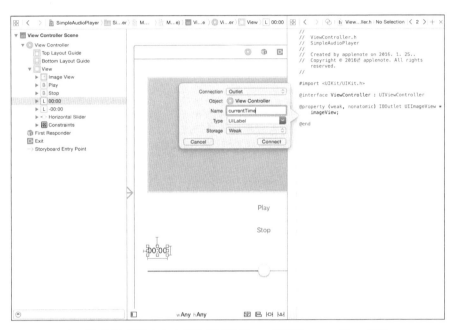

▶그림 7.30 왼쪽 Label 연결 패널의 Name 항목에 currentTime 입력

⑭ 이번에는 그 오른쪽 Label 컨트롤을 선택한다. 이어서 Ctrl 키와 함께 그대로 도움 에디터의 @interface 아래쪽으로 드래그-앤-드롭 처리한다. 이때 도움 에디터 연결 패널이 나타나면, Name 항목에 totalTime이라고 입력하고 Connect 버튼을 눌러 객체 변수를 생성한다.

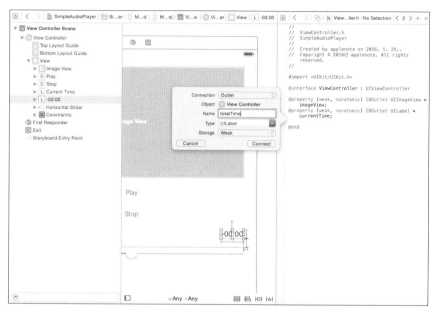

▶그림 7.31 오른쪽 Label 연결 패널의 Name 항목에 totalTime 입력

⑮ 다시 아래쪽 Slider 컨트롤을 선택한다. 이어서 Ctrl 키와 함께 그대로 도움 에디터의 @interface 아래쪽으로 드래그-앤-드롭 처리한다. 이때 도움 에디터 연결 패널이 나타나면, Name 항목에 timerSlider라고 입력하고 Connect 버튼을 눌러 객체 변수를 생성한다.

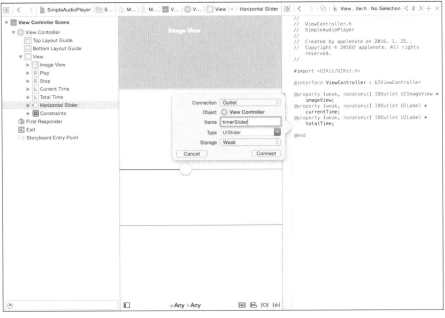

▶그림 7.32 Slider 연결 패널의 Name 항목에 timerSlider 입력

⓰ 계속해서 Slider 컨트롤을 선택한 상태에서 오른쪽 마우스 버튼을 누르고 이벤
트 연결 패널을 불러낸다. 연결 패널의 Sent Events 안에 있는 Touch Drag
Inside 항목을 선택하고 그대로 도움 에디터의 @interface 아래쪽으로 드래그–앤
–드롭 처리한다. 도움 에디터 연결 패널이 나타나면, Name 항목에 sliderDrag라
고 입력하고 Connect 버튼을 누른다.

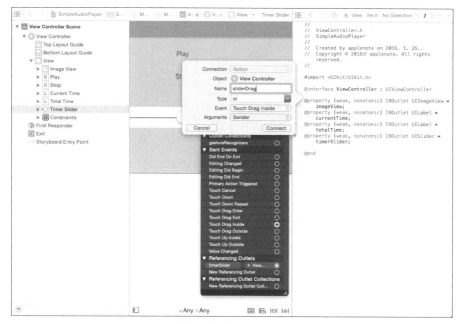

▶그림 7.33 Slider 연결 패널의 Touch Drag Inside 이벤트 생성

⓱ 계속해서 Slider 컨트롤을 선택한 상태에서 오른쪽 마우스 버튼을 누르고 이벤
트 연결 패널을 불러낸다. 연결 패널의 Sent Events 안에 있는 Touch Down
항목을 선택하고 그대로 도움 에디터의 @interface 아래쪽으로 드래그-앤-드
롭 처리한다. 도움 에디터 연결 패널이 나타나면, Name 항목에 sliderDown이
라고 입력하고 Connect 버튼을 누른다.

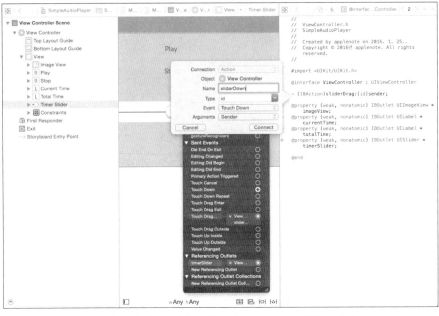

▶그림 7.34 Slider 연결 패널의 Touch Down 이벤트 생성

⑱ 계속해서 Slider 컨트롤을 선택한 상태에서 오른쪽 마우스 버튼을 누르고 이벤트 연결 패널을 불러낸다. 연결 패널의 Sent Events 안에 있는 Touch Up Inside 항목을 선택하고 그대로 도움 에디터의 @interface 아래쪽으로 드래그-앤-드롭 처리한다. 도움 에디터 연결 패널이 나타나면, Name 항목에 sliderUpInside라고 입력하고 Connect 버튼을 누른다.

▶그림 7.35 Slider 연결 패널의 Touch Up Inside 이벤트 생성

❿ 계속해서 Slider 컨트롤을 선택한 상태에서 오른쪽 마우스 버튼을 누르고 이벤
트 연결 패널을 불러낸다. 연결 패널의 Sent Events 안에 있는 Touch Up
Outside 항목을 선택하고 그대로 도움 에디터의 @interface 아래쪽으로 드래그-
앤-드롭 처리한다. 도움 에디터 연결 패널이 나타나면, Name 항목에 sliderUp
Outside라고 입력하고 Connect 버튼을 누른다.

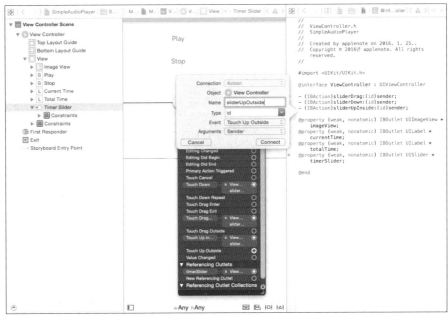

▶그림 7.36 Slider 연결 패널의 Touch Up Outside 이벤트 생성

⑳ 이제 그 위에 있는 Play 버튼을 선택한 상태에서 오른쪽 마우스 버튼을 누르고
이벤트 연결 패널을 불러낸다. 연결 패널의 Sent Events 안에 있는 Touch Up
Inside 항목을 선택하고 그대로 도움 에디터의 @interface 아래쪽으로 드래그-
앤-드롭 처리한다. 도움 에디터 연결 패널이 나타나면, Name 항목에 playMusic
이라고 입력하고 Connect 버튼을 누른다.

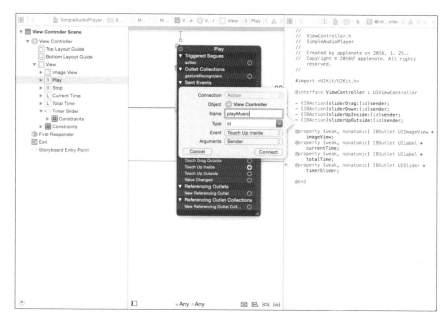

▶그림 7.37 Play Button 연결 패널의 Touch Up Inside 이벤트 생성

㉑ 이어서 그 아래 있는 Stop 버튼을 선택한 상태에서 오른쪽 마우스 버튼을 누르고
이벤트 연결 패널을 불러낸다. 연결 패널의 Sent Events 안에 있는 Touch Up
Inside 항목을 선택하고 그대로 도움 에디터의 @interface 아래쪽으로 드래그-
앤-드롭 처리한다. 도움 에디터 연결 패널이 나타나면, Name 항목에 stopMusic
이라고 입력하고 Connect 버튼을 누른다.

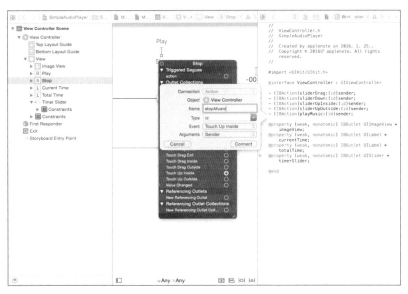

▶그림 7.38 Stop Button 연결 패널의 Touch Up Inside 이벤트 생성

㉒ 이제 Xcode 오른쪽 위에 있는 표준 에디터 아이콘을 눌러 표준 에디터로 변경
한다. 왼쪽 프로젝트 탐색기에서 ViewController.m 파일을 선택하고 다음을
입력한다.

```
#import <AVFoundation/AVFoundation.h>
#import "ViewController.h"

@interface ViewController ()
{
    AVAudioPlayer *player;
    NSTimer *tsTimer;
    bool bDragging;
}
@end

@implementation ViewController
@synthesize imageView, currentTime, totalTime, timerSlider;

- (void)viewDidLoad {
```

```
    [super viewDidLoad];
    // Do any additional setup after loading the view, typically from a nib.
    bDragging = false;
    [timerSlider setValue:0];

    currentTime.text = @"00:00";
    totalTime.text = @"-00:00";

    NSString *urlString = [[NSBundle mainBundle] pathForResource:@"From Embrace
To Embrace" ofType:@"mp3"];
    NSURL *url = [NSURL fileURLWithPath:urlString];

    AVURLAsset *asset = [AVURLAsset URLAssetWithURL:url options:nil];

    NSArray *musicDataItems = [asset metadataForFormat:@"org.id3"];

    for (AVMetadataItem *metadataItem in musicDataItems)
    {
        if ([metadataItem.commonKey isEqualToString:@"artwork"])
        {
            UIImage* image = [UIImage imageWithData: metadataItem.dataValue];
            imageView.image = image;
        }
    }

    NSError *error;
    player = [[AVAudioPlayer alloc] initWithContentsOfURL: url error:&error];
    player.volume = 0.4f;

    // To minimize lag time before start of output, preload buffers
    [player prepareToPlay];
    [timerSlider setMaximumValue:[player duration]];

    // Play the sound once (set negative to loop)
    [player setNumberOfLoops:0];

}

- (void)didReceiveMemoryWarning {
    [super didReceiveMemoryWarning];
```

```objc
    // Dispose of any resources that can be recreated.
}

- (IBAction)sliderDrag:(id)sender {
    int cur = (int)timerSlider.value;
    int ext = (int)timerSlider.maximumValue-cur;

    if(player != nil)
    {
        [currentTime setText:[NSString stringWithFormat:
                @"%02d:%02d", cur/60, cur%60]];
        [totalTime setText:[NSString stringWithFormat:
                @"-%02d:%02d", ext/60, ext%60]];
    }
}

- (IBAction)sliderDown:(id)sender {
    bDragging = YES;
}

- (IBAction)sliderUpInside:(id)sender {
    bDragging = NO;
    [player setCurrentTime:timerSlider.value];
}

- (IBAction)sliderUpOutside:(id)sender {
    bDragging = NO;
    [player setCurrentTime:timerSlider.value];
}

- (IBAction)playMusic:(id)sender {
    if(!player.isPlaying)
    {
        tsTimer = [NSTimer scheduledTimerWithTimeInterval:1.0f target:self
                selector:@selector(updateTimeStamp) userInfo:nil
repeats:YES];
        [player play];
    }
}

- (void) updateTimeStamp
```

```
{
    if(player == nil)
    {
        [tsTimer invalidate];
        tsTimer = nil;
        return;
    }

    if(bDragging) return;

    int cur = (int)[player currentTime];
    int ext = (int)[player duration]-cur;
    int tot = (int)[player duration];

    [timerSlider setValue:[player currentTime]];
    [currentTime setText:[NSString stringWithFormat:
                @"%02d:%02d", cur/60, cur%60]];
    [totalTime setText:[NSString stringWithFormat:
                @"-%02d:%02d", ext/60, ext%60]];
    if (cur == tot)
    {
        player = nil;
    }
}

- (IBAction)stopMusic:(id)sender {
    if(player.isPlaying)
    {
        [player stop];
    }
}

@end
```

㉓ 이제 Xcode 왼쪽에 있는 Run 혹은 Command-R 버튼을 눌러 실행한다.
Play 버튼 혹은 Stop 버튼을 눌러 음악이 재생되고, 재생되는 음악이 중지되
는지 확인해본다. 또한, 아래쪽 슬라이드를 움직여 원하는 시간으로 이동되는
지 확인한다.

▶그림 7.39 SimpleAudioPlayer 프로젝트 실행

▌원리 설명

이번 절에서 AV Foundation 프레임워크의 AVAudioPlayer 클래스를 사용하여 이전 절에서 작성한 플레이어에 여러 가지 기능을 더 추가해 본다. 여기서 추가할 것은 커버 이미지, 음악 파일이 실행되는 시간뿐만 아니라 끝나기까지 남은 시간, 현재 음악이 진행되는 과정을 보여주는 슬라이더 등이다.

먼저, AVAudioPlayer 관련 클래스를 사용하기 위해 다음과 같이 AVFoundation 라이브러리를 import 한다.

```
#import <AVFoundation/AVFoundation.h>
...
```

자료를 초기화하는 viewDidLoad 이벤트 함수에서 먼저 음악 재생 시간을 한 번에 이동할 수 있는 드래깅 처리를 위한 변수, bDragging과 슬라이더를 생성하고 각각 초기화한다.

```
- (void)viewDidLoad {
    [super viewDidLoad];
    // Do any additional setup after loading the view, typically from a nib.

    bDragging = false;
    [timerSlider setValue:0];
    ...
```

그다음, 음악 재생 시간을 초기화한다. currentTime은 현재 시각을 의미하고 totalTime은 남은 시간을 표시한다.

```
    currentTime.text = @"00:00";
    totalTime.text = @"-00:00";
    ...
```

그다음, NSBundle 객체를 사용하여 프로젝트에 있는 mp3 파일을 읽어 들어는 일을 처리한다. 다음과 같이 NSBundle 클래스의 pathForResource를 사용하여 번들에 지정된 mp3 파일을 참조할 수 있다. pathForResource 다음에 mp3 파일 이름 "From Embrace To Embrace"을 지정하고 ofType 다음에 mp3 확장자 이름 "mp3"을 지정한다.

```
    NSString *urlString = [[NSBundle mainBundle] pathForResource:@"From
Embrace To Embrace" ofType:@"mp3"];
    ...
```

이어서, mp3 파일과 같은 리소스에 대한 정보를 참조하기 위해서는 NSURL 객체로 변경이 필요하다. NSURL 객체는 리모트 서버 혹은 로컬 서버에 있는 리소스 파일에 대한 정보를 가지고 있는데, 이 뒤에서 사용될 AV 파일 애셋asset을 다루기 위해서 반드시 필요한 객체이다. NSURL 객체를 생성하고 이 객체의 fileURLWithPath 파라미터에 위에서 생성한 NSBundle 객체에 대한 정보를 넘겨준다.

```
NSURL *url = [NSURL fileURLWithPath:urlString];
...
```

이제 AV 파일에 대한 여러 가지 정보를 가지고 있는 AVURLAsset 객체를 생성한다. mp3 파일 자원에 대한 정보를 세부적으로 제어하기 위해 AVURLAsset 객체의 URLAssetWithURL 파라미터에 위에서 얻은 NSURL 객체 변수를 지정해준다. 이 생성된 AVURLAsset 객체를 이용하여 AVMetadataItem 객체를 통해 mp3 파일의 정보를 가지고 있는 ID3 메타 파일의 정보를 알아낼 수 있다.

```
AVURLAsset *asset = [AVURLAsset URLAssetWithURL:url options:nil];
...
```

이제 AVURLAsset 객체의 metadataForFormat 메소드를 호출하여 mp3 파일의 ID3 메타 파일 정보를 읽어보자. metadataForFormat 메소드에 "org.id3" 값을 지정하면 위에서 지정한 mp3 파일에 대한 메터 데이터을 모두 읽어 NSArray 배열 타입의 musicDataItems에 지정한다.

```
NSArray *musicDataItems = [asset metadataForFormat:@"org.id3"];
...
```

이제 for 문장을 이용하여 musicDataItems에 있는 자료를 하나하나 검색하면서 commonKey 값이 "artwork" 즉, 노래 커버 이미지를 찾는다. 문자열 비교는 isEqualToString 함수를 사용한다.

```
for (AVMetadataItem *metadataItem in musicDataItems)
{
    if ([metadataItem.commonKey isEqualToString:@"artwork"])
    {
    ...
```

만일 검색이 되었다면 AVMetadataItem 객체의 dataValue 속성으로 해당하는
값을 얻을 수 있다. 이 metadataItem.dataValue는 커버 이미지에 대한 NSData 타입
이므로 UIImage 객체의 imageWidthData 파라미터에 지정하여 이미지를 얻을 수 있
다. 얻은 이미지는 ViewController에 추가하여 이미지 커버를 표시하는 imageView의
image 속성에 지정하면 이미지가 나타난다.

```
        UIImage* image = [UIImage imageWithData: metadataItem.dataValue];
        imageView.image = image;
    }
}
```

계속해서, mp3를 재생하기 위한 AVAudioPlayer 객체를 생성한다. 이때 파라미터
값으로 위에서 생성한 NSURL 객체와 NSError 객체가 필요하다. AVAudioPlayer 객
체의 주요 속성은 다음과 같다.

```
NSError *error;
player = [[AVAudioPlayer alloc] initWithContentsOfURL: url error:&error];
...
```

생성된 객체 변수를 이용하여 볼륨을 지정한다. 볼륨의 크기는 1 ~ 1.0까지이므로
중간 정도인 0.4 정도를 지정한다.

```
player.volume = 0.4f;
...
```

그다음, prepareToPlay와 setMaximumValue를 사용하여 위에서 읽은 mp3 자료를 버퍼에 로드하기 재생할 준비를 하고 슬라이더에 현재 mp3의 재생 시간을 최댓값으로 지정한다. mp3 파일의 재생 시간은 AVAudioPlayer 객체의 duration 속성으로 알아낼 수 있다.

```
[player prepareToPlay];
[timerSlider setMaximumValue:[player duration]];
...
```

또한, 반복할 숫자를 지정하는 setNumberOfLoop에 0을 지정하여 반복 실행되지 않도록 한다.

```
[player setNumberOfLoops:0];
}
```

이제 Play 버튼을 눌렀을 때 실행되는 playMusic 메소드를 살펴보자. 먼저, isPlaying 속성을 체크하여 현재 재생 중인지를 체크한다. isPlaying은 재생 중인 경우, YES를 돌려주고 아닌 경우에는 NO를 돌려준다.

```
- (IBAction)playMusic:(id)sender {
    if(!player.isPlaying)
    {
    ...
```

현재 재생 중이 아닌 경우, NSTimer 객체를 사용하여 1초 간격을 두고 updateTimeStamp 함수를 계속 반복해서 실행한다.

```
    tsTimer = [NSTimer scheduledTimerWithTimeInterval:1.0f target:self selector:@selector(updateTimeStamp) userInfo:nil repeats:YES];
    ...
```

그다음, play 메소드를 호출하여 음악을 재생한다.

```
    [player play];
    }
}
```

그다음, 가장 중요한 부분 중 하나인 반복 함수 updateTimeStamp를 구현해보자. 이 함수에서는 먼저 AVAudioPlayer 객체 변수인 player를 체크하여 이 값이 null인 경우, NSTimer 객체의 invalidate를 호출하여 타이머를 중지하고 제거한다.

```
- (void) updateTimeStamp
{
    if(player == nil)
    {
        [tsTimer invalidate];
        tsTimer = nil;
        return;
    }
    ...
```

음악이 재생되는 중에 음악의 현재 위치를 보여주는 슬라이더의 위치를 이동시킬 수 있는데, 슬라이더 이동 중인 경우, bDragging 변수는 YES로 변경하고 타이머 처리가 되지 않도록 지정한다.

```
    if(bDragging) return;
    ...
```

그다음, AVAudioPlayer 객체의 currentTime과 duration 속성을 사용하여 현재 재생 중인 시간, 남아있는 시간, 전체 시간을 계산한다. 남아있는 시간은 전체 시간에서 현재 시각을 빼서 계산하면 된다.

```
int cur = (int)[player currentTime];
int ext = (int)[player duration]-cur;
int tot = (int)[player duration];
...
```

슬라이더에 현재 시각을 지정하여 전체 시간에서 얼마나 이동했는지를 표시할 수 있다. 전체시간 지정은 viewDidLoad에서 이미 처리하였다.

```
[timerSlider setValue:[player currentTime]];
...
```

현재 시각 cur과 남은 시간 ext 변수 모두 초 단위이므로 각각 60으로 나누어 그 몫과 나머지 값을 계산하면 분과 초가 나오므로 현재 재생 시간과 남아 있는 시간을 각각 출력할 수 있다. 계산된 값은 왼쪽과 오른쪽 라벨 컨트롤에 각각 출력한다.

```
[currentTime setText:[NSString stringWithFormat:
                     @"%02d:%02d", cur/60, cur%60]];
[totalTime setText:[NSString stringWithFormat:
                     @"-%02d:%02d", ext/60, ext%60]];
```

만일 현재 시각이 전체 시간과 같다면 즉, 마지막 부분까지 도달하면 player 변숫값을 null로 만들고 타이머를 종료시킨다.

```
    if (cur == tot)
    {
        player = nil;
    }
}
```

이번에는 Stop 버튼을 처리해보자. 역시 isPlaying 속성을 체크하여 현재 재생 중인지를 체크한다. isPlaying은 재생 중인 경우, Yes를 돌려주므로 AVAudioPlayer

객체의 stop을 호출하여 재생을 멈춘다.

```
- (IBAction)stopMusic:(id)sender {
    if(player.isPlaying)
    {
        [player stop];
    }
}
```

이제 슬라이더를 처리해보자. 슬라이더는 mp3 파일이 재생되는 부분이 어디에 왔는지를 보여줄 뿐 아니라 마우스를 이용하여 슬라이더 탭을 움직여 원하는 부분으로 한 번에 이동시킬 수도 있다. 이러한 기능을 위해 다음 표와 같은 여러 가지 이벤트를 지원한다.

▶ 표 7.5 UISlider 객체 주요 이벤트

UISlider 객체 주요 이벤트	기 능
sliderDown	마우스로 슬라이더 탭을 클릭할 때 실행
sliderDrag	슬라이더 탭을 누른 상태에서 드래그할 때 실행
sliderUpInside	슬라이더 탭을 풀어줄 때 실행(안쪽)
sliderUpOutside	슬라이더 탭을 풀어줄 때 실행(바깥쪽)

먼저 드래그 처리를 위해 마우스로 슬라이더 탭을 클릭했을 때 실행되는 sliderDown 함수를 살펴보자. 이 함수에서는 bDragging 변수에 YES를 지정하여 타이머에 의해 실행되는 updateTimeStamp 함수가 실행되지 않도록 하여 현재 시각과 남은 시간을 표시되지 않도록 한다.

```
- (IBAction)sliderDown:(id)sender {
    bDragging = YES;
}
```

그다음, 슬라이더 탭을 누른 상태에서 드래그했을 때 자동으로 실행되는 sliderDrag 이벤트 함수를 살펴보자. 이 함수에서는 먼저 현재 드래그 되어 움직인 현재 시각과 남아있는 시간을 슬라이더의 value 값과 최댓값에서 현재 값을 빼서 알아낸다.

```
- (IBAction)sliderDrag:(id)sender {
    int cur = (int)timerSlider.value;
    int ext = (int)timerSlider.maximumValue-cur;
    ...
```

이어서 재생되고 있는지를 체크하고 재생 중인 경우, 위 드래그 된 상태를 읽은 자료를 바탕으로 현재 시각과 남은 시간을 출력한다.

```
    if(player != nil)
    {
        [currentTime setText:[NSString stringWithFormat:
                @"%02d:%02d", cur/60, cur%60]];
        [totalTime setText:[NSString stringWithFormat:
                @"-%02d:%02d", ext/60, ext%60]];
    }
}
```

아이폰 프로그래밍 앱 제작 단계 따라 하기

이때 슬라이더 탭으로부터 마우스를 풀어주면 그 위치에 따라 sliderUpInside 혹은 sliderUpOutside 함수가 실행된다(슬라이더 안쪽이면 sliderUpInside, 바깥쪽인 경우에는 sliderUpOutside가 실행된다). 그러므로 두 함수 모두 동일한 코드를 갖는다.

먼저 bDragging에 NO를 지정하여 updateTimeStamp 함수가 실행되도록 설정한다. 또한, 현재 슬라이더의 위치를 읽은 뒤, AVAudioPlayer 클래스의 setCurrentTime을 사용하여 슬라이드 위치에 해당하는 동일한 시간으로 지정한다. 이렇게 처리함으로써 슬라이더의 위치가 갑자기 변경되더라도 음악 재생 위치도 그것에 해당하는 동일한 위치로 이동된다.

```
- (IBAction)sliderUpInside:(id)sender {
    bDragging = NO;
    [player setCurrentTime:timerSlider.value];
}

- (IBAction)sliderUpOutside:(id)sender {
    bDragging = NO;
    [player setCurrentTime:timerSlider.value];
}
```

7-3 음악 리스트를 제공하는 mp3 재생 플레이어

이제 두 번째 플레이어에 기능이 더 추가된 세 번째 mp3 재생 플레이어를 만들어보자. 이번 플레이어에는 음악 리스트를 제공하여 재생 가능한 음악 전체 리스트를 제공하고 또한, 이전 버튼previous button과 다음 버튼next button을 추가하여 원하는 음악을 재생하다가 언제든지 그 이전 혹은 그 이후로 이동할 수 있도록 하는 기능을 추가해 볼 것이다.

▌그대로 따라 하기

❶ Xcode에서 File-New-Project를 선택한다. 계속해서 왼쪽에서 iOS-Application을 선택하고 오른쪽에서 Single View Application을 선택한다. 이어서 Next 버튼을 누르고 Product Name에 "ListAudioPlayer"라고 지정한다. 아래쪽에 있는 Language 항목은 "Objective-C", Devices 항목은 "iPhone"으로 설정한다. 그 아래 Include Unit Tests 항목과 Include UI Tests 항목은 체크한 상태로 그대로 둔다. 이어서 Next 버튼을 누르고 Create 버튼을 눌러 프로젝트를 생성한다.

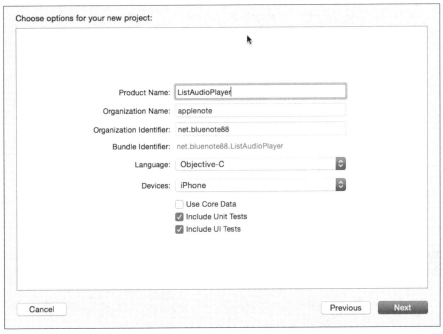

Choose options for your new project:

Product Name: ListAudioPlayer

Organization Name: applenote

Organization Identifier: net.bluenote88

Bundle Identifier: net.bluenote88.ListAudioPlayer

Language: Objective-C

Devices: iPhone

☐ Use Core Data
☑ Include Unit Tests
☑ Include UI Tests

Cancel   Previous   Next

▶그림 7.40 ListAudioPlayer 프로젝트 생성

❷ 프로젝트 탐색기는 기본적으로 프로젝트 속성 중 General 부분을 보여주는데 여섯 번째 탭 Build Phases 탭을 선택한다. 이때 세 번째 줄에 있는 Link Binary With Libraries(0 items) 왼쪽에 있는 삼각형을 클릭하면 삼각형 모양이 아래쪽으로 향하면서 이 프로젝트에서 사용되는 여러 가지 프레임워크가 나타나는데, 아래쪽에 있는 + 버튼을 눌러 다음 프레임워크를 선택하고 아래쪽 Add 버튼을 눌러 추가한다.

```
AVFoundation.framework
```

▶그림 7.41 Link Binary With Libraries 항목에서 프레임워크 추가

❸ 이번에는 이 프로젝트에서 사용할 mp3 파일을 추가해보자. 프로젝트 탐색기 위쪽에 있는 프로젝트 이름 SimpleAudioPlayer(파란색 이미지)를 선택하고 오른쪽 마우스 버튼을 눌러 New Group을 선택한다. New Group 폴더가 만들어지면, Resources라는 이름으로 변경한다. 이어서 원하는 mp3 파일을 드래그-앤-드롭으로 이 Resources 폴더에 추가해준다. 반드시 커버 이미지가 있는 mp3을 선택하도록 한다.

▶그림 7.42 New Group 폴더 생성 및 mp3 파일 복사

❹ 프로젝트 탐색기의 Main.storyboard를 선택한 상태에서 스토리보드 캔버스에서
ViewController를 선택한다. 그다음, Xcode의 Editor 메뉴-Embed In-Navigation
Controller를 선택하여 내비게이션 컨트롤러를 추가한다. 이때 추가된 내비게
이션 컨트롤러는 자동으로 현재 위치하는 뷰 컨트롤러와 연결된다.

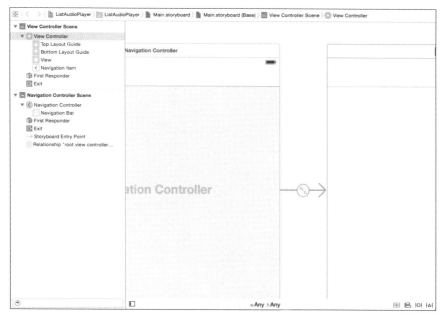

▶그림 7.43 내비게이션 컨트롤러 추가

❺ 계속해서 프로젝트 탐색기에서 Main.storyboard 파일이 선택된 상태에서 오른쪽
아래에 있는 Object 라이브러리로부터 Table View를 선택하고 View Controller
에 떨어뜨린다.

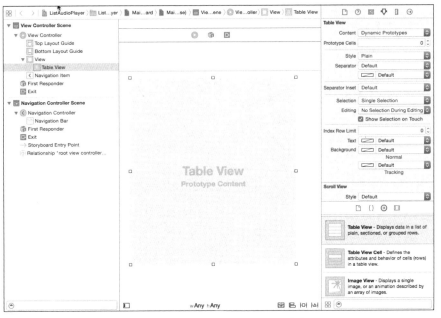

▶그림 7.44 Table View 컨트롤 추가

❻ 이제 도큐먼트 아웃라인 창에서 Table View를 선택한 상태에서 캔버스 아래 오토 레이아웃 메뉴에서 3번째 Pin 메뉴를 선택한다. 이때 "제약조건 설정" 창이 나타나면, 먼저 중앙에 있는 Constrain to margin 체크 상자의 체크를 삭제하고 그 위에 있는 동, 서, 남, 북의 모든 위치 상자에 0을 입력하고 각각의 I 빔에 체크한다. 설정이 끝나면 Add 4 Constraints 버튼을 클릭한다.

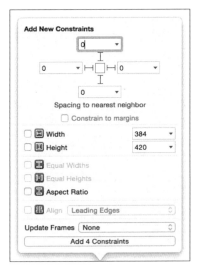

▶그림 7.45 Pin 제약조건 설정

❼ 이제 캔버스 아래 오토 레이아웃 메뉴의 네 번째 Resolve Auto Layout Issues를 선택하고 "All Views"의 "Update Frames"를 선택한다.

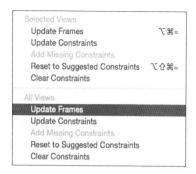

▶그림 7.46 Update Frames 항목 선택

❽ 이제 오른쪽 아래 Object 라이브러리에서 View Controller 하나를 스토리보드 캔버스에 떨어뜨리고 이 새로운 컨트롤러를 기존의 View Controller 오른쪽에 위치시킨다.

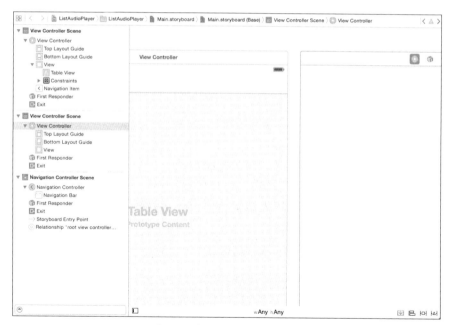

▶그림 7.47 새로운 View Controller 추가

❾ 이어서 프로젝트 탐색기의 ListAudioPlayer(노란색 아이콘) 프로젝트에서 오른쪽 마우스 버튼을 누르고 New File 항목을 선택한다. 이때 템플릿 선택 대화상자가 나타나면, 왼쪽에서 iOS-Source를 선택하고 오른쪽에서 Cocoa Touch Class를 선택한 뒤, Next 버튼을 누른다. 이때 새 파일 이름을 입력하라는 대화상자가 나타나면, 다음 그림과 같이 MusicViewController를 입력한다. 이때 그 아래쪽 "Subclass of" 항목에 UIViewController를 지정하도록 하고 "Also create XIB file" 체크 상자에는 체크하지 않도록 한다. 그 아래 Language 항목은 Objective-C를 선택한다. 이상이 없으면 Next 버튼을 누르고 Create 버튼을 눌러 파일을 생성한다.

▶그림 7.48 새로운 클래스 MusicViewController 생성

❿ 프로젝트 관리자에서 Main.storyboard를 선택하고 스토리보드 캔버스에서 새로 생성한 View Controller를 선택한다. 그리고 오른쪽 위 Identity 인스펙터를 선택하고 그 Class 이름을 MusicViewController로 변경한다.

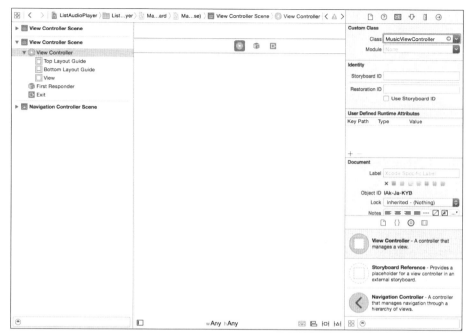

▶그림 7.49 뷰 컨트롤러의 Class 이름을 MusicViewController로 변경

⓫ 다시 캔버스의 첫 번째 ViewController에 있는 Table View를 선택하고 오른쪽
위 Attributes 인스펙터를 선택한다. TableView 항목의 Prototype Cells 오른
쪽에 있는 위쪽 화살표 버튼을 눌러 1을 지정한다. 이때 TableView의 Prototype
Cells 번호가 하나 추가된다.

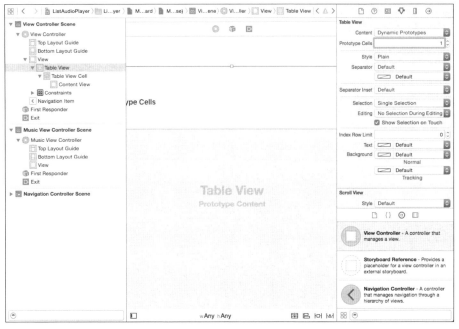

▶그림 7.50 TableView의 Prototype Cells 추가

⓬ 이제 첫 번째 ViewController와 MusicViewController를 연결해보자. 먼저 Ctrl 키와 함께 도큐먼트 아웃라인 창의 Table View Cell을 선택하고 그대로 이어서 그 옆에 있는 MusicViewController에 떨어뜨려 연결한다. 이때 세구에 연결 선택 상자가 나타나면, Selection Segue의 Show를 선택한다.

▶그림 7.51 Selection Segue의 Show 항목 선택

⓭ 계속해서 도큐먼트 아웃라인 창의 Table View Cell
을 선택한 상태에서 오른쪽 위 Attributes 인스펙터
를 선택하고 Table View Cell 항목의 Identifier에
"MyCell"을 입력한다.

▶그림 7.52 Table View Cell 항
목의 Identifier에 "MyCell" 입력

⑭ 도큐먼트 아웃라인 창에서 TableView를 선택한 상
태에서 오른쪽 위 Size 인스펙터를 선택한다. View
항목의 Y 값과 Height 값을 각각 0, 600으로 지정
한다.

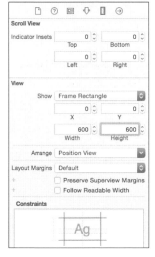

▶그림 7.53 TableView에서 View
항목의 Y, Height 값 변경

⑮ 이제 캔버스 아래 오토 레이아웃 메뉴의 네 번째 Resolve Auto Layout Issues
를 선택하고 "All Views"의 "Reset to Suggested Constraints"를 선택한다.

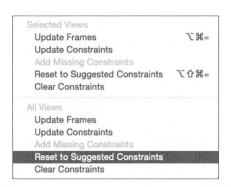

▶그림 7.54 Reset to Suggested Constraints 항목 선택

⑯ 이제 캔버스의 오른쪽 아래 Object 라이브러리에서 Vertical Stack View 하나
를 선택하여 MusicViewController 위에 떨어뜨린다.

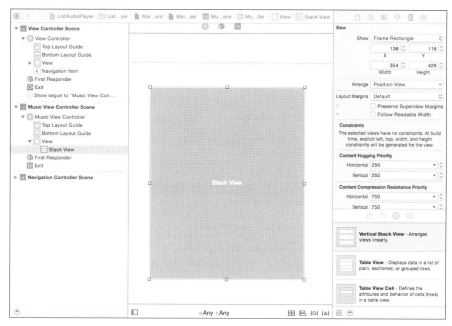

▶그림 7.55 캔버스의 MusicViewController에 Vertical Stack View 컨트롤 추가

⑰ 이제 캔버스에서 Vertical Stack View를
선택한 상태에서 캔버스 아래 오토 레이아
웃 메뉴에서 세 번째 Pin을 선택한다. "제약
조건 설정" 창이 나타나면, 먼저 Constrain
to margins 체크 상자의 체크를 삭제한다.
이어서 다음 그림과 같이 동, 서, 남, 북 위치 상
자에 각각 20, 20, 20, 20을 입력하고 각각의
I 밤에 체크한 뒤 아래쪽 "Add 4 Constraints"
버튼을 클릭한다.

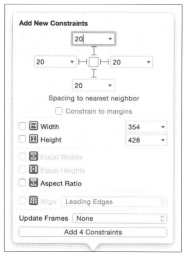

▶그림 7.56 Vertical Stack View 컨트
롤의 제약조건 설정

⑱ 이제 캔버스 아래 오토 레이아웃 메뉴의 네 번째 Resolve Auto Layout Issues 를 선택하고 "All Views"의 "Update Frames"를 선택한다.

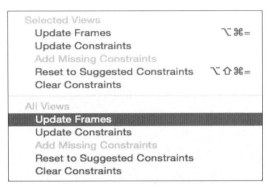

▶그림 7.57 Update Frames 항목 선택

⑲ 이번에는 캔버스의 오른쪽 아래 Object 라이브러리에서 Image View 컨트롤 하나를 선택해서 Vertical Stack View 위에 떨어뜨린다. 이어서 Image View 컨트롤 아래쪽에 Horizontal Stack View 하나를 떨어뜨린다. 사실 이것은 캔버스 상에서 처리하기 어려우므로 도큐먼트 아웃라인 창을 사용하는 것이 좋다. 즉, Object 라이브러리에서 Horizontal Stack View 컨트롤을 선택하고 다음 그림과 같이 도큐먼트 아웃라인 창의 Image View 바로 아래쪽에 떨어뜨리는데, 주의해야 할 점은 떨어뜨릴 때 조그마한 파란색 원 끝이 Image View 시작점과 동일해야만 한다. 만일 그 끝이 맞지 않으면 위, 아래 방향으로 움직여 조정해 본다.

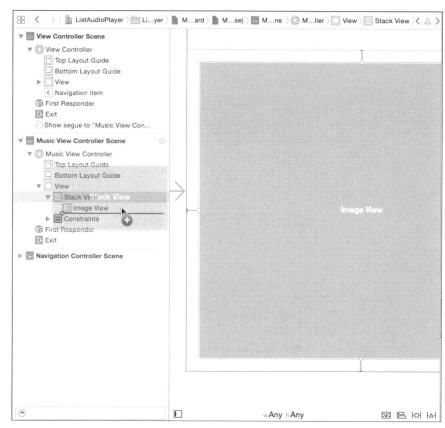

▶그림 7.58 Image View와 Horizontal Stack View 컨트롤 추가

⑳ 동일한 방법으로 계속해서 Object 라이브러리에서 Horizontal Stack View 컨트롤을 선택하고 다음 그림과 같이 도큐먼트 아웃라인 창의 Image View 바로 아래쪽에 떨어뜨린다. 총 5개 더 추가하여 다음 그림과 같인 Image View 1개와 총 6개의 Horizontal Stack View 컨트롤을 표시되도록 한다.

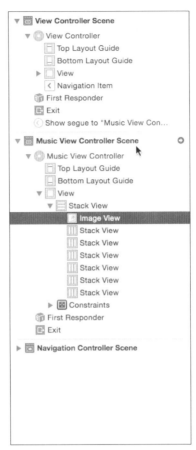

▶그림 7.59 Image View 1개와 총 6개의 Horizontal Stack View 컨트롤을 추가

㉑ 계속해서 Object 라이브러리에서 Label 컨트롤을 선택하고 도큐먼트 아웃라인 창의 첫 번째 Horizontal Stack View 컨트롤 바로 아래 안쪽으로 떨어뜨린다. 이때 주의해야 할 점은 떨어뜨릴 때 파란색 원 끝이 Horizontal Stack View 컨트롤보다 안쪽으로 들어가야만 한다. 이어서 Label을 선택한 상태에서 오른쪽 위 Attributes 인스펙터를 선택하여 그 Text 속성값을 "Title :"로 변경한다.

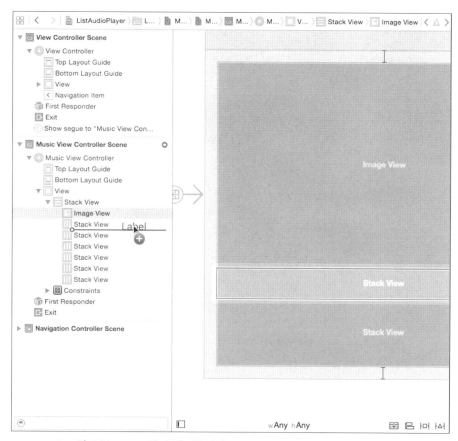

▶그림 7.60 Label 컨트롤을 첫 번째 Horizontal Stack View 컨트롤에 추가

㉒ 동일한 방법으로 Object 라이브러리에서 Label 컨트롤을 선택하고 도큐먼트 아웃
라인 창의 두 번째 Horizontal Stack View 컨트롤 바로 아래 안쪽으로 떨어뜨린
다. 역시 이전과 마찬가지로 떨어뜨릴 때 파란색 원 끝이 Horizontal Stack View
컨트롤보다 안쪽으로 들어가야만 한다. 이어서 Label을 선택한 상태에서 오른쪽
위 Attributes 인스펙터를 선택하여 그 Text 속성값을 "Album :"으로 변경한다.

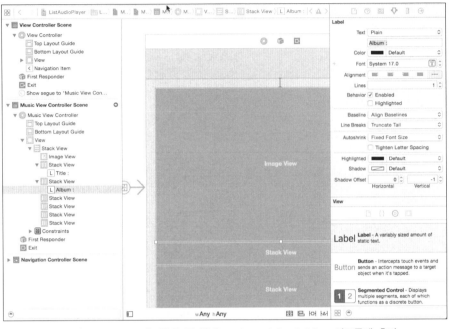

▶그림 7.61 Label 컨트롤을 두 번째 Horizontal Stack View 컨트롤에 추가

㉓ 동일한 방법으로 Object 라이브러리에서 Label 컨트롤을 선택하고 도큐먼트 아웃
라인 창의 세 번째 Horizontal Stack View 컨트롤 바로 아래 안쪽으로 떨어뜨린
다. 역시 이전과 마찬가지로 떨어뜨릴 때 파란색 원 끝이 Horizontal Stack View
컨트롤보다 안쪽으로 들어가야만 한다. 이어서 Label을 선택한 상태에서 오른쪽
위 Attributes 인스펙터를 선택하여 그 Text 속성값을 "Artist :"로 변경한다.

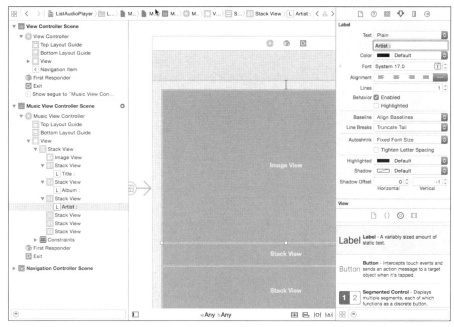

▶그림 7.62 Label 컨트롤을 세 번째 Horizontal Stack View 컨트롤에 추가

❷❹ 이번에도 동일한 방법으로 Object 라이브러리에서 Label 컨트롤을 선택하고
도큐먼트 아웃라인 창의 네 번째 Horizontal Stack View 컨트롤 바로 아래
안쪽으로 떨어뜨린다. 역시 이전과 마찬가지로 떨어뜨릴 때 파란색 원 끝이
Horizontal Stack View 컨트롤보다 안쪽으로 들어가야만 한다. 이어서 Label
컨트롤 하나 더 선택해서 이전 Label 바로 아래쪽에 위치시킨다. 이어서 오른
쪽 위 Attributes 인스펙터를 선택하여 각각의 그 Text 속성값을 "00:00:00"
과 "-00:00:00"으로 변경한다.

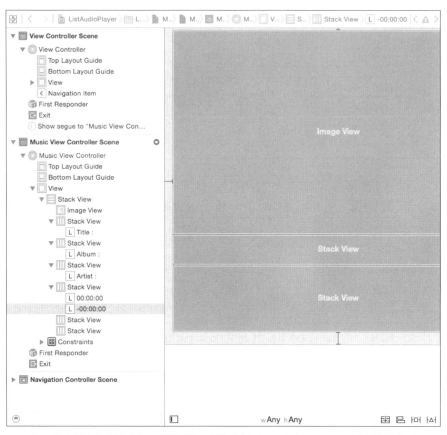

▶그림 7.63 두 개의 Label 컨트롤을 네 번째 Horizontal Stack View 컨트롤에 추가

㉕ 이번에는 Object 라이브러리에서 Slider 컨트롤을 선택하고 도큐먼트 아웃라인 창의 다섯 번째 Horizontal Stack View 컨트롤 바로 아래 안쪽으로 떨어뜨린다. 역시 이전과 마찬가지로 떨어뜨릴 때 파란색 원 끝이 Horizontal Stack View 컨트롤보다 안쪽으로 들어가야만 한다.

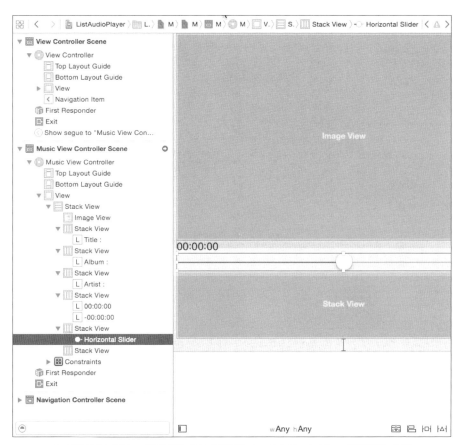

▶그림 7.64 Slider 컨트롤을 다섯 번째 Horizontal Stack View 컨트롤에 추가

㉖ 계속해서 Object 라이브러리에서 Button 컨트롤을 선택하고 도큐먼트 아웃라인 창의 여섯 번째 Horizontal Stack View 컨트롤 바로 아래 안쪽으로 떨어뜨린다. 역시 이전과 마찬가지로 떨어뜨릴 때 파란색 원 끝이 Horizontal Stack View 컨트롤보다 안쪽으로 들어가야만 한다. 동일한 방법으로 2개의 버튼을 추가하여 총 3개의 버튼이 표시되도록 한다. 이어서 오른쪽 위 Attributes 인스펙터를 선택하여 각각의 그 Title 속성값을 각각 "〈", "Play", "〉"로 변경한다.

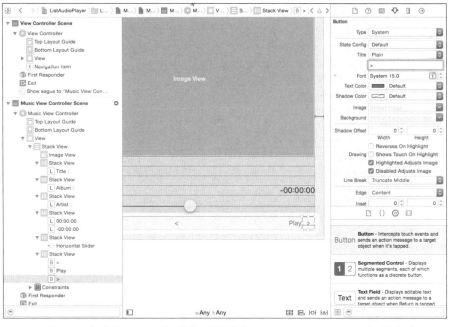

▶그림 7.65 세 개의 Button 컨트롤을 다섯 번째 Horizontal Stack View 컨트롤에 추가

㉗ 이제 도큐먼트 아웃라인 창에서 첫 번째 "Title
:" Label 버튼을 클릭한 상태에서 캔버스 아래
오토 레이아웃 메뉴에서 세 번째 Pin을 선택
한다. "제약조건 설정" 창이 나타나면, Height에
40을 입력하고 아래쪽 "Add 1 Constraint"
버튼을 클릭한다. 동일한 방법으로 두 번째
"Album", 세 번째 "Artist", 네 번째 "00:00:00"
과 다섯 번째 "-00:00:00" 라벨 모두 각각 제약
조건 설정 창의 Height에 40을 입력하고 아래쪽
"Add 1 Constraint" 버튼을 클릭한다.

▶그림 7.66 첫 번째, 두 번째, 세 번째, 네 번째, 다섯 번째 Label 제약조건 설정

524

㉘ 이어서 도큐먼트 아웃라인 창에서 Slider 컨트롤을 클릭한 상태에서 캔버스 아래 오토 레이아웃 메뉴에서 세 번째 Pin을 선택한다. "제약조건 설정" 창이 나타나면, Height에 50을 입력하고 아래쪽 "Add 1 Constraint" 버튼을 클릭한다.

▶그림 7.67 Slider 컨트롤 제약조건 설정

㉙ 계속해서 도큐먼트 아웃라인 창에서 "〈" Button 컨트롤을 클릭한 상태에서 캔버스 아래 오토 레이아웃 메뉴에서 세 번째 Pin을 선택한다. "제약조건 설정" 창이 나타나면, Height에 40을 입력하고 아래쪽 "Add 1 Constraint" 버튼을 클릭한다. 동일한 방법으로 "Play" 버튼, "〉" 버튼 역시 제약조건 창에서 Height에 각각 40을 입력하고 아래쪽 "Add 1 Constraint" 버튼을 클릭한다.

▶그림 7.68 세 개의 Button 컨트롤 제약조건 설정

㉚ 이번에는 "00:00:00" Label 위에 있는 Horizontal Stack View를 선택한 상태에서 오른쪽 위 Attributes 인스펙터를 선택한다. Stack View 항목의 Distribution을 "Fill Equally"로 변경한다.

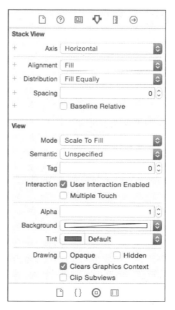

▶그림 7.69 시간 표시 Horizontal Stack View의 Distribution 값 변경

㉛ 계속해서 "−00:00:00" Label을 선택한 상태에서 Attributes 인스펙터를 사용하여 Alignment 속성을 오른쪽 정렬로 변경한다.

▶그림 7.70 "−00:00:00" Label의 Alignment 속성을 오른쪽 정렬로 변경

㉜ 이제 아래쪽 Button 위에 있는 Horizontal Stack View를 선택한 상태에서 오른쪽 위 Attributes 인스펙터를 선택한다. Stack View 항목의 Distribution을 "Fill Equally"로 변경한다. 그리고 그 아래 Spacing 값을 20으로 변경한다. 혹시 도큐먼트 아웃라인 창에 노란색 경고 아이콘이 나타날 수 있는데, 프로젝트를 종료시키고 다시 실행시키면 사라지거나 노란색 경고를 눌러 업데이트를 처리해주면 된다.

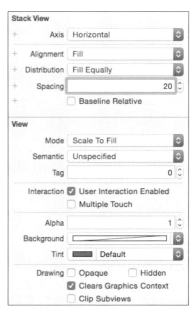

▶그림 7.71 버튼을 관리하는 Horizontal Stack View의 Distribution 값 변경

㉝ 이제 도큐먼트 프로젝트 탐색기 오른쪽 위에 있는 도움 에디터Assistant Editor를 선택하여 불러낸다. 도움 에디터의 파일이 MusicViewController.h 파일임을 확인하고 Ctrl 키와 함께 캔버스의 MusicViewController 가장 위쪽에 있는 Image View 컨트롤을 선택한다. 이어서 Ctrl 키를 누른 상태에서 그대로 도움 에디터의 @interface 아래쪽으로 드래그-앤-드롭 처리한다. 이때 도움 에디터 연결 패널이 나타나면, Name 항목에 imageView라고 입력하고 Connect 버튼을 눌러 객체 변수를 생성한다.

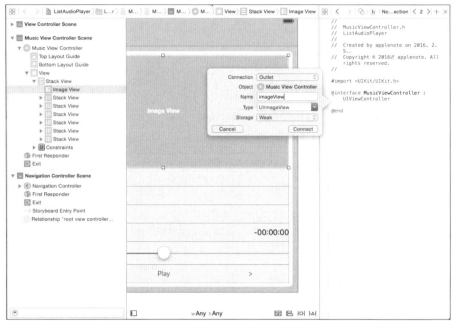

▶그림 7.72 Image View 연결 패널의 Name 항목에 imageView 입력

㉞ 계속해서 그 아래 있는 "Title" Label 컨트롤을 선택한다. 이어서 Ctrl 키와 함께 그대로 도움 에디터의 @interface 아래쪽으로 드래그-앤-드롭 처리한다. 이때 도움 에디터 연결 패널이 나타나면, Name 항목에 lblTitle이라고 입력하고 Connect 버튼을 눌러 객체 변수를 생성한다.

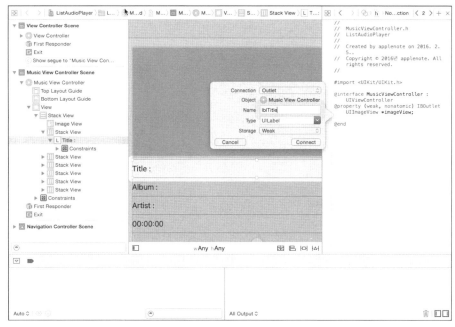

▶그림 7.73 "Title" Label 연결 패널의 Name 항목에 lblTitle 입력

㉟ 이번에는 그 아래 "Album" Label 컨트롤을 선택한다. 이어서 Ctrl 키와 함께
그대로 도움 에디터의 @interface 아래쪽으로 드래그-앤-드롭 처리한다. 이
때 도움 에디터 연결 패널이 나타나면, Name 항목에 lblAlbum이라고 입력하
고 Connect 버튼을 눌러 객체 변수를 생성한다.

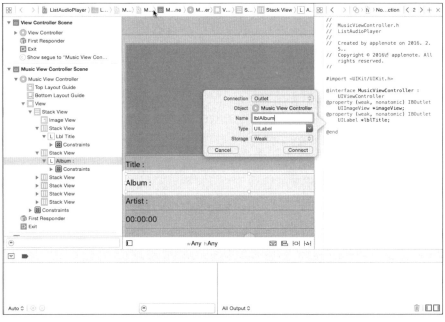

▶그림 7.74 "Album" Label 연결 패널의 Name 항목에 lblAlbum 입력

❸❻ 다시 그 아래 "Artist" Label 컨트롤을 선택한다. 이어서 Ctrl 키와 함께 그대로 도움 에디터의 @interface 아래쪽으로 드래그-앤-드롭 처리한다. 이때 도움 에디터 연결 패널이 나타나면, Name 항목에 lblArtist라고 입력하고 Connect 버튼을 눌러 객체 변수를 생성한다.

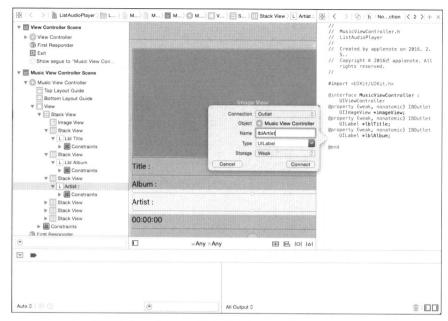

▶그림 7.75 "Artist" Label 연결 패널의 Name 항목에 lblArtist 입력

㉞ 이번에는 그 아래 "00:00:00" Label 컨트롤을 선택한다. 이어서 Ctrl 키와 함께 그대로 도움 에디터의 @interface 아래쪽으로 드래그-앤-드롭 처리한다. 이때 도움 에디터 연결 패널이 나타나면, Name 항목에 lblCurrentTime이라고 입력하고 Connect 버튼을 눌러 객체 변수를 생성한다.

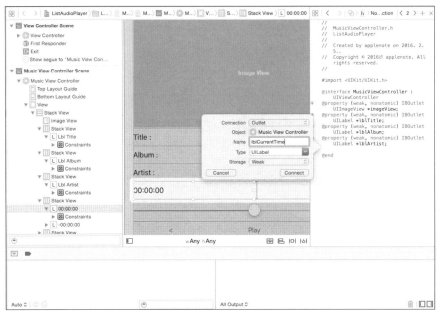

▶그림 7.76 "00:00:00" Label 연결 패널의 Name 항목에 lblCurrentTime 입력

㊳ 이제 그 오른쪽 "-00:00:00" Label 컨트롤을 선택한다. 이어서 Ctrl 키와 함께 그대로 도움 에디터의 @interface 아래쪽으로 드래그-앤-드롭 처리한다. 이 때 도움 에디터 연결 패널이 나타나면, Name 항목에 lblRemainTime이라고 입력하고 Connect 버튼을 눌러 객체 변수를 생성한다.

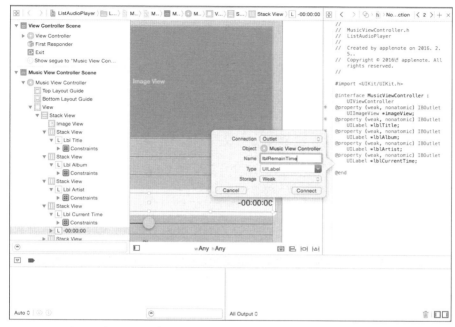

▶그림 7.77 "–00:00:00" Label 연결 패널의 Name 항목에 lblRemainTime 입력

㊴ 이어서 아래쪽 Slider 컨트롤을 선택한다. 이어서 Ctrl 키와 함께 그대로 도움
에디터의 @interface 아래쪽으로 드래그-앤-드롭 처리한다. 이때 도움 에디
터 연결 패널이 나타나면, Name 항목에 timerSlider라고 입력하고 Connect
버튼을 눌러 객체 변수를 생성한다.

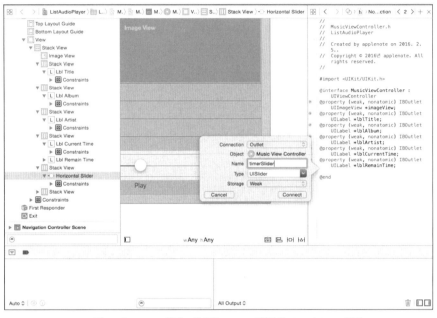

▶그림 7.78 Slider 연결 패널의 Name 항목에 timerSlider 입력

㊵ 계속해서 Slider 컨트롤을 선택한 상태에서 오른쪽 마우스 버튼을 누르고 이벤트
연결 패널을 불러낸다. 연결 패널의 Sent Events 안에 있는 Touch Drag Inside
항목을 선택하고 그대로 도움 에디터의 @interface 아래쪽으로 드래그-앤-드롭
처리한다. 도움 에디터 연결 패널이 나타나면, Name 항목에 sliderDrag라고
입력하고 Connect 버튼을 누른다.

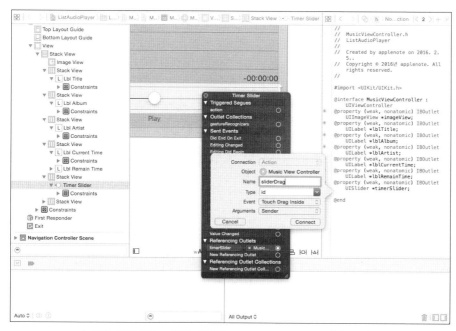

▶그림 7.79 Slider 연결 패널의 Touch Drag Inside 이벤트 생성

㊶ 계속해서 Slider 컨트롤을 선택한 상태에서 오른쪽 마우스 버튼을 누르고 이벤트 연결 패널을 불러낸다. 연결 패널의 Sent Events 안에 있는 Touch Down 항목을 선택하고 그대로 도움 에디터의 @interface 아래쪽으로 드래그-앤-드롭 처리한다. 도움 에디터 연결 패널이 나타나면, Name 항목에 sliderDown이라고 입력하고 Connect 버튼을 누른다.

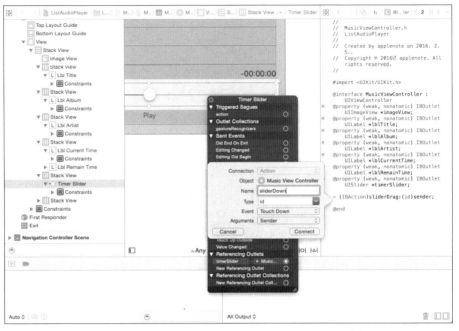

▶그림 7.80 Slider 연결 패널의 Touch Down 이벤트 생성

㊷ 계속해서 Slider 컨트롤을 선택한 상태에서 오른쪽 마우스 버튼을 누르고 이벤트
연결 패널을 불러낸다. 연결 패널의 Sent Events 안에 있는 Touch Up Inside
항목을 선택하고 그대로 도움 에디터의 @interface 아래쪽으로 드래그-앤-드롭
처리한다. 도움 에디터 연결 패널이 나타나면, Name 항목에 sliderUpInside
라고 입력하고 Connect 버튼을 누른다.

▶그림 7.81 Slider 연결 패널의 Touch Up Inside 이벤트 생성

❸ 계속해서 Slider 컨트롤을 선택한 상태에서 오른쪽 마우스 버튼을 누르고 이벤트 연결 패널을 불러낸다. 연결 패널의 Sent Events 안에 있는 Touch Up Outside 항목을 선택하고 그대로 도움 에디터의 @interface 아래쪽으로 드래그-앤-드롭 처리한다. 도움 에디터 연결 패널이 나타나면, Name 항목에 sliderUpOutside 라고 입력하고 Connect 버튼을 누른다.

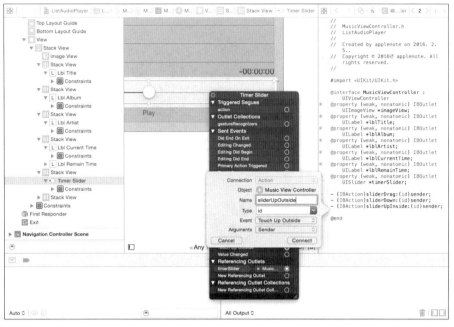

▶그림 7.82 Slider 연결 패널의 Touch Up Outside 이벤트 생성

㊹ 이제 그 아래쪽에 있는 "〈" 버튼을 선택한 상태에서 오른쪽 마우스 버튼을 누르고 이벤트 연결 패널을 불러낸다. 연결 패널의 Sent Events 안에 있는 Touch Up Inside 항목을 선택하고 그대로 도움 에디터의 @interface 아래쪽으로 드래그-앤-드롭 처리한다. 도움 에디터 연결 패널이 나타나면, Name 항목에 movePrevious 라고 입력하고 Connect 버튼을 누른다.

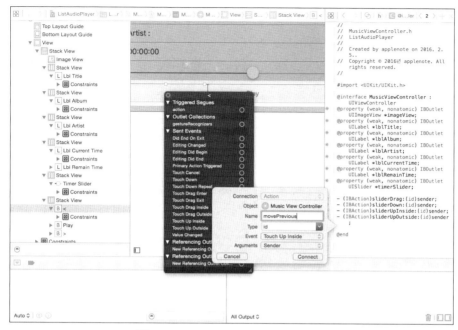

▶그림 7.83 "〈" Button 연결 패널의 Touch Up Inside 이벤트 생성

㊺ 이제 그 오른쪽에 있는 Play 버튼을 선택한 상태에서 오른쪽 마우스 버튼을
누르고 이벤트 연결 패널을 불러낸다. 연결 패널의 Sent Events 안에 있는
Touch Up Inside 항목을 선택하고 그대로 도움 에디터의 @interface 아래쪽
으로 드래그-앤-드롭 처리한다. 도움 에디터 연결 패널이 나타나면, Name
항목에 playMusic이라고 입력하고 Connect 버튼을 누른다.

▶그림 7.84 "Play" Button 연결 패널의 Touch Up Inside 이벤트 생성

㊻ 이어서 그 오른쪽에 있는 "〉" 버튼을 선택한 상태에서 오른쪽 마우스 버튼을 누르고 이벤트 연결 패널을 불러낸다. 연결 패널의 Sent Events 안에 있는 Touch Up Inside 항목을 선택하고 그대로 도움 에디터의 @interface 아래쪽으로 드래그-앤-드롭 처리한다. 도움 에디터 연결 패널이 나타나면, Name 항목에 moveNext라고 입력하고 Connect 버튼을 누른다.

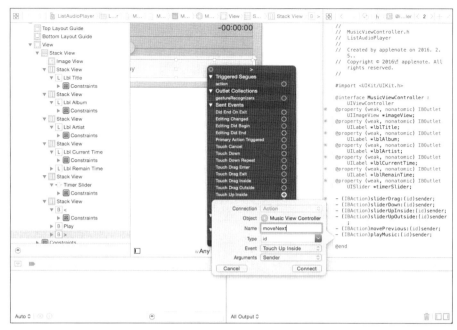

▶그림 7.85 "〉" Button 연결 패널의 Touch Up Inside 이벤트 생성

㊼ 다시 Play Button 컨트롤을 선택한다. 이어서 Ctrl 키와 함께 그대로 도움 에 디터의 @interface 아래쪽으로 드래그-앤-드롭 처리한다. 이때 도움 에디터 연결 패널이 나타나면, Name 항목에 buttonPlay라고 입력하고 Connect 버튼 을 눌러 객체 변수를 생성한다.

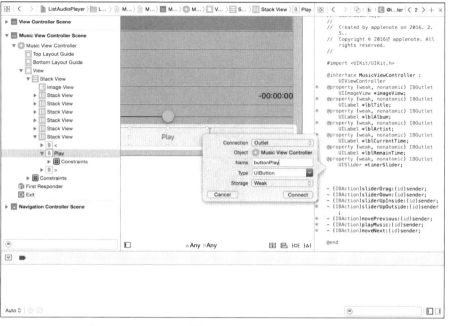

▶그림 7.86 Play Button 연결 패널의 Name 항목에 buttonPlay 입력

㊽ 이제 도큐먼트 아웃라인 창에서 View Controller의 Table View를 선택한다. 이어서 Ctrl 키와 함께 그대로 도움 에디터의 @interface 아래쪽으로 드래그-앤-드롭 처리한다. 이때 도움 에디터 연결 패널이 나타나면, Name 항목에 tbView라고 입력하고 Connect 버튼을 눌러 객체 변수를 생성한다.

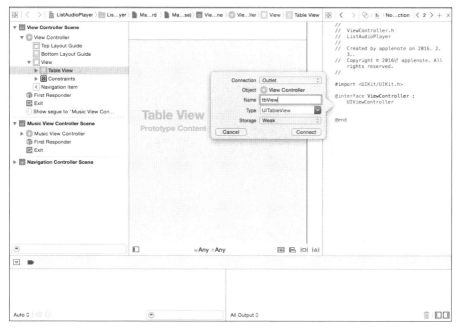

▶그림 7.87 TableView 연결 패널의 Name 항목에 tbView 입력

㊾ 이제 Xcode 오른쪽 위에 있는 표준 에디터 아이콘을 눌러 표준 에디터로 변경
한다. 계속해서 도큐먼트 아웃라인 창에서 View Controller의 Table View를
선택한다. 이어서 오른쪽 Connections 인스펙터를 선택한 상태에서 Outlets
의 dataSource 항목을 선택하고 중앙 도큐먼트 아웃라인 창에 있는 View
Controller에 드래그–앤–드롭으로 떨어뜨린다. 동일한 방법으로 그 아래
delegate 항목을 선택하고 View Controller와 연결한다(그림 7.88 참조).

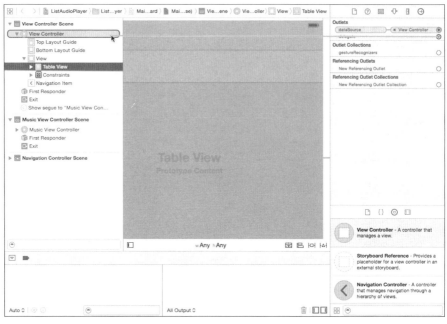

㊿ 왼쪽 프로젝트 탐색기에서 ViewController.m 파일을 선택하고 다음을 입력한다.

```objectivec
#import "ViewController.h"
#import "MusicViewController.h"


@interface ViewController ()
{
    NSArray *musicData;
}
@end

@implementation ViewController
@synthesize tbView;

- (void)viewDidLoad {
    [super viewDidLoad];
    // Do any additional setup after loading the view, typically from a nib.
```

```
    musicData = [NSArray arrayWithObjects:@"From Embrace To Embrace",
                    @"Get Got", nil];
}

- (void)didReceiveMemoryWarning {
    [super didReceiveMemoryWarning];
    // Dispose of any resources that can be recreated.
}

#pragma mark - Table view data source

- (NSInteger)numberOfSectionsInTableView:(UITableView *)tableView
{
    return 1;
}

- (NSInteger)tableView:(UITableView *)tableView
        numberOfRowsInSection:(NSInteger)section
{
    return musicData.count;
}

- (UITableViewCell *)tableView:(UITableView *)tableView
        cellForRowAtIndexPath:(NSIndexPath *)indexPath
{
    static NSString *CellIdentifier = @"MyCell";

    UITableViewCell *cell = [tableView
        dequeueReusableCellWithIdentifier:CellIdentifier];
    if (cell == nil) {
        cell = [[UITableViewCell alloc] initWithStyle:
                UITableViewCellStyleDefault reuseIdentifier:CellIdentifier];
    }

    cell.textLabel.text = musicData[indexPath.row];
    return cell;
}

#pragma mark - Navigation

- (void)prepareForSegue:(UIStoryboardSegue *)segue sender:(id)sender
```

```
{
    MusicViewController *controller = [segue destinationViewController];
    NSIndexPath *currentIndexPath = [self.tbView indexPathForSelectedRow];
    controller.passIndex = currentIndexPath.row;
    controller.passData = musicData;
}

@end
```

㊶ 이번에는 왼쪽 프로젝트 탐색기에서 MusicViewController.h 파일을 선택하고
다음을 입력한다.

```
#import <AVFoundation/AVFoundation.h>
#import <UIKit/UIKit.h>

@interface MusicViewController : UIViewController <AVAudioPlayerDelegate>
@property (weak, nonatomic) IBOutlet UIImageView *imageView;
@property (weak, nonatomic) IBOutlet UILabel *lblTitle;
@property (weak, nonatomic) IBOutlet UILabel *lblAlbum;
@property (weak, nonatomic) IBOutlet UILabel *lblArtist;
@property (weak, nonatomic) IBOutlet UILabel *lblCurrentTime;
@property (weak, nonatomic) IBOutlet UILabel *lblRemainTime;
@property (weak, nonatomic) IBOutlet UISlider *timerSlider;
@property (weak, nonatomic) IBOutlet UIButton *buttonPlay;

@property (strong, nonatomic) NSArray *passData;
@property (assign, nonatomic) long passIndex;

- (IBAction)sliderDrag:(id)sender;
- (IBAction)sliderDown:(id)sender;
- (IBAction)sliderUpInside:(id)sender;
- (IBAction)sliderUpOutside:(id)sender;
- (IBAction)movePrevious:(id)sender;
- (IBAction)playMusic:(id)sender;
- (IBAction)moveNext:(id)sender;

@end
```

⑤ 이번에는 왼쪽 프로젝트 탐색기에서 MusicViewController.m 파일을 선택하고 다음을 입력한다.

```objc
#import "MusicViewController.h"

@interface MusicViewController ()
{
    AVAudioPlayer *player;
    NSTimer *tsTimer;
    bool bDragging;
}
@end

@implementation MusicViewController
@synthesize passData, passIndex;
@synthesize imageView, timerSlider, buttonPlay;
@synthesize lblTitle, lblArtist, lblAlbum, lblCurrentTime, lblRemainTime;

- (void)viewDidLoad {
    [super viewDidLoad];
    // Do any additional setup after loading the view.
    [self startPlayer];
}

- (void) viewWillDisappear:(BOOL)animated
{
    if(player.isPlaying)
    {
        [player stop];
    }
    [super viewWillDisappear:animated];
}

- (void) startPlayer
{
    bDragging = false;
    [timerSlider setValue:0];

    NSString *urlString = [[NSBundle mainBundle]
```

```
                    pathForResource:passData[passIndex] ofType:@"mp3"];
NSURL *url = [NSURL fileURLWithPath:urlString];


AVURLAsset *asset = [AVURLAsset URLAssetWithURL:url options:nil];
NSArray *musicDataItems = [asset metadataForFormat:@"org.id3"];

for (AVMetadataItem *metadataItem in musicDataItems)
{
    if ([metadataItem.commonKey isEqualToString:@"artwork"])
    {
        UIImage* image = [UIImage imageWithData: metadataItem.dataValue];
        imageView.image = image;
        [imageView setContentMode:UIViewContentModeScaleAspectFit];
    }
    else if ([metadataItem.commonKey isEqualToString:@"title"])
    {
        lblTitle.text = [NSString stringWithFormat:
                        @"Title : %@", metadataItem.value];
        self.title = [NSString stringWithFormat:@"%@", metadataItem.value];
    }
    else if ([metadataItem.commonKey isEqualToString:@"albumName"])
    {
        lblAlbum.text = [NSString stringWithFormat:
                        @"Album : %@", metadataItem.value];
    }
    else if ([metadataItem.commonKey isEqualToString:@"artist"])
    {
        lblArtist.text =[NSString stringWithFormat:
                        @"Artist : %@", metadataItem.value];
    }
}

NSError *error;
player = [[AVAudioPlayer alloc] initWithContentsOfURL: url error:&error];
player.delegate = self;
player.volume = 0.4f;
[player prepareToPlay];
[timerSlider setMaximumValue:[player duration]];
[player setNumberOfLoops:0];

[tsTimer invalidate];
```

```
    tsTimer = [NSTimer scheduledTimerWithTimeInterval:1.0f target:self
        selector:@selector(updateTimeStamp) userInfo:nil repeats:YES];
    [player play];
    [buttonPlay setTitle:@"Pause" forState:UIControlStateNormal];
}

- (void) updateTimeStamp
{
    if(bDragging) return;

    int cur = (int)[player currentTime];
    int ext = (int)[player duration]-cur;

    [timerSlider setValue:[player currentTime]];

    [lblCurrentTime setText:[NSString stringWithFormat:
                @"%02d:%02d", cur/60, cur%60]];
    [lblRemainTime setText:[NSString stringWithFormat:
                @"-%02d:%02d", ext/60, ext%60]];
}

- (void) audioPlayerDidFinishPlaying:(AVAudioPlayer *)player
successfully:(BOOL)flag
{
    [self playNextSong];
}

- (void) playNextSong
{
    if(passIndex < [passData count] - 1)
    {
        passIndex++;
    }
    else
    {
        passIndex = 0;
    }
    [self startPlayer];
}

- (void)didReceiveMemoryWarning {
```

```
        [super didReceiveMemoryWarning];
        // Dispose of any resources that can be recreated.
}

- (IBAction)sliderDrag:(id)sender {
        int cur = (int)timerSlider.value;
        int ext = (int)timerSlider.maximumValue-cur;

        if(player != nil)
        {
            [lblCurrentTime setText:[NSString stringWithFormat:
                            @"%02d:%02d", cur/60, cur%60]];
            [lblRemainTime setText:[NSString stringWithFormat:
                            @"-%02d:%02d", ext/60, ext%60]];
        }
}

- (IBAction)sliderDown:(id)sender {
        bDragging = YES;
}

- (IBAction)sliderUpInside:(id)sender {
        bDragging = NO;
        [player setCurrentTime:timerSlider.value];
}

- (IBAction)sliderUpOutside:(id)sender {
        bDragging = NO;
        [player setCurrentTime:timerSlider.value];
}

- (IBAction)movePrevious:(id)sender {
        if(passIndex > 0)
        {
            passIndex--;
        }
        else
        {
            passIndex = [passData count] - 1;
        }
        [self startPlayer];
}

- (IBAction)playMusic:(id)sender {
```

```
    if (player.isPlaying)
    {
        [buttonPlay setTitle:@"Play" forState:UIControlStateNormal];
        [player pause];
    }
    else
    {
        [buttonPlay setTitle:@"Pause" forState:UIControlStateNormal];
        [player play];
    }
}

- (IBAction)moveNext:(id)sender {
        [self playNextSong];
}

@end
```

㉝ 이제 Xcode 왼쪽에 있는 Run 혹은 Command-R
버튼을 눌러 실행한다. 이때 리스트에 음악이
표시되는데, 리스트에서 표시된 음악을 선택해
보고 선택된 음악이 이상 없이 재생되는지 확
인해본다. 음악을 선택하여 플레이어가 나타나
면 '〈' 혹은 '〉' 버튼을 눌러 이동해보고 슬라이
더를 이동하여 음악 재생 위치를 변경해본다.

▶그림 7.89 ListAudioPlayer 프로
젝트 실행

▌원리 설명

이번 절에서 소개하는 음악 플레이어는 2개의 화면으로 구성된다. 전체적으로 Navigation Controller를 사용하여 하나의 화면에서 항목을 선택하였을 때 다른 화면으로 이동할 수 있도록 지정하였다. 즉, 첫 번째 화면에서는 음악 리스트를 보여주고 그 리스트의 한 항목을 선택하였을 때 두 번째 음악 재생 화면으로 이동하여 음악을 재생할 수 있도록 하였고, 원한다면 언제든지 첫 번째 화면으로 이동할 수 있도록 하였다.

스토리보드에서 내비게이션 컨트롤러를 추가하기 위해서는 Xcode의 Editor 메뉴 -Embed In-Navigation Controller를 선택하여 추가하면 된다.

먼저, 음악 파일의 리스트를 보여주는 ViewController 클래스부터 살펴보자. 자료를 초기화하는 viewDidLoad에서는 음악 제목을 출력할 배열 NSArray 객체를 생성하고 2개의 자료를 지정한다.

```
- (void)viewDidLoad {
    [super viewDidLoad];
    // Do any additional setup after loading the view, typically from a nib.
    musicData = [NSArray arrayWithObjects:@"From Embrace To Embrace", @"Get
Got", nil];
}
```

ViewController 클래스에 TableView를 사용하기 위해서는 Table View 컨트롤을 추가시키고 UITableViewDataSource 프로토콜과 UITableViewDelegate 프로토콜을 추가하여 설정한다.

이 두 프로토콜 설정은 다음과 같이 도큐먼트 아웃라인 창에서 View Controller의 Table View를 선택하고 오른쪽 Connections 인스펙터를 선택한 상태에서 Outlets의 dataSource 항목과 중앙 도큐먼트 아웃라인 창에 있는 View Controller를 드래그—앤—드롭으로 연결하면 된다. 동일한 방법으로 그 아래 delegate 항목을 선택하고 View Controller와 연결한다.

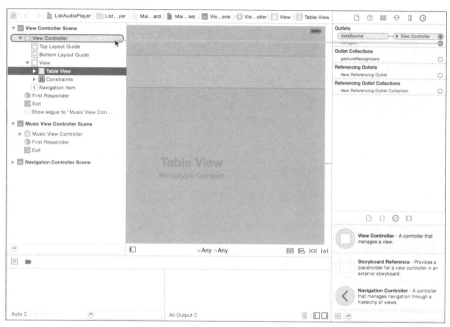

▶그림 7.90 UITableViewDataSource 프로토콜과 UITableViewDelegate 프로토콜 추가

이제 다음과 같은 UITableViewDataSource 프로토콜 이벤트 함수를 작성하면 자동으로 실행된다. 먼저 테이블의 섹션의 수를 지정하는 numberOfSectionsInTableView 함수를 다음과 같이 작성한다. 섹션은 테이블 자료를 출력하는 그룹 테이터로 여기서 재생할 음악 파일 그룹 1개의 섹션만 사용한다.

```
- (NSInteger)numberOfSectionsInTableView:(UITableView *)tableView
{
    return 1;
}
```

그다음, 지정된 섹션에 대한 테이터 수를 지정하는 numberOfRowsInSection 함수를 작성한다. 테이터 수는 음악 제목이 지정된 NSArray 타입의 musicData의 개수를 지정한다.

```
- (NSInteger)tableView:(UITableView *)tableView
      numberOfRowsInSection:(NSInteger)section
{
   return musicData.count;
}
```

그다음, 실제 재생 제목을 출력하는 cellForRowAtIndexPath 메소드를 살펴보자. 이 메소드는 자료 수만큼 반복 호출되는데, 반복 처리할 때마다 변경되는 섹션 정보와 인덱스 정보는 파라미터값인 indexPath 객체를 사용하여 알아낼 수 있다.

먼저, 셀을 초기화하여 현재 셀 스타일을 UITableViewCellStyleDefault을 지정하고 reuseIdentifier 파라미터에 "MyCell"을 지정하여 셀을 재활용할 수 있도록 UITableViewCell 객체를 생성한다. 이 "MyCell"은 도큐먼트 아웃라인 창의 UITableViewCell을 선택한 상태에서 Attributes 인스펙터의 Identifier 항목에 입력한 값과 동일해야 한다(〈그대로 따라 하기〉 ⑬ 참조).

```
- (UITableViewCell *)tableView:(UITableView *)tableView
      cellForRowAtIndexPath:(NSIndexPath *)indexPath
{
   static NSString *CellIdentifier = @"MyCell";

   UITableViewCell *cell = [tableView
      dequeueReusableCellWithIdentifier:CellIdentifier];
   if (cell == nil) {
      cell = [[UITableViewCell alloc] initWithStyle:
              UITableViewCellStyleDefault reuseIdentifier:CellIdentifier];
   }
   ...
```

테이블 셀에 자료를 출력하기 위해 재생 노래 제목을 가지고 있는 musicData 배열에 NSIndexPath 객체 변수의 row 속성으로 현재 출력되는 값을 알아내 UITableViewCell 객체의 textLabel의 text 속성에 지정한다.

```
cell.textLabel.text = musicData[indexPath.row];
return cell;
}
```

위 cellForRowAtIndexPath 메소드는 자료 수만큼 반복하면서 테이블 안에 재생 노래 제목을 출력하는데, 이 노래 제목을 선택하면 바로 다음의 prepareForSegue 메소드가 자동 실행된다.

```
- (void)prepareForSegue:(UIStoryboardSegue *)segue sender:(id)sender
{
...
```

이때 파라메터로 값인 segue를 사용하여 UIStoryboardSegue 객체의 destination ViewController 메소드를 호출하여 이동하는 두 번째 컨트롤러 즉, MusicView Controller 객체에 대한 포인터를 얻을 수 있다.

```
MusicViewController *controller = [segue destinationViewController];
...
```

그다음, UITableView 객체에서 제공하는 indexPathForSelectedRow를 호출하여 현재 선택한 셀에 대한 정보를 가지고 있는 NSIndexPath 객체를 생성해낸다. 이 객체의 row 속성을 사용하면 현재 선택된 셀의 인덱스 번호를 알아낼 수 있다. 이 인덱스값을 두 번째 컨트롤러인 MusicViewController의 passindex에 지정한다. 또한, 재생 노래 제목을 포함하는 musicData를 그대로 MusicViewController의

passData에 지정한다.

```
    NSIndexPath *currentIndexPath = [self.tbView indexPathForSelectedRow];
    controller.passIndex = currentIndexPath.row;
    controller.passData = musicData;
}
```

이제 두 번째 원하는 음악을 재생해주는 MusicViewController를 살펴보자. 변수를
초기화하는 viewDidLoad 메소드에서는 음악 플레이어를 동작시키는 startPlayer
함수를 호출한다.

```
- (void)viewDidLoad {
    [super viewDidLoad];
    // Do any additional setup after loading the view.
    [self startPlayer];
}
```

startPlayer 함수에서는 먼저 슬라이더 이동 지정 상태를 의미하는 bDragging 변
수와 현재 음악 재생 상태를 시간 단위로 보여주는 슬라이더를 초기화한다.

```
- (void) startPlayer
{
    bDragging = false;
    [timerSlider setValue:0];
    ...
```

계속해서 다음과 같이 NSBundle 클래스의 pathForResource를 사용하여 번들에
지정된 mp3 파일을 참조할 수 있다. pathForResource 다음에 mp3 파일 이름을
지정하고 ofType 다음에 mp3 확장자 이름을 지정해야 하는데, 여기서는 이전
ViewController 클래스로부터 받은 passData 배열에서 현재 선택된 항목의 인덱스
인 passIndex를 지정하여 mp3 파일 이름을 지정한다.

```
NSString *urlString = [[NSBundle mainBundle]
    pathForResource:passData[passIndex] ofType:@"mp3"];
...
```

이어서, mp3 파일과 같은 리소스에 대한 정보를 참조하기 위해서는 NSURL 객체로
변경이 필요하다. NSURL 객체는 리모트 서버 혹은 로컬 서버에 있는 리소스 파일에
대한 정보를 가지고 있다. 이 NSURL 객체를 생성하고 이 객체의 fileURLWithPath에
위에서 생성한 NSBundle에 대한 정보를 넘겨준다.

```
NSURL *url = [NSURL fileURLWithPath:urlString];
...
```

이제 AV 파일에 대한 여러 가지 정보를 가지고 있는 AVURLAsset 객체를 생성한다.

```
AVURLAsset *asset = [AVURLAsset URLAssetWithURL:url options:nil];
...
```

그다음, AVURLAsset 객체의 metadataForFormat 메소드를 호출하여 mp3 파
일의 ID3 메터 파일 정보를 읽어보자. metadataForFormat 메소드에 "org.id3" 값
을 지정하면 위에서 지정한 mp3 파일에 대한 메터 데이터를 모두 읽어 NSArray
배열 타입의 musicDataItems에 지정한다.

```
NSArray *musicDataItems = [asset metadataForFormat:@"org.id3"];
...
```

이제 for 문장을 이용하여 musicDataItems에 있는 자료를 하나하나 검색하면서
commonKey 값이 "artwork" 즉, 커버 이미지를 찾는다. 문자열 비교는 isEqualToString
함수를 사용한다.

```
for (AVMetadataItem *metadataItem in musicDataItems)
{
    if ([metadataItem.commonKey isEqualToString:@"artwork"])
    {
...
```

커버 이미지를 찾은 경우, 그 이미지를 UIImage를 사용하여 생성하고 캔버스에 생성한 이미지 뷰에 이미지를 표시한다.

```
        UIImage* image = [UIImage imageWithData: metadataItem.dataValue];
        imageView.image = image;
        [imageView setContentMode:UIViewContentModeScaleAspectFit];
    }
    ...
```

동일한 방법으로 commonKey 키 값이 "title"인 자료를 검색하고 그 value 값에 "Title :"을 추가하여 캔버스의 첫 번째 라벨 컨트롤에 음악 제목을 출력한다.

```
    else if ([metadataItem.commonKey isEqualToString:@"title"])
    {
        lblTitle.text = [NSString stringWithFormat:
            @"Title : %@", metadataItem.value];
        self.title = [NSString stringWithFormat:@"%@", metadataItem.value];
    }
    ...
```

역시 동일한 방법으로 commonKey 키 값이 "albumName"인 자료를 검색하고 그 value 값에 "Album :"을 추가하여 캔버스의 두 번째 라벨 컨트롤에 앨범 제목을 출력한다.

```
    else if ([metadataItem.commonKey isEqualToString:@"albumName"])
    {
```

```
        lblAlbum.text = [NSString stringWithFormat:
            @"Album : %@", metadataItem.value];
    }
    ...
```

동일한 방법으로 commonKey 키 값이 "artist"인 자료를 검색하고 그 value 값에 "Artist :"를 추가하여 캔버스의 세 번째 라벨 컨트롤에 가수 제목을 출력한다.

```
    else if ([metadataItem.commonKey isEqualToString:@"artist"])
    {
        lblArtist.text =[NSString stringWithFormat:
            @"Artist : %@", metadataItem.value];
    }
}
```

이어서, mp3를 재생하기 위한 AVAudioPlayer 객체를 생성한다. 이때 파라미터 값으로 위에서 생성한 NSURL 객체와 NSError 객체가 필요하다.

```
NSError *error;
player = [[AVAudioPlayer alloc] initWithContentsOfURL: url error:&error];
...
```

생성된 객체 변수를 이용하여 delegate에 self를 지정하여 음악이 끝나게 되면 audioPlayerDidFinishPlaying 이벤트 함수를 자동 실행하여 음악을 재실행할지 혹은 종료할지를 결정할 수 있다.

```
player.delegate = self;
...
```

여기서는 다음과 같이 playNextSong 함수를 호출하여 다시 재실행하도록 한다.

```
- (void) audioPlayerDidFinishPlaying:(AVAudioPlayer *)player
successfully:(BOOL)flag
{
    [self playNextSong];
}
```

또한, 객체 변수를 사용하여 볼륨을 지정한다. 볼륨의 크기는 1 ~ 1.0까지이므로 중간 정도인 0.4 정도를 지정한다.

```
player.volume = 0.4f;
...
```

그다음, prepareToPlay를 사용하여 위에서 읽은 mp3 자료를 버퍼에 로드하기를 재생할 준비하고 반복할 숫자를 지정하는 setNumberOfLoop에 0을 지정하여 반복 실행되지 않도록 한다.

```
[player prepareToPlay];
[player setNumberOfLoops:0];
...
```

또한, 슬라이더의 최댓값을 음악 재생 시간으로 지정하여 슬라이더가 끝까지 오면 음악이 종료되도록 지정한다.

```
[timerSlider setMaximumValue:[player duration]];
...
```

그다음, NSTimer의 invalidete를 사용하여 타이머가 실행되고 있는 경우, 타이머를 제거하고 다시 NSTimer 객체를 사용하여 1초 간격을 두고 updateTimeStamp 함수를 계속 반복하도록 설정한다.

```
    [tsTimer invalidate];
    tsTimer = [NSTimer scheduledTimerWithTimeInterval:1.0f target:self
                 selector:@selector(updateTimeStamp) userInfo:nil
repeats:YES];
    ...
```

그다음, play 메소드를 호출하여 음악을 재생하고 Play 버튼의 타이틀을 Pause로 변경한다.

```
    [player play];
    [buttonPlay setTitle:@"Pause" forState:UIControlStateNormal];
}
```

만일 음악 재생 중인 상태에서 왼쪽 위에 있는 백 버튼을 누르는 경우 이전 ViewController 클래스로 되돌아가는데, 이때 실행되는 메소드가 바로 viewWill Disappear이다. 이 함수에서는 isPlaying 속성을 사용하여 재생 중인지 체크하고 재생 중인 경우 True 값이 리턴되므로, 음악을 정지한다.

```
- (void) viewWillDisappear:(BOOL)animated
{
    if(player.isPlaying)
    {
        [player stop];
    }
    [super viewWillDisappear:animated];
}
```

이제 타이머에 의해 반복 실행되는 updateTimeStamp를 살펴보자.

```
- (void) updateTimeStamp
{
    ...
```

만일 슬라이더 위에 마우스를 클릭하여 드래깅이 시작되면, 리턴되도록 하여 더는 타이머 처리가 되지 않도록 지정한다.

```
if(bDragging) return;
...
```

그다음, AVAudioPlayer 객체의 currentTime 속성과 duration 속성에서 curren Time을 뺀 시간을 계산하여 현재 재생 중인 시간과 남아있는 시간을 알아낸다.

```
int cur = (int)[player currentTime];
int ext = (int)[player duration]-cur;
...
```

계산된 값을 사용하여 슬라이더 위치를 이동시킨다.

```
[timerSlider setValue:[player currentTime]];
...
```

또 계산된 자료는 모두 초 단위이므로 각각 60으로 나누어 그 몫과 나머지 값을 계산하면 분과 초가 나오므로 현재 재생 시간과 남아있는 시간을 각각 출력할 수 있다. 계산된 값은 아래쪽 라벨 컨트롤에 왼쪽과 오른쪽에 각각 출력한다.

```
[lblCurrentTime setText:[NSString stringWithFormat:
        @"%02d:%02d", cur/60, cur%60]];
[lblRemainTime setText:[NSString stringWithFormat:
        @"-%02d:%02d", ext/60, ext%60]];
}
```

만일 플레이어의 "〉" 버튼을 누르거나 한 곡이 끝나게 되면 자동으로 playNextSong

함수가 실행된다.

```
- (void) playNextSong
{
...
```

이 함수에서는 현재 재생 노래 인덱스 passIndex를 체크하고 인덱스가 마지막 ([passData count] - 1)까지 왔는지를 체크한다. 만일 마지막이 아닌 경우, 다음과 같이 인덱스값을 증가시킨다.

```
if(passIndex < [passData count] - 1)
{
    passIndex++;
}
...
```

만일 마지막인 경우에는 인덱스값을 0으로 지정하여 처음부터 실행한다.

```
else
{
    passIndex = 0;
}
```

인덱스값이 설정되었다면, startPlayer를 실행하여 재생 처리한다.

```
    [self startPlayer];
}
```

이제 mp3 파일이 재생되는 부분이 어디에 왔는지를 보여줄 뿐만 아니라 마우스를 이용하여 원하는 부분으로 한 번에 이동시킬 수 있는 슬라이더를 처리해보자.

먼저 드래그 처리를 위해 마우스로 슬라이더 탭을 클릭했을 때 실행되는 sliderDown 함수를 살펴보자. 이 함수에서는 bDragging 변수에 YES를 지정하여 드래그하는 동안 타이머에 의해 실행되는 updateTimeStamp 함수가 실행되지 않도록 하여 현재 시각과 남은 시간을 표시되지 않도록 한다.

```
- (IBAction)sliderDown:(id)sender {
    bDragging = YES;
}
```

그다음, 슬라이더 탭을 누른 상태에서 드래그했을 때 자동으로 실행되는 slider Drag 이벤트 함수를 살펴보자. 이 함수에서는 먼저 현재 드래그 되어 움직인 현재 시각과 남아있는 시간을 슬라이더의 value 값과 최댓값에서 현재 값을 빼서 알아낸다.

```
- (IBAction)sliderDrag:(id)sender {
    int cur = (int)timerSlider.value;
    int ext = (int)timerSlider.maximumValue-cur;
```

이어서 재생이 되고 있는지를 체크하고 재생 중인 경우, 위 드래그 된 상태를 읽은 자료를 바탕으로 현재 시각과 남은 시간을 출력한다.

```
    if(player != nil)
    {
        [lblCurrentTime setText:[NSString stringWithFormat:
                @"%02d:%02d", cur/60, cur%60]];
        [lblRemainTime setText:[NSString stringWithFormat:
                @"-%02d:%02d", ext/60, ext%60]];
    }
}
```

이때 슬라이더 탭으로부터 마우스를 풀어주면 그 위치에 따라 sliderUpInside 혹은 sliderUpOutside 함수가 실행된다(슬라이더 안쪽이면 sliderUpInside, 바깥쪽이면 sliderUpOutside가 실행된다). 그러므로 두 함수 모두 동일한 코드를 갖는다.

먼저 bDragging에 NO를 지정하여 updateTimeStamp 함수가 실행되도록 설정한다. 또한, 현재 슬라이더의 위치를 읽은 뒤, AVAudioPlayer 클래스의 setCurrentTime을 사용하여 슬라이드 위치에 해당하는 동일한 시간으로 지정한다. 이렇게 처리함으로써 슬라이더의 위치가 갑자기 변경되더라도 음악 재생 위치도 그것에 해당하는 동일한 위치로 이동된다.

```
- (IBAction)sliderUpInside:(id)sender {
    bDragging = NO;
    [player setCurrentTime:timerSlider.value];
}

- (IBAction)sliderUpOutside:(id)sender {
    bDragging = NO;
    [player setCurrentTime:timerSlider.value];
}
```

이제 "〈" 버튼을 눌렀을 때 실행되는 movePrevious 함수에서는 먼저 인덱스값을 체크하고 그 값이 0보다 큰 경우에만 1을 감소시킨다.

```
- (IBAction)movePrevious:(id)sender {
    if(passIndex > 0)
    {
        passIndex--;
    }
    ...
```

만일 인덱스가 0이거나 작은 경우에는 현재 자료의 마지막 인덱스값을 지정한다. 마지막 인덱스값은 현재 자료 개수에서 1을 뺀 값이다.

```
    else
    {
        passIndex = [passData count] - 1;
    }
    [self startPlayer];
}
```

그다음, Play/Pause 버튼을 눌렀을 때 실행되는 playMusic 함수를 살펴보자. 이 버튼을 누를 때마다 "Play"와 "Pause" 표시를 번갈아가면서 보여준다. 즉, 재생될 때 "Pause"를 표시하고 정지될 때 "Play"를 보여준다. 이 함수에서는 먼저 음악이 재생되는지를 체크한다.

```
- (IBAction)playMusic:(id)sender {
    if (player.isPlaying)
    {
    ...
```

만일 음악이 재생되는 중이라면 현재 Play/Pause 버튼의 타이틀을 "Play"로 변경하고 pause를 호출하여 재생을 멈춘다.

```
        [buttonPlay setTitle:@"Play" forState:UIControlStateNormal];
        [player pause];
    }
```

만일 재생 중이 아닌 경우에는 버튼의 타이틀을 "Pause"로 변경하고 play를 호출하여 재생을 처리한다.

```
    else
    {
        [buttonPlay setTitle:@"Pause" forState:UIControlStateNormal];
```

```
        [player play];
    }
}
```

마지막으로 "〉" 버튼을 눌렀을 때는 다음 곡을 재생하는 playNextSong 함수를 실행한다.

```
- (IBAction)moveNext:(id)sender {
    [self playNextSong];
}
```

정리

이 장에서는 iOS에서 제공하는 여러 가지 기능 중에서 AvAudioPlayer 객체를 사용하여 mp3 재생 플레이어를 만들어 보았다. 먼저, 재생과 중지와 같은 간단한 기능을 제공하는 플레이어를 만들어보았고 여기에 음악 정보, 시간, 타임 슬라이더 등 몇 가지 기능을 계속 추가해 여러 가지 기능을 가진 플레이어를 처리하는 방법을 다루어 보았다. mp3 파일과 같은 리소스에 대한 정보를 참조하기 위해서는 NSURL 객체로 변경이 필요하다. NSURL 객체는 리모트 서버 혹은 로컬 서버에 있는 리소스 파일에 대한 정보를 가지고 있는데, AV 파일 애셋(asset)을 다루기 위해서 반드시 필요한 객체이다. 그다음, AV 파일에 대한 여러 가지 정보를 가진 AVURLAsset 객체를 생성한다. 이어서 URLAsset 객체의 metadataForFormat 메소드를 호출하여 mp3 파일의 ID3 메타 파일 정보 즉, 연주가, 제목, 커버 정보 등을 읽는다. 마지막으로 prepareToPlay를 사용하여 위에서 읽은 mp3 자료를 버퍼에 로드하기를 재생할 준비하고 play 메소드를 호출하여 음악을 재생한다.

사운드 레코딩

이전 장에서는 mp3 음악 파일 재생에 대하여 설명해보았다. 음악 재생을 처리한 뒤에 한 가지 더 욕심이 생길 수 있는데, 바로 사운드 레코딩이다. 음악 재생을 AVAudioPlayer 객체를 통하여 처리하였다면 사운드 레코딩은 AVAudioRecorder 객체를 통하여 쉽게 처리할 수 있다. 이 장에서는 사운드 레코딩 기능을 구현하기 위해 AVAudioRecoder 객체의 주요 속성과 메소드에 대하여 배워 보고 간단한 레코딩 처리 예제와 여러 개의 파일을 레코딩 처리할 수 있는 예제를 만들어 볼 것이다.

이전 장과 마찬가지로 우선 간단히 원하는 소리 혹은 음악을 레코딩할 수 있는 간단한 앱을 만들어보자. 이 앱은 간단히 Record, Stop, Play 등의 3가지 버튼과 현재 상태를 보여주는 Label 1개로 구성된다. 이 앱을 통하여 원하는 소리를 녹음해보고 그 소리를 재생시켜 볼 수 있을 것이다.

┃그대로 따라 하기

❶ Xcode에서 File-New-Project를 선택한다. 계속해서 왼쪽에서 iOS-Application을 선택하고 오른쪽에서 Single View Application을 선택한다. 이어서 Next 버튼을 누르고 Product Name에 "SoundRecordExample"이라고 지정한다. 아래쪽에 있는 Language 항목은 "Objective-C", Devices 항목은 "iPhone"으로 설정한다. 그 아래 Include Unit Tests 항목과 Include UI Tests 항목은 체크한 상태로 그대로 둔다. 이어서 Next 버튼을 누르고 Create 버튼을 눌러 프로젝트를 생성한다.

▶그림 8.1 SoundRecordExample 프로젝트 생성

❷ 프로젝트 탐색기는 기본적으로 프로젝트 속성 중 General 부분을 보여주는데, 여섯 번째 탭 Build Phases 탭을 선택한다. 이때 세 번째 줄에 있는 Link Binary With Libraries(0 items) 왼쪽에 있는 삼각형을 클릭하면 삼각형 모양이 아래쪽으로 향하면서 이 프로젝트에서 사용되는 여러 가지 프레임워크가 나타나는데, 아래쪽에 있는 + 버튼을 눌러 다음 프레임워크를 선택하고 아래쪽 Add 버튼을 눌러 추가한다.

AVFoundation.framework

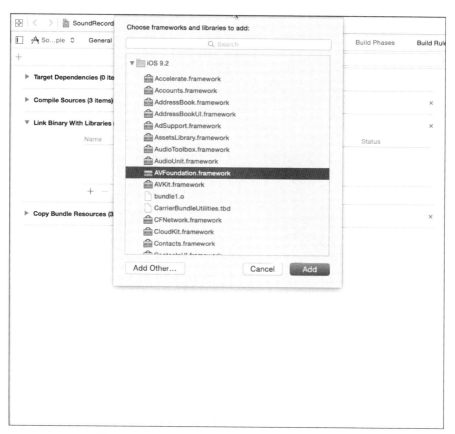

▶그림 8.2 Link Binary With Libraries 항목에서 프레임워크 추가

❸ 왼쪽 프로젝트 탐색기에서 Main.storyboard 파일을 클릭하고 오른쪽 아래 Object 라이브러리에서 Label 1개와 Button 3개를 캔버스의 View Controller 에 떨어뜨리고 다음 그림과 같이 위치시킨다. 먼저 Label을 선택한 상태에서 Attributes 인스펙터를 클릭하여 라벨의 Text 속성을 "Status :"로 변경한다. 이어서 라벨의 Width 크기를 300 이상으로 지정하고 그 아래 있는 버튼의 Title 속성을 각각 "Record", "Stop", "Play"로 변경한다.

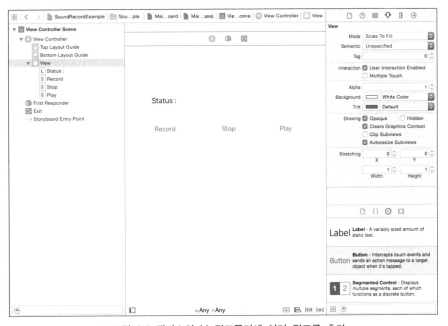

▶그림 8.3 캔버스의 뷰 컨트롤러에 여러 컨트롤 추가

❹ 먼저 Labe 컨트롤을 선택한 상태에서 캔버스 아래 오토 레이아웃 메뉴에서 세 번째 Pin을 선택하면 "제약조건 설정" 창이 나타난다. 이때 다음 그림과 같이 북쪽에서 150, 서쪽과 동쪽 위치 상자에서 각각 25를 입력하고 각각 I 빔에 체 크한다. 또한, 그 아래 Height 항목에 체크한 다음 "Add 4 Constraints" 버튼 을 클릭한다.

▶그림 8.4 Label 컨트롤 제약조건 설정

❺ 그다음, 그 아래 첫 번째 버튼을 선택한 상태에서 캔버스 아래 오토 레이아웃
메뉴에서 세 번째 Pin을 선택한다. 이때 "제약조건 설정" 창이 나타나는데, 다
음 그림과 같이 북쪽 위치 상자에 25, 서쪽 위치 상자에 25를 입력하고 각각의
I 빔에 체크한다. 또한, 그 아래 Height 항목에 체크한 다음, 가장 아래쪽 "Add
3 Constraints" 버튼을 클릭한다.

▶그림 8.5 첫 번째 버튼 제약조건 설정

❻ 이어서 그 오른쪽 두 번째 버튼을 선택한 상태에서 캔버스 아래 오토 레이아웃 메뉴에서 세 번째 Pin을 선택한다. 이때 "제약조건 설정" 창이 나타나는데, 다음 그림과 같이 북쪽 위치 상자에 25를 입력하고 I 빔에 체크한다. 또한, 그 아래 Height 항목에 체크한 다음, 가장 아래쪽 "Add 2 Constraints" 버튼을 클릭한다.

▶그림 8.6 두 번째 버튼 제약조건 설정

❼ 계속해서 세 번째 버튼을 선택한 상태에서 캔버스 아래 오토 레이아웃 메뉴에서 세 번째 Pin을 선택한다. 이때 "제약조건 설정" 창이 나타나는데, 다음 그림과 같이 북쪽 위치 상자에 25, 동쪽 위치 상자에 25를 입력하고 각각의 I 빔에 체크한다. 또한, 그 아래 Height 항목에 체크한 다음, 가장 아래쪽 "Add 3 Constraints" 버튼을 클릭한다.

▶그림 8.7 세 번째 버튼 제약조건 설정

❽ 이번에는 첫 번째 Button 컨트롤을 Ctrl 버튼과 함께 마우스를 사용하여 드래그-앤-드롭으로 오른쪽 두 번째 Button 컨트롤에 떨어뜨린다. 이때 다음과 같

이 설정 창이 나타나는데, 가장 위에 있는 Horizontal Spacing을 선택한다. 동일한 방법으로 두 번째 Button 컨트롤에서 세 번째 컨트롤로 연결하여 설정 창에서 Horizontal Spacing을 선택한다.

▶그림 8.8 Horizontal Spacing을 선택

❾ 이때 도큐먼트 아웃라인 창의 View의 Constraints를 살펴보면 "Stop.leading = Record.trailing + xx" 제약조건이 표시되는데, 이 항목을 선택한 상태에서 오른쪽 위 Attributes 인스펙터를 선택하여 Constant 속성값을 20으로 지정하여 Record 버튼과 Stop 버튼 사이의 간격을 조정한다.

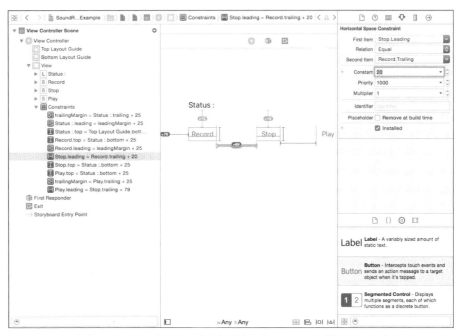

▶그림 8.9 Record와 Stop 버튼의 제약조건 Constant 값을 20으로 변경

❿ 다시 그 아래 있는 View의 Constraints를 살펴보면 "Play.leading = Stop.trailing + xx" 제약조건이 표시되는데, 이 항목을 선택한 상태에서 오른쪽 위 Attributes 인스펙터를 선택하여 Constant 속성값을 20으로 지정하여 Record 버튼과 Stop 버튼 사이의 간격을 조정한다.

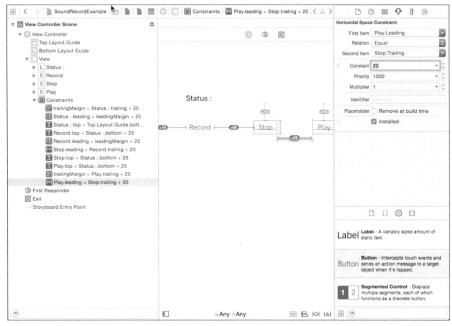

▶그림 8.10 Stop과 Play 버튼의 제약조건 Constant 값을 20으로 변경

⓫ 다시 첫 번째 Button을 마우스로 선택한 뒤에 Command 버튼을 누른 상태에서 마우스로 두 번째 버튼과 세 번째 버튼을 차례로 선택한다(3개의 버튼 모두 선택). 이어서 캔버스 아래 오토 레이아웃 메뉴에서 세 번째 Pin을 선택한다. 이때 "제약조건 설정" 창이 나타나면, Equal Width 항목을 선택한 뒤 가장 아래쪽 "Add 2 Constraints" 버튼을 클릭한다.

▶그림 8.11 Equal Width 항목 선택

⑫ 마지막으로 캔버스 아래 오토 레이아웃 메뉴의 네 번째 Resolve Auto Layout Issues를 선택하고 "All Views"의 "Update Frames"를 선택한다.

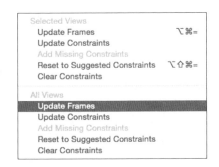

⑬ 이제 도큐먼트 아웃라인 창에서 View Controller를 선택한 상태에서 프로젝트 탐색기 오른쪽 위에 있는 도움 에디터Assistant Editor를 선택하여 불러낸다. 도움 에디터의 파일이 ViewController.h 파일임을 확인하고 Label 컨트롤을 선택한다. 이어서 Ctrl 키와 함께 그대로 도움 에디터의 @interface 아래쪽으로 드래그-앤-드롭 처리한다. 이때 도움 에디터 연결 패널이 나타나면, Name 항목에 lblStatus라고 입력하고 Connect 버튼을 눌러 객체 변수를 생성한다.

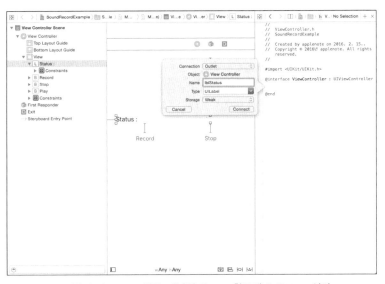

▶그림 8.13 Label 연결 패널의 Name 항목에 lblStatus 입력

⓮ 이제 그 아래쪽에 있는 "Record" 버튼을 선택한 상태에서 오른쪽 마우스 버튼을 누르고 이벤트 연결 패널을 불러낸다. 연결 패널의 Sent Events 안에 있는 Touch Up Inside 항목을 선택하고 그대로 도움 에디터의 @interface 아래쪽으로 드래그-앤-드롭 처리한다. 도움 에디터 연결 패널이 나타나면, Name 항목에 "audioRecord"라고 입력하고 Connect 버튼을 누른다.

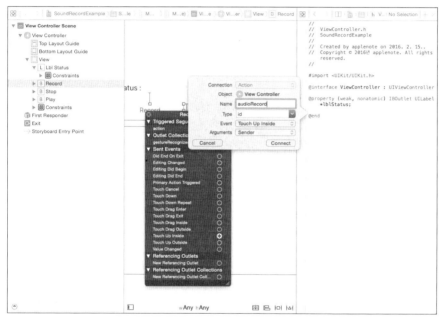

▶ 그림 8.14 "Record" Button 연결 패널의 Touch Up Inside 이벤트 생성

⓯ 이제 그 오른쪽에 있는 Stop 버튼을 선택한 상태에서 오른쪽 마우스 버튼을 누르고 이벤트 연결 패널을 불러낸다. 연결 패널의 Sent Events 안에 있는 Touch Up Inside 항목을 선택하고 그대로 도움 에디터의 @interface 아래쪽으로 드래그-앤-드롭 처리한다. 도움 에디터 연결 패널이 나타나면, Name 항목에 "audioStop"이라고 입력하고 Connect 버튼을 누른다.

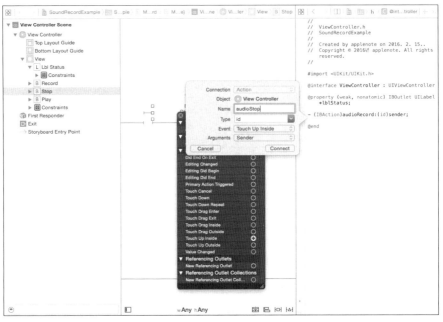

▶그림 8.15 "Stop" Button 연결 패널의 Touch Up Inside 이벤트 생성

⓰ 이어서 그 오른쪽에 있는 "Play" 버튼을 선택한 상태에서 오른쪽 마우스 버튼을 누르고 이벤트 연결 패널을 불러낸다. 연결 패널의 Sent Events 안에 있는 Touch Up Inside 항목을 선택하고 그대로 도움 에디터의 @interface 아래쪽으로 드래그-앤-드롭 처리한다. 도움 에디터 연결 패널이 나타나면, Name 항목에 "audioPlay"라고 입력하고 Connect 버튼을 누른다.

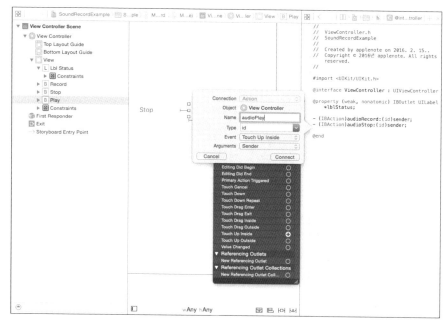

▶그림 8.16 "Play" Button 연결 패널의 Touch Up Inside 이벤트 생성

⑰ 이제 Xcode 오른쪽 위에 있는 표준 에디터 아이콘을 눌러 표준 에디터로 변경한
다. 왼쪽 프로젝트 탐색기에서 ViewController.h 파일을 선택하고 다음을 입
력한다.

```
#import <UIKit/UIKit.h>
#import <AVFoundation/AVFoundation.h>

@interface ViewController : UIViewController <AVAudioPlayerDelegate>

@property (weak, nonatomic) IBOutlet UILabel *lblStatus;

- (IBAction)audioRecord:(id)sender;
- (IBAction)audioStop:(id)sender;
- (IBAction)audioPlay:(id)sender;

@property (strong, nonatomic) AVAudioRecorder *audioRecorder;
```

```
@property (strong, nonatomic) AVAudioPlayer *audioPlayer;

@end
```

⑱ 다시 왼쪽 프로젝트 탐색기에서 ViewController.m 파일을 선택하고 다음을
입력한다.

```
#import "ViewController.h"

@interface ViewController ()
{
    NSTimer *tsTimer;
    int currentTime;
    NSURL *audioFileURL;
}
@end

@implementation ViewController
@synthesize lblStatus, audioPlayer, audioRecorder;

- (void)viewDidLoad {
    [super viewDidLoad];

    NSString *fileName = @"testfile.m4a";
    NSString *documentsDir =
                [NSSearchPathForDirectoriesInDomains(NSDocumentDirectory,
                NSUserDomainMask, YES) lastObject];
    NSString *audioPath = [documentsDir
                stringByAppendingPathComponent: fileName];
    audioFileURL = [NSURL fileURLWithPath: audioPath];
}

- (void)didReceiveMemoryWarning {
    [super didReceiveMemoryWarning];
    // Dispose of any resources that can be recreated.
}

- (IBAction)audioRecord:(id)sender {
```

```
if (!self.audioRecorder.recording && !self.audioPlayer.playing)
{
    currentTime = 0;
    tsTimer = [NSTimer scheduledTimerWithTimeInterval:1.0f target:self
     selector:@selector(updateMessage:) userInfo:@"Recording" repeats:YES];

    NSMutableDictionary *recordSetting = [[NSMutableDictionary alloc] init];
    [recordSetting setValue:
            [NSNumber numberWithFloat:44100.0] forKey:AVSampleRateKey];
    [recordSetting setValue:
            [NSNumber numberWithInt:kAudioFormatAppleLossless]
            forKey:AVFormatIDKey];
    [recordSetting setValue:
            [NSNumber numberWithInt:1] forKey:AVNumberOfChannelsKey];
    [recordSetting setValue:[NSNumber numberWithInt:AVAudioQualityMedium]
            forKey:AVEncoderAudioQualityKey];

    self.audioRecorder = [[AVAudioRecorder alloc]
                    initWithURL:audioFileURL
                    settings:recordSettings
                    error:nil];
    [self.audioRecorder record];
}
}

- (IBAction)audioStop:(id)sender {
    if (tsTimer != nil)
    {
        [tsTimer invalidate];
        tsTimer = nil;
    }
    if (self.audioPlayer.playing)
        [self.audioPlayer stop];
    if (self.audioRecorder.recording)
        [self.audioRecorder stop];
}

- (IBAction)audioPlay:(id)sender {
    if (!self.audioPlayer.playing && !self.audioRecorder.recording)
    {
```

```
        currentTime = 0;
        tsTimer = [NSTimer scheduledTimerWithTimeInterval:1.0f target:self
                selector:@selector(updateMessage:) userInfo:@"Playing" repeats:YES];

        self.audioPlayer = [[AVAudioPlayer alloc] initWithContentsOfURL:
                audioFileURL error:nil];
        self.audioPlayer.delegate = self;
        [self.audioPlayer play];
    }
}

- (void) audioPlayerDidFinishPlaying:(AVAudioPlayer *)player successfully:(BOOL)flag
{
    if (tsTimer != nil)
    {
        [tsTimer invalidate];
        tsTimer = nil;
    }
    lblStatus.text = @"Status : Playing 00:00";
}

- (void) updateMessage:(NSTimer *) timer
{
    NSString *time = [NSString stringWithFormat:@"Status : %@ %02d:%02d",
            timer.userInfo, currentTime/60, currentTime%60];
    lblStatus.text = time;
    currentTime++;
}

@end
```

⑲ 이제 Xcode 왼쪽에 있는 Run 혹은 Command-R 버튼을 눌러 실행한다. 왼쪽
Record 버튼을 눌러 원하는 음악 혹은 소리를 녹음해보고 Stop 버튼으로 종료
한 뒤에 오른쪽 Play 버튼으로 녹음된 소리를 재생해본다.

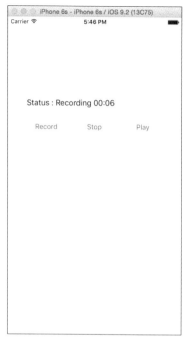

▶그림 8.17 SoundRecordExample 프로젝트 실행

▌원리 설명

위에서 설명하였듯이 원하는 음악 혹은 소리 레코딩 기능은 AVAudioRecorder 객체를 사용한다. 여기서는 레코딩 된 소리를 재생하는 것도 필요하므로 재생을 처리하는 AVAudioPlayer 객체 역시 사용하였다.

먼저 ViewController 객체의 자료를 초기화하는 viewDidLoad 함수를 살펴보자.

먼저 레코딩하여 녹음할 파일 이름을 설정한다. 이때 파일의 확장자는 .m4a를 사용하는데, 이 확장자는 애플의 iTunes와 아이폰에서 사용되는 것으로 애플의 QuickTime에 기본을 둔 MPEC-4 멀티미디어 표준의 일부이다. m4a 파일은 AAC 인코딩을 이용하여 압축된 손실 파일이지만, mp3보다 더 깨끗한 음질을 제공한다.

```
- (void)viewDidLoad {
  [super viewDidLoad];

  NSString *fileName = @"testfile.m4a";
  ...
```

이미 4장에서 설명하였듯이 아이폰에서 사용되는 Documents 디렉터리는 사용자가 작성한 파일 및 자료를 보관하는 디렉터리로서 자동으로 iTunes에 의해 백업된다. 이 도큐먼트의 디렉터리의 루트를 얻기 위해 다음과 같이 NSSearchPathForDirectoriesIn Domains()를 호출한다.

```
NSString *documentsDir =
          [NSSearchPathForDirectoriesInDomains(NSDocumentDirectory,
          NSUserDomainMask, YES) lastObject];
  ...
```

그다음, stringByAppendingPathComponent를 호출하여 레코딩 파일 이름을 패스 뒤에 붙여 레코딩 파일에 대한 전체 패스를 생성한다.

```
NSString *audioPath =
          [documentsDir stringByAppendingPathComponent: fileName];
  ...
```

이어서, 레코딩 파일 리소스에 대한 정보를 참조하기 위해서는 NSURL 객체 생성이 필요하다. NSURL 객체는 리모트 서버 혹은 로컬 서버에 있는 리소스 파일에 대한 정보를 가지고 있는 중요한 객체이다. 다음과 같이 fileURLWithPath에 레코딩 파일의 패스를 지정하여 NSURL 객체를 생성한다.

```
  audioFileURL = [NSURL fileURLWithPath: audioPath];
}
```

이제 가장 왼쪽에 있는 Record 버튼을 눌렀을 때 실행되는 audioRecord 이벤트 함수를 살펴보자. 이 함수에서는 먼저 현재 상태가 레코딩 중인 상태인지를 체크하는 것이 필요하다. 다음과 같이 AVAudioRecoder 객체의 recording 속성과 AVAudioPlayer 객체의 playing 속성을 사용하여 레코딩 상태와 재생 상태가 아닌 경우, 레코딩 처리를 진행한다.

```
- (IBAction)audioRecord:(id)sender {
    if (!self.audioRecorder.recording && !self.audioPlayer.playing)
    {
    ...
```

레코딩 처리는 현재 레코딩 진행 시간을 표시하기 위해 현재 표시 시간을 0으로 초기화하고 NSTimer 객체를 사용하여 1초 간격을 두고 updateTimeStamp 함수를 계속 반복해서 실행한다. 즉, 타이머를 이용하여 현재 레코딩 진행 과정을 처리한다.

```
    currentTime = 0;
    tsTimer = [NSTimer scheduledTimerWithTimeInterval:1.0f target:self
        selector:@selector(updateMessage:) userInfo:@"Recording" repeats:YES];
    ...
```

이제 실제로 레코딩 기능을 처리하는 AVAudioRecoder 객체를 생성해보자. 이 객체를 생성하기 전에 먼저 이 객체에서 사용되는 레코딩 파일에 대한 설정이 필요하다. 레코딩 파일에 대하여 처리해야 할 설정 상수는 다음 표 8.1과 같다.

▶ 표 8.1 레코딩 설정 상수 키

주요 설정 상수 키	설 명
AVSampleRateKey	초당 샘플링 횟수를 설정하는 주파수 설정. 디지털에서 사용되는 샘플링 레이트는 44.1, 48, 88.2, 96 KHz 등이 있다.
AVFormatIDKey	오디오 데이터 포맷 설정. 다음 표 8.2 오디오 데이터 포맷 참조

■ 표 8.1 레코딩 설정 상수 키(계속)

주요 설정 상수 키	설 명
AVNumberOfChannelsKey	재생을 위한 채널 수 설정
AVEncoderAudioQualityKey	오디오 음질 상수 설정. 다음 표 8.3 오디오 음질 상수 참조

■ 표 8.2 오디오 데이터 포맷

오디오 데이터 포맷	설 명
kAudioFormatLinearPCM	패킷당 무압축 오디오 데이터 포맷
kAudioFormatAC3	AC-3 코덱으로 처리한 데이터 포맷
kAudioFormatMPEGLayer3	MPEG-1/2, Layer 3 오디오 데이터 포맷
kAudioFormatAppleLossless	애플 미손실 오디오 데이터 포맷

■ 표 8.3 오디오 음질 상수

오디오 음질 상수	설 명
AVAudioQualityMin	최소 음질
AVAudioQualityLow	낮은 음질
AVAudioQualityMedium	중간 음질
AVAudioQualityHigh	높은 음질
AVAudioQualityMax	최고 음질

레코딩 파일에 대한 설정을 처리하기 위해서는 먼저 다음과 같이 NSMutable
Dictionary 객체를 생성한다. 각각의 설정 키와 그에 대한 값이 일 대 일로 대응되는
딕셔너리Dictionary 기능을 사용하는 배열로 처리한다.

```
NSMutableDictionary *recordSetting = [[NSMutableDictionary alloc] init];
...
```

그다음, NSMuableDictionary 객체의 setValue를 사용하여 각 키에 해당하는 값을 지정한다. 먼저 AVSampeRateKey 키에 해당하는 44100.0을 Float 값으로 지정한다. AVSampeRateKey는 샘플링 주파수를 설정하는 상수로 여기서는 CD에서 사용되는 44.1 KHz를 지정한다.

```
[recordSetting setValue:
        [NSNumber numberWithFloat:44100.0] forKey:AVSampleRateKey];
...
```

그다음, AVFormatIDKey 키를 사용하여 압축 오디오 코덱을 설정할 수 있는데, 여기서는 애플 무손실Apple Lossloess을 사용한다. 애플 무손실은 애플사에게 개발한 음악의 무손실 압축 코덱으로 고유의 압축 알고리즘을 통하여 음원 파일의 손실 없이 압축하고 깨끗한 음악을 재생할 수 있다.

```
[recordSetting setValue:
        [NSNumber numberWithInt:kAudioFormatAppleLossless]
        forKey:AVFormatIDKey];
...
```

이어서 AVNumberOfChannelsKey 키를 사용하여 음악 채널을 설정할 수 있다. 여기서는 1을 지정하여 1채널을 사용한다.

```
[recordSetting setValue:
        [NSNumber numberWithInt:1] forKey:AVNumberOfChannelsKey];
...
```

마지막으로 AVEncoderAudioQualityKey 키를 사용하여 음악 음질을 설정할 수 있는데, 여기서는 AVAudioQualityMedium을 지정하여 중간 정도의 음질을 지정한다.

```
        [recordSetting setValue:[NSNumber numberWithInt:AVAudioQualityMedium]
              forKey:AVEncoderAudioQualityKey];
    ...
```

녹음 파일에 대한 설정이 끝나면 위에서 생성한 레코딩 파일에 대한 NSURL 객체 정보와 설정값을 지정하여 AVAudioRecorder 객체를 생성한다.

```
    self.audioRecorder = [[AVAudioRecorder alloc]
                    initWithURL:audioFileURL
                    settings:audioSettings
                    error:nil];
    ...
```

이어서 AVRecorder 객체의 record 속성으로 레코딩을 시작한다.

```
        [self.audioRecorder record];
    }
}
```

이번에는 레코딩을 중지하거나 혹은 재생을 정지할 때 사용되는 Stop 처리를 해보자. Stop 버튼을 클릭하면 다음과 같이 audioStop 함수가 실행된다.

```
- (IBAction)audioStop:(id)sender {
...
```

이 함수에서는 먼저 타이머를 체크하여 타이머가 동작 중인 경우 invalidate를 호출하여 타이머를 중지한다.

```
    if (tsTimer != nil)
    {
```

```
    [tsTimer invalidate];
    tsTimer = nil;
}
...
```

그다음 AVAudioPlayer 객체의 playing 속성을 체크하여 현재 재생 중인지를 확인하고 재생 중이라면 stop 메소드를 사용하여 중지한다.

```
if (self.audioPlayer.playing)
    [self.audioPlayer stop];
...
```

동일한 방법으로 AVAudioRecorder 객체의 recording 속성을 체크하여 현재 레코딩 중인지를 확인하고 레코딩 중인 경우, stop 메소드를 사용하여 중지한다.

```
if (self.audioRecorder.recording)
    [self.audioRecorder stop];
}
```

가장 오른쪽에 있는 Play 버튼은 레코딩된 파일을 재생할 때 사용되는 버튼이다. 이 함수에서는 먼저 다음과 같이 AVAudioPlayer 객체의 playing 속성과 AVAudio Recorder 객체의 recording 속성을 사용하여 현재 재생 상태와 레코딩 상태를 확인한다. 재생 상태와 레코딩 상태가 아닌 경우, 다음 처리를 진행한다.

```
- (IBAction)audioPlay:(id)sender {
    if (!self.audioPlayer.playing && !self.audioRecorder.recording)
    {
    ...
```

재생 처리는 현재 재생 진행 시간을 표시하기 위해 현재 표시시간을 0으로 초기화하고 NSTimer 객체를 사용하여 1초 간격을 두고 updateMessage 함수를 계속 반복해서 실행한다. 즉, 타이머를 이용하여 현재 재생 진행 과정을 처리한다.

```
currentTime = 0;
tsTimer = [NSTimer scheduledTimerWithTimeInterval:1.0f target:self
 selector:@selector(updateMessage:) userInfo:@"Playing" repeats:YES];
...
```

이어서 위에서 생성한 레코딩 파일에 대한 NSURL 객체 정보를 지정하여 AVAudio Player 객체를 생성한다.

```
self.audioPlayer = [[AVAudioPlayer alloc]
                  initWithContentsOfURL: audioFileURL error:nil];
...
```

이어서 AVAudioPlayerDelegate 프로토콜을 지정하여 재생이 끝났을 때 audio PlayerDidFinishPlaying 메소드가 자동으로 실행되도록 설정한다. 프로토콜은 자바의 인터페이스 기능과 비슷한 것으로 지정된 이벤트가 발생될 수 있게 만들어 놓은 메소드를 구현하는 기능이다. 다음과 같이 delegate 속성에 self를 지정하여 프로토콜 메소드가 현재 객체에 위치하게 한다.

```
self.audioPlayer.delegate = self;
...
```

마지막으로 play를 호출하여 재생 처리를 시작한다.

```
    [self.audioPlayer play];
  }
}
```

바로 위에서 처리한 play 메소드는 레코딩된 파일을 재생하게 되는데, 이 파일 재생이 끝나게 되면 AVAudioPlayerDelegate 프로토콜을 지정된 audioPlayerDidFinish Playing 메소드가 자동으로 실행된다.

```
- (void) audioPlayerDidFinishPlaying:(AVAudioPlayer *)player
successfully:(BOOL)flag
{
...
```

이 메소드에서는 타이머를 체크하여 동작하는 경우, tsTimer가 nil이 아니므로 invalidate를 호출하여 타이머를 제거한다.

```
    if (tsTimer != nil)
    {
        [tsTimer invalidate];
        tsTimer = nil;
    }
```

또한, 상태 메시지를 00:00으로 초기화한다.

```
    lblStatus.text = @"Status : Playing 00:00";
}
```

마지막으로 타이머가 호출될 때마다 실행되는 updateMessage를 살펴보자. 이 메시지에서는 NSTimer의 userInfo 객체에 지정된 값("Recording" 혹은 "Playing")을 출력하고 현재 진행 시간 currentTime을 60으로 나누어 몫을 분으로, 나머지를 초로 출력한다.

```
- (void) updateMessage:(NSTimer *) timer
{
    NSString *time = [NSString stringWithFormat:@"Status : %@ %02d:%02d",
```

```
                    timer.userInfo, currentTime/60, currentTime%60];
lblStatus.text = time;
...
```

이어서 현재 진행 시간 currentTime을 증가시킨다.

```
    currentTime++;
}
```

8-2 녹음 리스트 파일을 제공하는 사운드 레코딩

이번에는 이전 장에서 제공되는 기능에 녹음 리스트를 추가하여 1개의 녹음 파일이 아닌 여러 파일을 관리할 수 있는 레코딩 플레이어를 만들어보자. 이 예제는 이전 절에서 제공된 Record, Stop, Play 등의 3가지 기능뿐만 아니라 리스트 보여주는 List 버튼과 삭제가 가능한 Delete 버튼까지 추가해 볼 것이다.

▌그대로 따라 하기

❶ Xcode에서 File-New-Project를 선택한다. 계속해서 왼쪽에서 iOS-Application 을 선택하고 오른쪽에서 Single View Application을 선택한다. 이어서 Next 버튼을 누르고 Product Name에 "SoundRecordPlayer"라고 지정한다. 아래 쪽에 있는 Language 항목은 "Objective-C", Devices 항목은 "iPhone"으로 설정한다. 그 아래 Include Unit Tests 항목과 Include UI Tests 항목은 체크 한 상태로 그대로 둔다. 이어서 Next 버튼을 누르고 Create 버튼을 눌러 프로 젝트를 생성한다.

Choose options for your new project:

Product Name: SoundRecordPlayer
Organization Name: applenote
Organization Identifier: net.bluenote88
Bundle Identifier: net.bluenote88.SoundRecordPlayer
Language: Objective-C
Devices: iPhone
☐ Use Core Data
☑ Include Unit Tests
☑ Include UI Tests

Cancel   Previous   Next

▶그림 8.18 SoundRecordPlayer 프로젝트 생성

❷ 프로젝트 탐색기는 기본적으로 프로젝트 속성 중 General 부분을 보여주는데 여섯 번째 탭 Build Phases 탭을 선택한다. 이때 세 번째 줄에 있는 Link Binary With Libraries(0 items) 왼쪽에 있는 삼각형을 클릭하면 삼각형 모양이 아래쪽으로 향하면서 이 프로젝트에서 사용되는 여러 가지 프레임워크가 나타나는데, 아래쪽에 있는 + 버튼을 눌러 다음 프레임워크를 선택하고 아래쪽 Add 버튼을 눌러 추가한다.

AVFoundation.framework

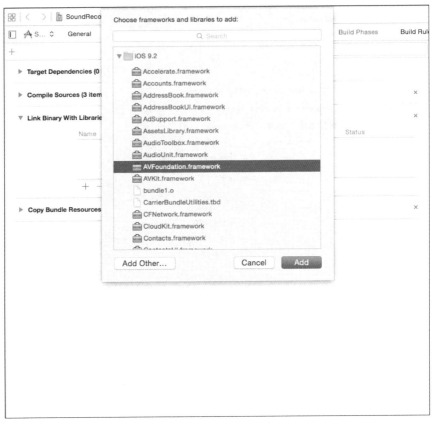

▶그림 8.19 Link Binary With Libraries 항목에서 프레임워크 추가

❸ 프로젝트 탐색기에서 프로젝트 이름(파란색 아이콘)에서 오른쪽 마우스 버튼을
누르고 New Group 항목을 선택해서 Resources라는 이름으로 새로운 그룹을
만든다. 제공되는 예제 파일로부터 mc.png 파일을 Resources 폴더 아래쪽에
위치시켜 드래그-앤-드롭으로 복사한다.

▶그림 8.20 이미지 파일 복사

❹ 프로젝트 탐색기의 SoundRecordPlayer 폴더 아래 Main.storyboard를 선택한
상태에서 스토리보드 캔버스에서 ViewController를 선택한다. 그다음, Xcode의
Editor 메뉴-Embed In-Navigation Controller를 신택하여 내비게이션 컨
트롤러를 추가한다. 이때 추가된 내비게이션 컨트롤러는 자동으로 현재 위치하
는 뷰 컨트롤러와 연결된다.

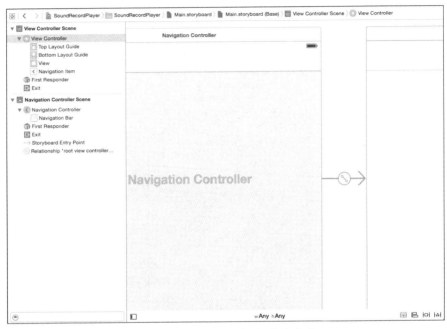

▶그림 8.21 내비게이션 컨트롤러 추가

❺ 이제 다시 오른쪽 아래 Object 라이브러리에서 Table View Controller 하나를 스토리보드 캔버스에 떨어뜨리고 이 새로운 컨트롤러를 기존의 View Controller 오른쪽에 위치시킨다.

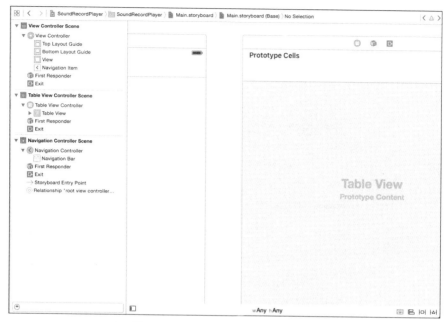

▶그림 8.22 새로운 Table View Controller 추가

❻ 이어서 프로젝트 탐색기의 SoundRecordPlayer(노란색 아이콘) 프로젝트에서
오른쪽 마우스 버튼을 누르고 New File 항목을 선택한다. 이때 템플릿 선택
대화상자가 나타나면, 왼쪽에서 iOS-Source를 선택하고 오른쪽에서 Cocoa
Touch Class를 선택한 뒤, Next 버튼을 누른다. 이때 새 파일 이름을 입력하라
는 대화상자가 나타나면, 다음 그림과 같이 ListViewController를 입력한다.
이때 그 아래쪽 "Subclass of" 항목에 UITableViewController를 지정하도록
하고 "Also create XIB file" 체크 상자에는 체크하지 않도록 한다. 그 아래
Language 항목은 Objective-C를 선택한다. 이상이 없으면 Next 버튼을 누르
고 Create 버튼을 눌러 파일을 생성한다.

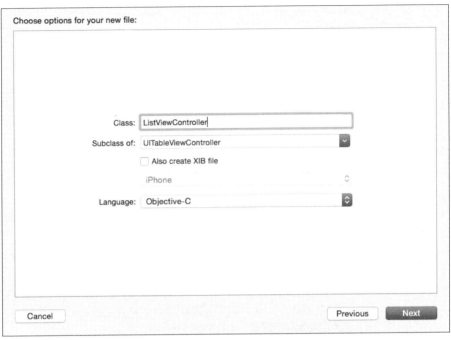

Choose options for your new file:

Class: ListViewController

Subclass of: UITableViewController

☐ Also create XIB file

iPhone

Language: Objective-C

Cancel   Previous   Next

▶ 그림 8.23 새로운 클래스 ListViewController 생성

❼ 프로젝트 관리자에서 SoundRecordPlayer 폴더 아래 Main.storyboard를 선택하고 스토리보드 캔버스에서 새로 생성한 Table View Controller를 선택한다. 그리고 오른쪽 위 Identity 인스펙터를 선택하고 그 Class 이름을 ListView Controller로 변경한다.

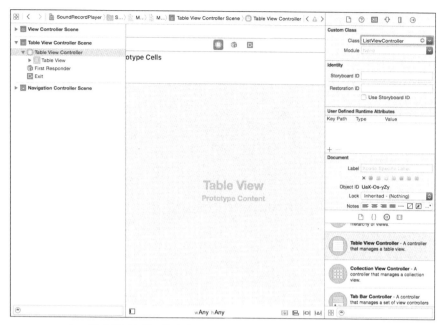

▶그림 8.24 뷰 컨트롤러의 Class 이름을 ListViewController로 변경

❽ 이제 다시 그 왼쪽에 있는 ViewController를 선택하고 프로젝트 탐색기의 캔버스의 오른쪽 아래 Object 라이브러리에서 Vertical Stack View 하나를 선택하여 ViewController 위에 떨어뜨린다.

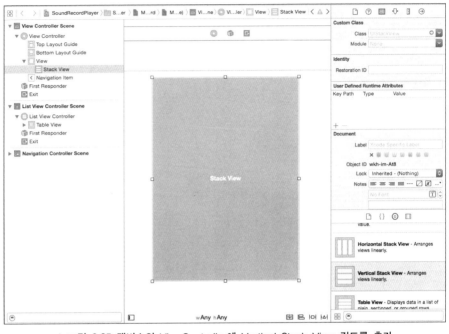

▶그림 8.25 캔버스의 ViewController에 Vertical Stack View 컨트롤 추가

❾ 이제 캔버스에서 Vertical Stack View를 선택
한 상태에서 캔버스 아래 오토 레이아웃 메뉴
에서 세 번째 Pin을 선택한다. "제약조건 설정"
창이 나타나면, 먼저 Constrain to margins
체크 상자의 체크를 삭제한다. 이어서 다음 그
림과 같이 동, 서, 남, 북 위치 상자에 각각 20,
20, 20, 20을 입력하고 각각의 I 빔에 체크한
뒤 아래쪽 "Add 4 Constraints" 버튼을 클릭
한다.

▶그림 8.26 Vertical Stack View 컨
트롤의 제약조건 설정

⑩ 이제 캔버스 아래 오토 레이아웃 메뉴의 네 번째 Resolve Auto Layout Issues
를 선택하고 "All Views"의 "Update Frames"를 선택한다.

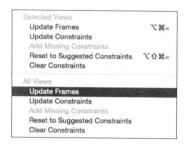

▶그림 8.27 Update Frames 항목 선택

⑪ 이번에는 캔버스의 오른쪽 아래 Object 라이브러리에서 Horizontal Stack
View 컨트롤 하나를 선택해서 Vertical Stack View 위에 떨어뜨린다.

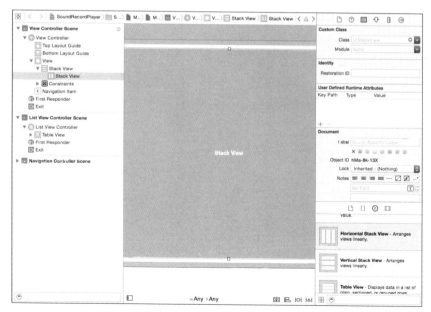

▶그림 8.28 Horizontal Stack View 추가

⑫ 이번에는 계속해서 캔버스의 오른쪽 아래 Object 라이브러리에서 Image View 컨트롤 하나를 선택해서 위에서 처리한 Horizontal Stack View 아래쪽에 위치 시켜보자. 사실 이것은 캔버스 상에서 처리하기 쉽지 않으므로 도큐먼트 아웃라 인 창을 사용하는 것이 좋다. 즉, Object 라이브러리에서 Image View 컨트롤 을 선택하고 드래그-앤-드롭으로 다음 그림과 같이 도큐먼트 아웃라인 창의 Horizontal Stack View 바로 아래쪽에 떨어뜨리는데, 주의해야 할 점은 떨어 뜨릴 때 파란색 작은 원 끝이 Horizontal Stack View 시작점과 동일해야만 한다. 만일 그 끝이 맞지 않으면 위, 아래 방향으로 조정해본다.

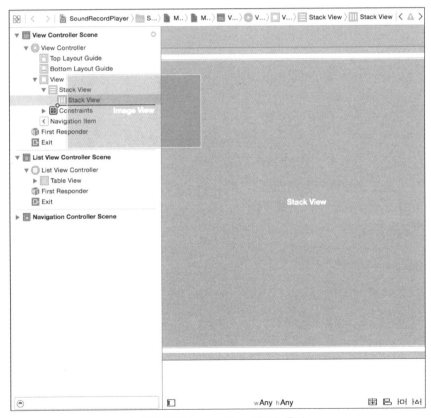

▶그림 8.29 Image View 컨트롤 추가

⓭ 동일한 방법으로 계속해서 Object 라이브러리에서 Horizontal Stack View 컨트롤을 선택하고 도큐먼트 아웃라인 창의 Image View 바로 아래쪽에 떨어뜨린다. 2개 더 추가하여 다음 그림과 같이 Image View 컨트롤 1개와 총 3개의 Horizontal Stack View 컨트롤을 표시되도록 한다.

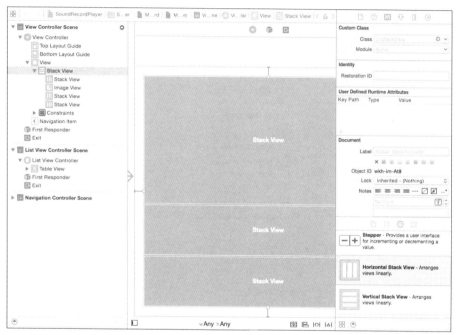

▶그림 8.30 Image View 1개와 총 3개의 Horizontal Stack View 컨트롤을 추가

⓮ 이제 Object 라이브러리에서 Button 컨트롤을 선택하고 도큐먼트 아웃라인 창의 첫 번째 Horizontal Stack View 컨트롤 바로 아래 안쪽으로 떨어뜨린다. 이때 주의해야 할 점은 떨어뜨릴 때 파란색 작은 원 끝이 Horizontal Stack View 컨트롤보다 안쪽으로 들어가야만 한다. 이어서 추가된 Button을 선택한 상태에서 오른쪽 위 Attributes 인스펙터를 선택하여 그 Title 속성값을 "Delete"로 변경한다. 동일한 방법으로 Button을 Delete 버튼과 동일한 레벨로

하나 더 추가하고 그 Title 속성을 "List"로 변경한다. 즉, 첫 번째 Horizontal Stack View 컨트롤에는 2개의 버튼이 추가된다.

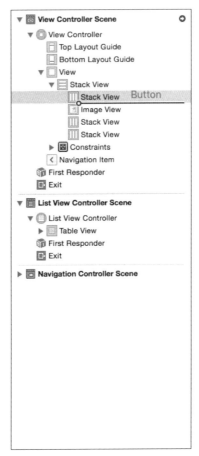

▶그림 8.31 첫 번째 Horizontal Stack View 컨트롤에 버튼 추가

⓯ 이번에는 Object 라이브러리에서 Label 컨트롤을 선택하고 Image View 컨트롤 아래 두 번째 Horizontal Stack View 컨트롤에 떨어뜨린다. 또한, 오른쪽 Attributes 인스펙터를 선택하여 그 Text 속성을 Status라고 변경한다.

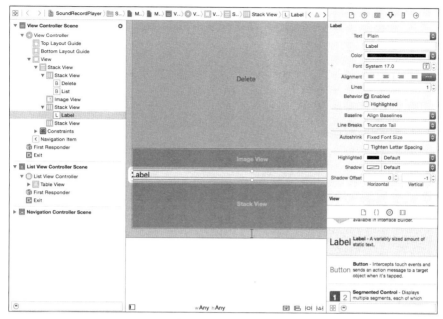

⓯ 계속해서 Object 라이브러리에서 Button 컨트롤을 선택하고 도큐먼트 아웃라
인 창의 세 번째 Horizontal Stack View 컨트롤 바로 아래 안쪽으로 떨어뜨린
다. 역시 이전과 마찬가지로 떨어뜨릴 때 파란색 원 끝이 Horizontal Stack
View 컨트롤보다 안쪽으로 들어가야만 한다. 동일한 방법으로 2개의 버튼을
추가하여 총 3개의 버튼이 표시되도록 한다. 이어서 오른쪽 위 Attributes 인스
펙터를 선택하여 그 Title 속성값을 각각 "Record", "Stop", "Play"로 변경한다.

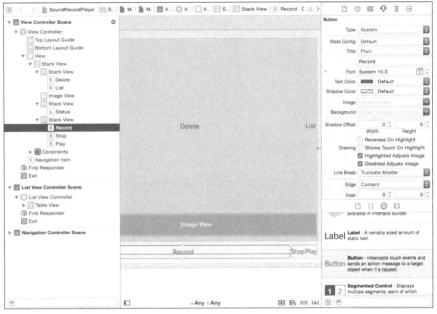

▶그림 8.33 세 개의 Button 컨트롤을 세 번째 Horizontal Stack View 컨트롤에 추가

⑰ 이제 도큐먼트 아웃라인 창에서 첫 번째 Horizontal Stack View를 선택한 상태에서 오른쪽 위 Attributes 인스펙터를 선택한다. Stack View 항목의 Distribution을 "Fill Equally"로 변경한다. 그리고 그 아래 Spacing 값을 20으로 변경한다.

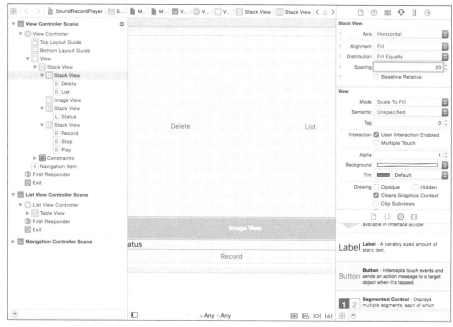

▶그림 8.34 첫 번째 Horizontal Stack View의 Distribution, Spacing 값 변경

⑱ 계속해서 도큐먼트 아웃라인 창에서 "Delete" Button 컨트롤을 클릭한 상태에서 캔버스 아래 오토 레이아웃 메뉴에서 세 번째 Pin을 선택한다. "제약조건 설정" 창이 나타나면, Height에 40을 입력하고 아래쪽 "Add 1 Constraint" 버튼을 클릭한다. 동일한 방법으로 "List" 버튼 역시 제약조건 창에서 Height에 40을 입력하고 아래쪽 "Add 1 Constraint" 버튼을 클릭한다.

▶그림 8.35 Delete와 List Button 컨트롤 제약조건 설정

⑲ 이번에는 도큐먼트 아웃라인 창에서 "Status" Label 컨트롤을 클릭한 상태에서 캔버스 아래 오토 레이아웃 메뉴에서 세 번째 Pin을 선택한다. "제약조건 설정" 창이 나타나면, Height에 40을 입력하고 아래쪽 "Add 1 Constraint" 버튼을 클릭한다. 동일한 방법으로 "List" 버튼 역시 제약조건 창에서 Height에 40을 입력하고 아래쪽 "Add 1 Constraint" 버튼을 클릭한다. 계속해서 그 아래쪽에 있는 "Record", "Stop", "Play" 버튼 모두 제약조건 설정에서 Height에 40을 입력하고 아래쪽 "Add 1 Constraint" 버튼을 클릭한다.

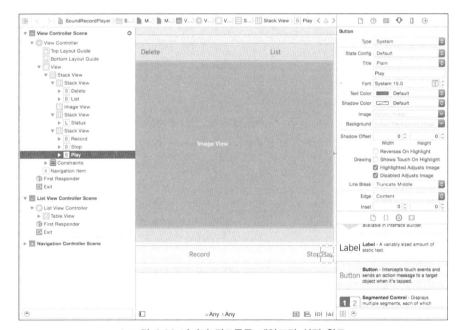

▶그림 8.36 나머지 컨트롤들 제약조건 설정 완료

⑳ 이제 도큐먼트 아웃라인 창에서 3개의 버튼을 포함하고 있는 세 번째 Horizontal Stack View를 선택한 상태에서 오른쪽 위 Attributes 인스펙터를 선택한다. Stack View 항목의 Distribution을 "Fill Equally"로 변경한다. 그리고 그 아래 Spacing 값을 20으로 변경한다.

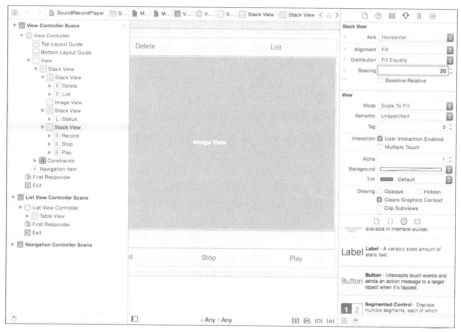

▶그림 8.37 세 번째 Horizontal Stack View의 Distribution, Spacing 값 변경

㉑ 이때 도큐먼트 아웃라인 창 오른쪽 위에 노란색 경고가 나타나면, 도큐먼트 아웃라인 창에서 View Controller를 선택한 상태에서 캔버스 아래 오토 레이아웃 메뉴의 네 번째 Resolve Auto Layout Issues를 선택하고 Reset to Suggested Constraints를 선택한다.

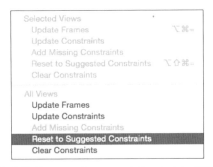

▶그림 8.38 Reset to Suggested Constraints 항목 선택

㉒ 이번에는 도큐먼트 아웃라인 창에서 Image View를 선택하고 오른쪽 위 Attributes 인스펙터를 선택한다. Image View 항목의 Image 상자에서 mic.png 파일을 선택하고 View 항목의 Mode에서 Aspect Fit를 선택한다.

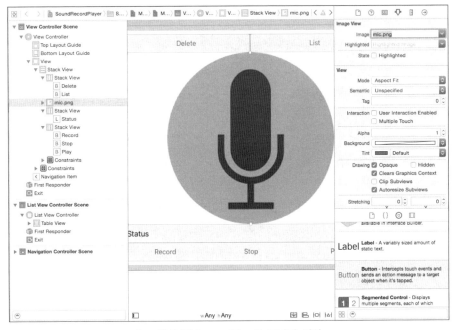

▶그림 8.39 Image View에 이미지 설정

❷❸ 이제 Ctrl 키를 누른 상태에서 View Controller의 List 버튼을 클릭하고 드래그-앤-드롭으로 List View Controller 위에 떨어뜨린다. 이때 Action 세구에 연결 상자가 나타나면, show 항목을 선택한다.

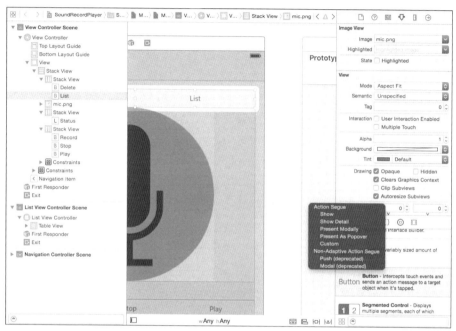

▶그림 8.40 세구에 연결 선택 상자에서 show 항목 선택

❷❹ 이어서 도큐먼트 아웃라인 상태의 List View Controller 아래에 있는 Table View Cell을 선택하고 오른쪽 위 Attributes 인스펙터를 선택한다. Table View Cell 항목의 Identifier에 "MyCell"이라고 입력한다.

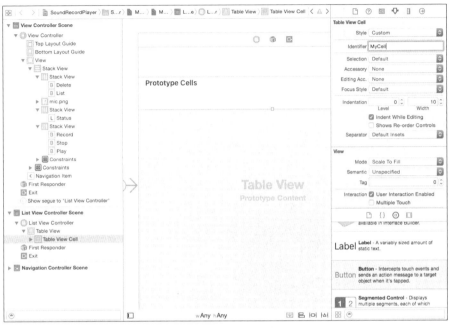

▶그림 8.41 Table View Cell 항목의 Identifier 이름 입력

㉕ 이제 도큐먼트 아웃라인 창에서 View Controller를 선택한 상태에서 프로젝트 탐색기 오른쪽 위에 있는 도움 에디터Assistant Editor를 선택하여 불러낸다. 도움 에디터의 파일이 ViewController.h 파일임을 확인하고 Ctrl 키와 함께 캔버스의 ViewController에 있는 "Status" Label 컨트롤을 선택한다. 이어서 Ctrl 키를 누른 상태에서 그대로 도움 에디터의 @interface 아래쪽으로 드래그-앤-드롭 처리한다. 이때 도움 에디터 연결 패널이 나타나면, Name 항목에 lblStatus라고 입력하고 Connect 버튼을 눌러 객체 변수를 생성한다.

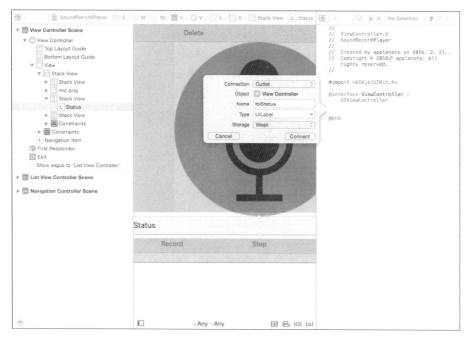

▶그림 8.42 Label 연결 패널의 Name 항목에 lblStatus 입력

㉖ 이어서 그 위쪽에 있는 "Delete" 버튼을 선택한 상태에서 오른쪽 마우스 버튼을 누르고 이벤트 연결 패널을 불러낸다. 연결 패널의 Sent Events 안에 있는 Touch Up Inside 항목을 선택하고 그대로 도움 에디터의 @interface 아래쪽으로 드래그-앤-드롭 처리한다. 도움 에디터 연결 패널이 나타나면, Name 항목에 audioDelete라고 입력하고 Connect 버튼을 누른다.

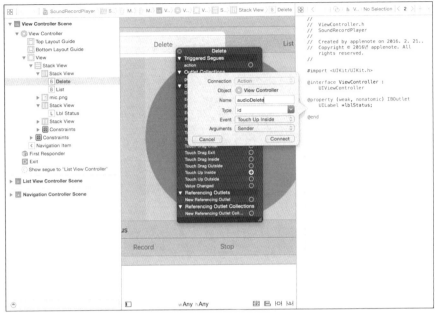

▶ 그림 8.43 "Delete" Button 연결 패널의 Touch Up Inside 이벤트 생성

㉗ 계속해서 아래쪽에 있는 "Record" 버튼을 선택한 상태에서 오른쪽 마우스 버튼을 누르고 이벤트 연결 패널을 불러낸다. 연결 패널의 Sent Events 안에 있는 Touch Up Inside 항목을 선택하고 그대로 도움 에디터의 @interface 아래쪽으로 드래그-앤-드롭 처리한다. 도움 에디터 연결 패널이 나타나면, Name 항목에 audioRecord라고 입력하고 Connect 버튼을 누른다.

▶그림 8.44 "Record" Button 연결 패널의 Touch Up Inside 이벤트 생성

㉘ 이어서 그 오른쪽에 있는 "Stop" 버튼을 선택한 상태에서 오른쪽 마우스 버튼을 누르고 이벤트 연결 패널을 불러낸다. 연결 패널의 Sent Events 안에 있는 Touch Up Inside 항목을 선택하고 그대로 도움 에디터의 @interface 아래쪽으로 드래그-앤-드롭 처리한다. 도움 에디터 연결 패널이 나타나면, Name 항목에 audioStop이라고 입력하고 Connect 버튼을 누른다.

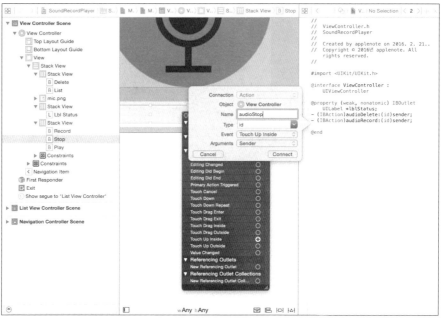

▶그림 8.45 "Stop" Button 연결 패널의 Touch Up Inside 이벤트 생성

㉙ 이제 "Play" 버튼을 선택한 상태에서 오른쪽 마우스 버튼을 누르고 이벤트 연결 패널을 불러낸다. 연결 패널의 Sent Events 안에 있는 Touch Up Inside 항목을 선택하고 그대로 도움 에디터의 @interface 아래쪽으로 드래그-앤-드롭 처리한다. 도움 에디터 연결 패널이 나타나면, Name 항목에 audioPlay라고 입력하고 Connect 버튼을 누른다.

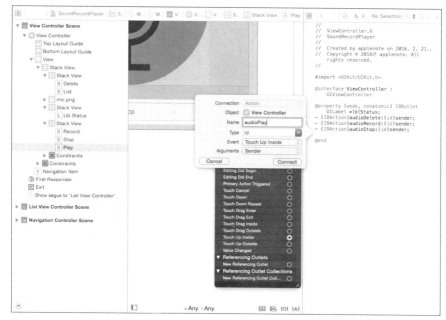

▶그림 8.46 "Play" Button 연결 패널의 Touch Up Inside 이벤트 생성

㉚ 이제 Xcode 오른쪽 위에 있는 표준 에디터 아이콘을 눌러 표준 에디터로 변경한다. 왼쪽 프로젝트 탐색기에서 ViewController.h 파일을 선택하고 다음을 입력한다.

```objc
#import <UIKit/UIKit.h>
#import <AVFoundation/AVFoundation.h>

@interface ViewController : UIViewController <AVAudioPlayerDelegate>

@property (weak, nonatomic) IBOutlet UILabel *lblStatus;
- (IBAction)audioDelete:(id)sender;
- (IBAction)audioRecord:(id)sender;
- (IBAction)audioStop:(id)sender;
- (IBAction)audioPlay:(id)sender;

@property (strong, nonatomic) AVAudioRecorder *audioRecorder;
```

```
@property (strong, nonatomic) AVAudioPlayer *audioPlayer;
@property(strong, nonatomic) NSString *fileName;

@end
```

③ 왼쪽 프로젝트 탐색기에서 ViewController.m 파일을 선택하고 다음을 입력한다.

```
#import "ViewController.h"

@interface ViewController ()
{
    NSArray *fileList;
    NSTimer *tsTimer;
    int currentTime;
}
@end

@implementation ViewController
@synthesize lblStatus, audioPlayer, audioRecorder, fileName;

- (void)viewDidLoad {
    [super viewDidLoad];
    // Do any additional setup after loading the view, typically from a nib.
    [self updateFileList];
    if (fileList.count > 0)
        self.fileName = fileList[0];
    else
        self.fileName = @"noname.m4a";
    [self initPrintTitle];
}

- (void) updateFileList
{
    NSFileManager *fileManager = [NSFileManager defaultManager];
    NSString *documentsDir =
        [NSSearchPathForDirectoriesInDomains(NSDocumentDirectory,
        NSUserDomainMask, YES) lastObject];
    fileList = [fileManager contentsOfDirectoryAtPath: documentsDir error:nil];
```

```objc
}

- (void) initPrintTitle
{
    currentTime = 0;
    NSString *time = [NSString stringWithFormat:@"%@ : Playing %02d:%02d",
                  fileName, currentTime/60, currentTime%60];
    lblStatus.text = time;
}

- (void)didReceiveMemoryWarning {
    [super didReceiveMemoryWarning];
    // Dispose of any resources that can be recreated.
}

- (IBAction)audioDelete:(id)sender {
    if (fileList.count > 0)
    {
        NSFileManager *fileManager = [NSFileManager defaultManager];
        NSString *documentsDir =
                  [NSSearchPathForDirectoriesInDomains(NSDocumentDirectory,
                  NSUserDomainMask, YES) lastObject];
        NSString *audioPath =
                  [documentsDir stringByAppendingPathComponent: self.fileName];

        BOOL success =[fileManager fileExistsAtPath: audioPath];
        if (success)
        {
            [fileManager removeItemAtPath:audioPath error:NULL];
            [self updateFileList];
            if (fileList.count > 0)
            {
                self.fileName = fileList[fileList.count - 1];
            }
            else
            {
                self.fileName = @"noname.m4a";
            }
            [self initPrintTitle];
        }
```

```
        }
    }

- (IBAction)audioRecord:(id)sender {
    if (!self.audioRecorder.recording && !self.audioPlayer.playing
              && fileList.count < 1000)
    {
        tsTimer = [NSTimer scheduledTimerWithTimeInterval:1.0f
                           target:self
                           selector:@selector(updateMessage:)
                           userInfo:@"Recording"
                           repeats:YES];

        fileName = [NSString stringWithFormat:@"record%03li.m4a", fileList.count];
        NSString *documentsDir =
                [NSSearchPathForDirectoriesInDomains(NSDocumentDirectory,
                NSUserDomainMask, YES) lastObject];
        NSString *audioPath = [documentsDir stringByAppendingPathComponent:
fileName];
        NSURL *audioFileURL = [NSURL fileURLWithPath: audioPath];

        NSMutableDictionary *recordSetting = [[NSMutableDictionary alloc] init];
        [recordSetting setValue:
                [NSNumber numberWithFloat:44100.0]
                forKey:AVSampleRateKey];
        [recordSetting setValue:
                [NSNumber numberWithInt:kAudioFormatAppleLossless]
                forKey:AVFormatIDKey];
        [recordSetting setValue:
                [NSNumber numberWithInt:1]
                forKey:AVNumberOfChannelsKey];
        [recordSetting setValue:
                [NSNumber numberWithInt:AVAudioQualityMedium]
                forKey:AVEncoderAudioQualityKey];

        self.audioRecorder = [[AVAudioRecorder alloc]
                           initWithURL:audioFileURL
                           settings:recordSetting
                           error:nil];
        [self.audioRecorder record];
```

```
        [self updateFileList];
    }
}

- (IBAction)audioStop:(id)sender {
    if (tsTimer != nil)
    {
        [tsTimer invalidate];
        tsTimer = nil;
    }
    if (self.audioPlayer.playing)
        [self.audioPlayer stop];
    if (self.audioRecorder.recording)
        [self.audioRecorder stop];
    [self initPrintTitle];
}

- (IBAction)audioPlay:(id)sender {
    if (!self.audioPlayer.playing && !self.audioRecorder.recording)
    {
        if (![self.fileName isEqualToString:@"noname.m4a"])
        {
            tsTimer = [NSTimer scheduledTimerWithTimeInterval:1.0f target:self
selector:@selector(updateMessage:) userInfo:@"Playing" repeats:YES];
            NSString *documentsDir =
                [NSSearchPathForDirectoriesInDomains(NSDocumentDirectory,
                NSUserDomainMask, YES) lastObject];
            NSString *audioPath =
                [documentsDir stringByAppendingPathComponent: self.fileName];
            NSURL *audioFileURL = [NSURL fileURLWithPath: audioPath];

            self.audioPlayer = [[AVAudioPlayer alloc]
                initWithContentsOfURL: audioFileURL
                error:nil];
            self.audioPlayer.delegate = self;
            [self.audioPlayer play];
        }
    }
}

- (void) audioPlayerDidFinishPlaying:(AVAudioPlayer *)player successfully:(BOOL)flag
```

```
{
    if (tsTimer != nil)
    {
        [tsTimer invalidate];
        tsTimer = nil;
    }
    [self initPrintTitle];
}

- (void) updateMessage:(NSTimer *) timer
{
    NSString *time = [NSString stringWithFormat:@"%@ : %@ %02d:%02d", fileName,
timer.userInfo, currentTime/60, currentTime%60];
    lblStatus.text = time;
    currentTime++;
}

- (IBAction)backToController :(UIStoryboardSegue *) unwindSegue
{
    NSString *mess = [NSString stringWithFormat:@"Status : %@", self.fileName];
    lblStatus.text = mess;
}

@end
```

㉜ 이번에는 왼쪽 프로젝트 탐색기에서 ListViewController.m 파일을 선택하고
다음을 입력한다.

```
#import "ListViewController.h"
#import "ViewController.h"

@interface ListViewController ()
{
    NSArray *fileList;
}
@end

@implementation ListViewController

- (void)viewDidLoad {
```

624

```objc
    [super viewDidLoad];

    NSFileManager *fileManager = [NSFileManager defaultManager];
    NSString *documentsDir =
                [NSSearchPathForDirectoriesInDomains(NSDocumentDirectory,
                NSUserDomainMask, YES) lastObject];
    fileList = [fileManager contentsOfDirectoryAtPath: documentsDir error:nil];
}


- (void)didReceiveMemoryWarning {
    [super didReceiveMemoryWarning];
    // Dispose of any resources that can be recreated.
}

#pragma mark - Table view data source

- (NSInteger)numberOfSectionsInTableView:(UITableView *)tableView {
    return 1;
}


- (NSInteger)tableView:(UITableView *)tableView
        numberOfRowsInSection:(NSInteger)section {
    return fileList.count;
}


- (UITableViewCell *)tableView:(UITableView *)tableView
        cellForRowAtIndexPath:(NSIndexPath *)indexPath {
    UITableViewCell *cell = [tableView dequeueReusableCellWithIdentifier:
                @"MyCell" forIndexPath:indexPath];
    cell.textLabel.text = fileList[indexPath.row];
    return cell;
}

#pragma mark - Navigation

- (void)prepareForSegue:(UIStoryboardSegue *)segue sender:(id)sender
{
    ViewController *viewController = [segue destinationViewController];
    NSIndexPath *currentIndexPath = [self.tableView indexPathForSelectedRow];
    long row = currentIndexPath.row;
```

```
    viewController.fileName = [fileList objectAtIndex: row];
}

@end
```

㉝ 이제 마지막으로 Ctrl 키와 함께 도큐먼트 레이아웃 창의 List View Controller의 MyCell(Table View Cell)을 선택하고 드래그–앤–드롭으로 List View Controller 위에 있는 Exit 아이콘에 떨어뜨린다. 이때 세구에 창이 나타나는데, "backTo Controller:"를 선택해준다.

▶그림 8.47 MyCell과 Exit 아이콘 연결

㉞ 이제 Xcode 왼쪽에 있는 Run 혹은 Command–R 버튼을 눌러 실행한다. 이때 Record 버튼을 눌러 원하는 소리를 녹음해 보고 Play 버튼을 눌러 재생해본다. 또한, List 버튼을 눌러 녹음된 파일이 있는지 확인해 보고 Delete 버튼으로

현재 레코딩 파일을 삭제해본다.

iPhone 6s - iPhone 6s / iOS 9.2 (13C75)

Carrier 📶   4:44 PM   🔋

Delete   List

noname.m4a : Playing 00:00

Record   Stop   Play

▶그림 8.48 SoundRecordPlayer 프로젝트 실행

▌원리 설명

이번 절에서 소개하는 레코딩 플레이어는 2개의 화면으로 구성된다. 전체적으로
Navigation Controller를 사용하여 레코딩 플레이어에서 Record 버튼을 눌러 레코드 파
일을 생성하고 Play 버튼을 눌러 재생하고 Stop 버튼을 눌러 레코드 혹은 재생을 중지할
수 있다. 위쪽의 List 버튼을 누르면 그다음 화면으로 이동할 수 있도록 지정하였다. 또한,
List에서 원하는 레코딩 파일을 선택하면 바로 이전 화면으로 돌아와 원하는 레코딩 파일
을 재생할 수도 있다. 레코딩 저장 파일은 자동으로 record000.m4a에서 시작하여 하나씩
숫자가 증가하도록 설정하였고 최대 record999.m4a까지 저장될 수 있도록 하였다.

이러한 기능을 염두에 두고 자료를 초기화하는 viewDidLoad 함수를 살펴보자. 이 함수에서는 먼저 도큐먼트 디렉터리에 저장된 레코딩 파일을 읽어 그 목록을 읽어오는 updateFileList 함수를 호출한다.

```
- (void)viewDidLoad {
    [super viewDidLoad];
    // Do any additional setup after loading the view, typically from a nib.
    [self updateFileList];
    ...
```

이어서 레코딩 된 파일이 존재하는 경우, 목록의 첫 번째 파일의 이름을 현재 파일로 지정하고 레코딩 된 파일이 없는 경우, "noname.m4a"라는 이름을 지정한다.

```
    if (fileList.count > 0)
        self.fileName = fileList[0];
    else
        self.fileName = @"noname.m4a";
    ...
```

이어서 현재 파일 이름을 라벨 컨트롤에 표시하는 initPrintTitle 함수를 호출한다.

```
    [self initPrintTitle];
}
```

레코딩 파일을 읽어 그 목록을 만들기 위해 viewDidLoad 함수에서 호출되는 updateFileList 함수는 다음과 같이 NSFileManager 객체를 생성한다. 파일을 참조하여 복사, 이름 변경, 삭제, 파일 정보 읽기 등의 파일 관련 기능을 처리하기 위해서는 NSFileManager 객체 생성이 꼭 필요하다.

```
- (void) updateFileList
{
    NSFileManager *fileManager = [NSFileManager defaultManager];
    ...
```

그다음, NSSearchPathForDirectoriesInDomains()를 호출하여 레코딩 파일을
저장할 도큐먼트 디렉터리의 루트를 얻는다.

```
NSString *documentsDir =
    [NSSearchPathForDirectoriesInDomains(NSDocumentDirectory,
    NSUserDomainMask, YES) lastObject];
    ...
```

그다음, NSFileManager 객체의 contentsOfDirectoryAtPath 메소드에 위에서
지정한 도큐먼트 디렉터리 위치를 지정하여 그 디렉터리에 있는 모든 파일의 패스를
얻는다. 이 파일 패스는 1개 이상일 수도 있으므로 NSArray 타입 객체로 받아 배열
에 지정된다.

```
    fileList = [fileManager contentsOfDirectoryAtPath: documentsDir error:nil];
}
```

그다음, 역시 viewDidLoad 함수에서 호출되는 initPrintTitle 함수는 레코드 처
리 중 현재 어떤 파일을 처리하는지를 보여주는 기능을 제공하는데, 현재 파일과 현재
재생 중인 시간을 라벨에 표시한다.

```
- (void) initPrintTitle
{
    currentTime = 0;
    NSString *time = [NSString stringWithFormat:@"%@ : Playing %02d:%02d",
                fileName, currentTime/60, currentTime%60];
```

```
    lblStatus.text = time;
}
```

이번에는 삭제 버튼을 눌렀을 때 실행되는 audioDelete 이벤트 함수를 살펴보자. 이 함수는 먼저 현재 NSArray 타입의 fileList의 count 속성을 사용하여 현재 자료 개수를 체크하여 레코딩 자료가 존재하는 경우에만 삭제가 진행되도록 한다.

```
- (IBAction)audioDelete:(id)sender {
    if (fileList.count > 0)
    {
    ...
```

그다음, NSFileManager 객체를 생성하고 NSSearchPathForDirectoriesInDomains 를 호출하여 현재 루트 디렉터리의 위치를 가지고 온다.

```
NSFileManager *fileManager = [NSFileManager defaultManager];
NSString *documentsDir =
        [NSSearchPathForDirectoriesInDomains(NSDocumentDirectory,
        NSUserDomainMask, YES) lastObject];
...
```

현재 루트 디렉터리에 현재 지정된 파일을 추가하여 현재 지정 파일의 전체 패스를 얻는다.

```
NSString *audioPath =
        [documentsDir stringByAppendingPathComponent: self.fileName];
...
```

NSFileManager 객체의 fileExistsAtPath 메소드를 사용하여 현재 지정 패스의 파일이 존재하는지 확인한다.

```
    BOOL success =[fileManager fileExistsAtPath: audioPath];
    ...
```

그 파일이 존재하면 YES 값이 리턴되는데, NSFileManager 객체의 removeItem AtPath 메소드를 호출하여 그 파일을 삭제한다.

```
    if (success)
    {
        [fileManager removeItemAtPath:audioPath error:NULL];
        ...
```

삭제한 뒤에는 다시 updateFileList 함수를 호출하여 다시 루트 디렉터리에 있는 모든 파일을 읽어 들이고 그 파일이 하나라도 존재하는 경우, 현재 파일은 목록의 마지막 파일의 이름을 지정하고 파일이 하나도 없는 경우에는 "noname.m4a"를 지정한다.

```
        [self updateFileList];
        if (fileList.count > 0)
        {
            self.fileName = fileList[fileList.count - 1];
        }
        else
        {
            self.fileName = @"noname.m4a";
        }
```

다시 파일에 대한 정보를 라벨 컨트롤에 표시한다.

```
        [self initPrintTitle];
    }
  }
}
```

이제 Record 버튼을 눌렀을 때 레코딩을 처리하는 audioRecord 이벤트 함수를 처리해보자. 이 함수는 먼저 현재 레코딩 중인지 혹은 재생 중인지를 체크하여 레코딩 하지 않거나 재생 중이 아닐 때, 또한, 레코딩의 파일 수가 1,000 미만일 때에만 시작 한다.

```
- (IBAction)audioRecord:(id)sender {
    if (!self.audioRecorder.recording && !self.audioPlayer.playing
            && fileList.count < 1000)
    {
    ...
```

이러한 조건이 만족되면 NSTimer 객체를 사용하여 1초 간격을 두고 updateTime Stamp 함수를 계속 반복해서 실행한다.

```
tsTimer = [NSTimer scheduledTimerWithTimeInterval:1.0f
                    target:self
                    selector:@selector(updateMessage:)
                    userInfo:@"Recording"
                    repeats:YES];
    ...
```

또한, fileList 목록의 파일 수를 읽어 현재 파일 숫자를 record 파일 이름 끝에 지정하고 도큐먼트 루트 폴더에 파일 이름을 결합하여 새로운 파일의 전체 패스를 얻는다.

```
fileName = [NSString stringWithFormat:@"record%03li.m4a", fileList.count];
NSString *documentsDir =
            [NSSearchPathForDirectoriesInDomains(NSDocumentDirectory,
            NSUserDomainMask, YES) lastObject];
    NSString *audioPath = [documentsDir stringByAppendingPathComponent:
fileName];
    ...
```

리소스에 대한 정보를 얻는 데 필요한 NSURL 객체를 생성하고 이 객체의 fileURLWithPath에 위 새로운 파일 패스를 지정한다.

```
NSURL *audioFileU]RL = [NSURL fileURLWithPath: audioPath];
...
```

그다음, NSMuableDictionary 객체의 setValue를 사용하여 각 키에 해당하는 값을 지정한다. 먼저 AVSampeRateKey 키와 해당하는 44100.0을 Float 값으로 지정한다. AVSampeRateKey는 샘플링 주파수를 설정하는 상수로 여기서는 CD에서 사용되는 44.1 KHz를 지정한다.

```
NSMutableDictionary *recordSetting = [[NSMutableDictionary alloc] init];
[recordSetting setValue:
        [NSNumber numberWithFloat:44100.0]
        forKey:AVSampleRateKey];
...
```

그다음, AVFormatIDKey 키를 사용하여 압축 오디오 코덱을 설정할 수 있는데, 여기서는 애플 무손실Apple Lossloess을 사용한다.

```
[recordSetting setValue:
        [NSNumber numberWithInt:kAudioFormatAppleLossless]
        forKey:AVFormatIDKey];
...
```

이어서 AVNumberOfChannelsKey 키를 사용하여 음악 채널을 설정할 수 있다. 여기서는 1을 지정하여 1채널을 사용한다.

```
[recordSetting setValue:
        [NSNumber numberWithInt:1]
```

```
            forKey:AVNumberOfChannelsKey];
  ...
```

마지막으로 AVEncoderAudioQualityKey 키를 사용하여 음악 음질을 설정할 수 있
는데, 여기서는 AVAudioQualityMedium을 지정하여 중간 정도의 음질을 지정한다.

```
    [recordSetting setValue:
            [NSNumber numberWithInt:AVAudioQualityMedium]
            forKey:AVEncoderAudioQualityKey];
    ...
```

녹음 파일에 대한 설정이 끝나면 위에서 생성한 레코딩 파일에 대한 NSURL 객체
정보와 설정값을 지정하여 AVAudioRecorder 객체를 생성한다.

```
    self.audioRecorder = [[AVAudioRecorder alloc]
                        initWithURL:audioFileURL
                        settings:recordSetting
                        error:nil];
    ...
```

이어서 AVRecorder 객체의 record 속성으로 레코딩을 시작한다. 또한, update
FileList 함수를 호출하여 다시 루트 디렉터리에 있는 파일을 목록으로 읽어 들인다.

```
    [self.audioRecorder record];
    [self updateFileList];
  }
}
```

이번에는 레코딩을 중지하거나 혹은 재생을 정지할 때 사용되는 Stop 처리를 해보
자. Stop 버튼을 클릭하면 다음과 같이 audioStop 함수가 실행된다. 이 함수에서는

먼저 타이머를 체크하여 타이머가 동작 중인 경우 tsTimer가 nil이 아니므로 invalidate 를 호출하여 타이머를 중지한다.

```
- (IBAction)audioStop:(id)sender {
    if (tsTimer != nil)
    {
        [tsTimer invalidate];
        tsTimer = nil;
    }
    ...
```

그다음 AVAudioPlayer 객체의 playing 속성을 체크하여 현재 재생 중인지를 확인하고 재생 중이라면 stop 메소드를 사용하여 중지한다.

```
    if (self.audioPlayer.playing)
        [self.audioPlayer stop];
    ...
```

동일한 방법으로 AVAudioRecorder 객체의 recording 속성을 체크하여 현재 레코딩 중인지를 확인하고 레코딩 중이라면 stop 메소드를 사용하여 중지한다.

```
    if (self.audioRecorder.recording)
        [self.audioRecorder stop];
    ...
```

또한, initPrintTitle 함수를 호출하여 현재 처리된 중인 파일과 시작 시각을 초기화한다.

```
    [self initPrintTitle];
}
```

이제 레코딩 된 파일을 재생할 수 있는 Play 버튼을 처리해보자. 이 함수에서는 먼저 다음과 같이 AVAudioPlayer 객체의 playing 속성과 AVAudioRecorder 객체의 recording 속성을 사용하여 현재 재생 상태와 레코딩 상태를 확인한다. 재생 상태와 레코딩 상태가 아닌 경우에만 재생 기능 처리를 진행한다.

```
- (IBAction)audioPlay:(id)sender {
    if (!self.audioPlayer.playing && !self.audioRecorder.recording)
    {
        ...
```

또한, 현재 재생 파일 이름이 noname.m4a인지를 체크하고 이 파일이 아닌 경우에만 다음 처리를 진행한다. noname.m4a 파일 표시는 아무런 레코딩이 되지 않았을 때 표시해주는 것으로 레코딩 파일이 하나도 없음을 의미한다.

```
        if (![self.fileName isEqualToString:@"noname.m4a"])
        {
            ...
```

그다음, NSTimer 객체를 사용하여 1초 간격을 두고 updateTimeStamp 함수를 계속 반복해서 실행시키는 타이머를 생성한다.

```
            tsTimer = [NSTimer scheduledTimerWithTimeInterval:1.0f target:self
        selector:@selector(updateMessage:) userInfo:@"Playing" repeats:YES];
            ...
```

다시 도큐먼트 디렉터리 패스를 얻고 현재 지정된 파일 이름을 추가하여 현재 파일의 전체 패스를 얻는다. 또한, NSURL을 사용하여 현재 파일에 대한 NSURL 객체를 생성한다.

```
            NSString *documentsDir =
                [NSSearchPathForDirectoriesInDomains(NSDocumentDirectory,
```

```
            NSUserDomainMask, YES) lastObject];
        NSString *audioPath =
            [documentsDir stringByAppendingPathComponent: self.fileName];
        NSURL *audioFileURL = [NSURL fileURLWithPath: audioPath];
        ...
```

이제 생성한 레코딩 파일에 대한 NSURL 객체 정보를 지정하여 AVAudioPlayer 객체를 생성한다.

```
        self.audioPlayer = [[AVAudioPlayer alloc]
            initWithContentsOfURL: audioFileURL
            error:nil];
        ...
```

또한, AVAudioPlayerDelegate 프로토콜을 지정하여 재생이 끝났을 때 바로 다음에 설명하는 audioPlayerDidFinishPlaying 메소드가 자동으로 실행되도록 설정하고 play를 호출하여 재생 처리를 시작한다.

```
            self.audioPlayer.delegate = self;
        [self.audioPlayer play];
    }
  }
}
```

이 play 메소드는 레코딩된 파일을 재생하게 되는데, 이 파일 재생이 끝나게 되면 AVAudioPlayerDelegate 프로토콜로 지정된 audioPlayerDidFinishPlaying 메소 드가 자동으로 실행된다.

```
- (void) audioPlayerDidFinishPlaying:(AVAudioPlayer *)player successfully:(BOOL)flag
{
    ...
```

이 메소드에서는 타이머를 체크하여 동작하는 경우, invalidate를 호출하여 타이머를 제거한다.

```
if (tsTimer != nil)
{
    [tsTimer invalidate];
    tsTimer = nil;
}
...
```

이어서 initPrintTitle 함수를 호출하여 현재 지정된 파일과 재생 시간을 초기화하여 출력한다.

```
    [self initPrintTitle];
}
```

이제 타이머가 호출될 때마다 실행되는 updateMessage를 살펴보자. 이 메시지에서는 NSTimer의 userInfo 객체에 지정된 값("Recording" 혹은 "Playing")을 출력하고 현재 진행 시간 currentTime을 60으로 나누어 몫을 분으로 나머지를 초로 출력한다.

```
- (void) updateMessage:(NSTimer *) timer
{
    NSString *time = [NSString stringWithFormat:@"%@ : %@ %02d:%02d", fileName,
timer.userInfo, currentTime/60, currentTime%60];
    lblStatus.text = time;
    currentTime++;
}
```

마지막 함수인 backToController 메소드는 다음 그림과 같이 리스트 기능을 보여주는 ListViewController에서 원하는 항목을 선택했을 때 ViewController 객체로

돌아와 자동으로 실행되는 메소드이다. 즉, ListViewController 객체의 리스트에서
선택한 파일 이름은 이 객체의 fileName 변수에 지정되므로 initPrintTitle 함수를
호출하여 새로 지정된 파일 이름을 화면에 출력한다.

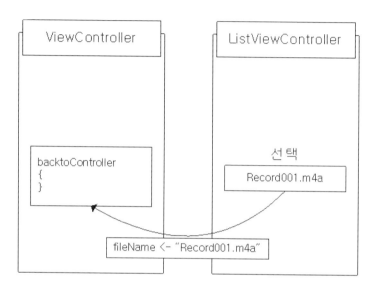

▶그림 8.49 backToController 함수 자동 실행

```
- (IBAction)backToController :(UIStoryboardSegue *) unwindSegue
{
    [self initPrintTitle];
}
```

　여기서 ViewController와 ListViewController의 연결 과정을 살펴보자. 먼저
ViewController의 List 버튼을 눌렀을 때 ListViewController로 연결시키기 위해
서는 다음과 같이 Main.Storyboard 파일을 선택하고 Ctrl 키와 함께 List 버튼을
누른 상태에서 드래그-앤-드롭으로 ListViewController에 떨어뜨리고 Action 세
구에 연결 상자에서 Show 항목을 선택하면 된다.

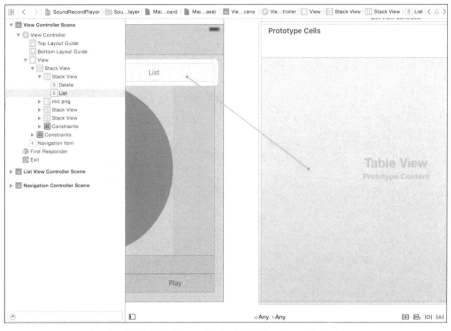

▶그림 8.50 ViewController에서 ListViewController로 전환

그렇다면 반대로 ListViewController의 테이블 항목을 선택하였을 때 다시 View Controller 객체로 이동하는 것을 어떻게 구현할 수 있을까? ViewController 객체 안에 위 backToController 함수를 입력한 뒤에 다음과 같이 도큐먼트 아웃라인 창의 MyCell을 Ctrl 과 함께 선택하고 드래그-앤-드롭으로 ListViewController의 위쪽 Exit 버튼에 떨어뜨리면 된다. 이때 Selection Segue : backToController라는 표시 가 나타나는데, 이것을 클릭해주면 바로 ViewController 객체의 backToController 함수와 연결된다.

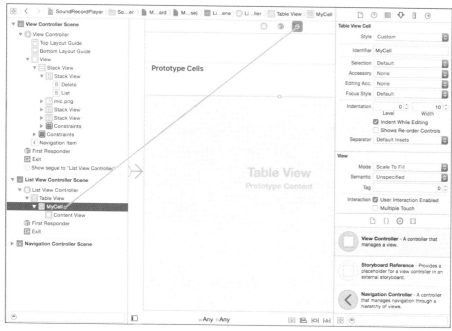

▶그림 8.51 ListViewController에서 ViewController로 전환

이제 List 버튼을 눌렀을 때 실행되는 ListViewController 객체로 넘어가 보자. 이 함수는 ViewController 객체의 List 버튼으로 전환하지만, 위쪽의 화살표 버튼 혹은 리스트 항목에 표시되는 레코딩 파일을 선택하면 다시 ViewController로 이동한다.

먼저 자료를 초기화하는 viewDidLoad 함수를 살펴보자. 이 함수에서는 현재 루트 도큐먼트 디렉터리를 읽고 그 디렉터리에 있는 파일 패스를 fileList 배열에 지정한다.

```
- (void)viewDidLoad {
    [super viewDidLoad];

    NSFileManager *fileManager = [NSFileManager defaultManager];
    NSString *documentsDir =
            [NSSearchPathForDirectoriesInDomains(NSDocumentDirectory,
```

```
            NSUserDomainMask, YES) lastObject];
    fileList = [fileManager contentsOfDirectoryAtPath: documentsDir error:nil];
}
```

이 테이블 뷰 컨트롤러 객체는 자동으로 UITableViewDelegate와 UITableViewData
Source 프로토콜이 설정된다. 그중 UITableViewDataSource 프로토콜은 섹션의 개
수, 출력할 항목의 개수 등 테이블 출력에 관련된 여러 메소드를 자동으로 호출한다.

먼저, 테이블을 구성하는 섹션의 수를 지정하는 numberOfSectionsInTableView
를 다음과 같이 작성한다. 여기서는 레코딩 파일 자료를 출력할 것이므로 1개의 섹션
만 필요하다.

```
- (NSInteger)numberOfSectionsInTableView:(UITableView *)tableView {
    return 1;
}
...
```

그다음, 지정된 섹션에 대한 데이터 수를 지정하는 numberOfRowsInSection 함수
를 다음과 같이 작성한다. 여기서는 출력할 자료는 모두 fileList 배열 목록에 지정되어
있으므로 이 fileList 배열의 개수 즉, count 속성을 이용하여 데이터 수를 지정한다.

```
- (NSInteger)tableView:(UITableView *)tableView
        numberOfRowsInSection:(NSInteger)section {
    return fileList.count;
}
...
```

다음 cellForRowAtIndexPath 메소드는 실제로 자료를 출력하는 기능을 처리
한다. 이 메소드는 자료의 수 즉, fileList.count만큼 반복 호출되는데, 반복 처
리할 때마다 변경되는 인덱스 정보는 파라미터값인 indexPath의 row 속성을 통하여

알아낼 수 있다. 즉, indexPath.row가 현재 인덱스이므로 fileList[indexPath.row] 값을 UITableViewCell 객체의 textLabel.text에 지정하면 테이블에 원하는 레코딩 파일 이름이 표시된다.

```
- (UITableViewCell *)tableView:(UITableView *)tableView
        cellForRowAtIndexPath:(NSIndexPath *)indexPath {
    UITableViewCell *cell = [tableView dequeueReusableCellWithIdentifier:
                @"MyCell" forIndexPath:indexPath];
    cell.textLabel.text = fileList[indexPath.row];
    return cell;
}
```

스토리보드를 이용한 테이블 뷰 컨트롤러에서 원하는 테이블의 셀을 선택하면 다음과 같은 prepareForSegue 함수가 실행된다. prepareForSegue 함수는 세구에로 연결된 상태에서 지정된 컨트롤을 선택하였을 때 자동으로 실행되는 함수이다. 보통 이함수의 파라미터값인 segue를 사용하여 UIStoryboardSegue 객체의 destination ViewController를 호출하면 전환되는 ViewController에 대한 객체 포인터를 얻을수 있다.

```
- (void)prepareForSegue:(UIStoryboardSegue *)segue sender:(id)sender {
    ViewController *viewController = [segue destinationViewController];
    ...
```

그다음, UITableView 객체에서 제공하는 indexPathForSelectedRow 메소드를 호출하여 현재 선택한 셀에 대한 인덱스 정보를 가지고 있는 NSIndexPath 객체를 생성해낸다. 이 객체의 row 속성을 사용하여 선택한 셀의 인덱스 번호를 알아낸다.

```
NSIndexPath *currentIndexPath = [self.tableView indexPathForSelectedRow];
long row = currentIndexPath.row;
...
```

NSArray 객체 fileList의 objectAtIndex에 인덱스 번호를 지정하여 선택한 파일 이름을 알아내고 ViewController 객체의 fileName에 그 이름을 지정한다.

```
    viewController.fileName = [fileList objectAtIndex: row];
}
```

정리

이 장에서는 사운드 레코딩 기능을 구현하기 위해 AVAudioRecoder 객체의 주요 속성과 메소드에 대하여 배워보았고 간단한 레코딩 처리 예제와 여러 개의 파일을 레코딩 처리 할 수 있는 예제를 만들어 보았다. 레코딩 파일 리소스에 대한 정보를 참조하기 위해서는 NSURL 객체 생성이 필요하다. NSURL 객체는 리모트 서버 혹은 로컬 서버에 있는 리소스 파일에 대한 정보를 가지고 있는 중요한 객체이다. 그다음, 레코딩 기능을 처리하는 AVAudioRecoder 객체를 생성하기 전에 이 객체에서 사용되는 레코딩 파일에 대한 설정이 필요하다. 즉, 샘플링 횟수를 설정하는 AVSampleRateKey, 오디오 데이터 포맷을 설정하는 AVFormatIDKey, 채널 수를 설정하는 AVNumberOfChannelsKey, 음질 상수를 설정하는 AVEncoderAudioQualityKey 등을 NSMuableDictionary 객체의 setValue를 사용하여 그 값을 지정한다. 녹음 파일에 대한 설정이 끝나면 위에서 생성한 레코딩 파일에 대한 NSURL 객체 정보와 설정값을 지정하여 AVAudioRecorder 객체를 생성하고 원하는 소리를 레코딩 할 수 있다.

동영상 파일 재생

이전 장에서 mp3와 같은 음악 파일 재생과 일반적인 사운드를 레코딩하는 방법에 대하여 알아보았다. 스마트폰은 이와 같은 음악과 음성 처리뿐만 아니라 동영상 파일까지 쉽게 처리할 수 있는 장점을 가지고 있다. 이 장에서는 AVKit 프레임워크에서 제공하는 AVPlayerViewController 객체를 사용하여 동영상 파일을 재생하는 방법에 대하여 알아본다.

동영상 파일 재생 기능은 스마트폰의 음악 파일 재생 기능과 함께 가장 인기 있는 기능 중 하나이다. iOS에서는 동영상 기능을 제공하기 위해 iOS 2부터 MPMoive PlayerController 객체를 제공하였으나 iOS 8부터는 AVPlayerViewController 객체로 대체되었다. 물론, MPMoivePlayerController는 계속 사용 가능하지만, 언제든지 사라질 수 있으므로 새로 제공되는 AVPlayerViewController 객체를 사용하는 것이 좋다. 이 절에서는 AVPlayerViewController 객체를 이용한 기본적인 동영상을 처리하는 방법에 대하여 알아본다.

▌그대로 따라 하기

❶ Xcode에서 File-New-Project를 선택한다. 계속해서 왼쪽에서 iOS-Application을 선택하고 오른쪽에서 Single View Application을 선택한다. 이어서 Next 버튼을 누르고 Product Name에 "VideoPlayerExample"이라고 지정한다. 아래쪽에 있는 Language 항목은 "Objective-C", Devices 항목은 "iPhone"으로 설정

한다. 그 아래 Include Unit Tests 항목과 Include UI Tests 항목은 체크한 상태로 그대로 둔다. 이어서 Next 버튼을 누르고 Create 버튼을 눌러 프로젝트를 생성한다.

▶그림 9.1 VideoPlayerExample 프로젝트 생성

❷ 프로젝트 탐색기는 기본적으로 프로젝트 속성 중 General 부분을 보여주는데 여섯 번째 탭 Build Phases 탭을 선택한다. 이때 세 번째 줄에 있는 Link Binary With Libraries(0 items) 왼쪽에 있는 삼각형을 클릭하면 삼각형 모양이 아래쪽으로 향하면서 이 프로젝트에서 사용되는 여러 가지 프레임워크가 나타나는데, 아래쪽에 있는 + 버튼을 눌러 다음 프레임워크를 선택하고 아래쪽 Add 버튼을 눌러 추가한다.

AVKit.framework

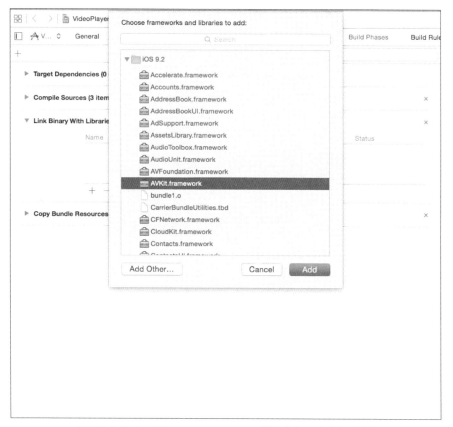

▶그림 9.2 Link Binary With Libraries 항목에서 프레임워크 추가

❸ 이번에는 이 프로젝트에서 사용할 동영상 파일을 추가해보자. 프로젝트 탐색기 위쪽에 있는 프로젝트 이름 VideoPlayerExample(파란색 이미지)을 선택하고 오른쪽 마우스 버튼을 눌러 New Group을 선택한다. New Group 폴더가 만들어지면 Resources라는 이름으로 변경한다. 이어서 원하는 동영상 파일을 드래그-앤-드롭으로 이 Resources 폴더에 추가해준다. 이때 여섯 번째 탭 Build Phases 탭 아래 네 번째 Copy Bundle Resources에도 동영상 파일이 추가되었는지 확인한다.

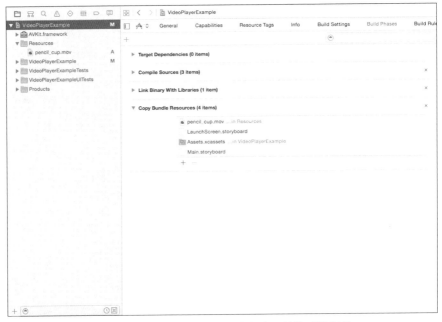

▶그림 9.3 New Group 폴더 생성 및 동영상 파일 복사

❹ 왼쪽 프로젝트 탐색기에서 Main.storyboard 파일을 클릭하고 오른쪽 아래 Object 라이브러리에서 Button 1개를 캔버스의 View Controller 중앙에 떨어뜨리고 다음 그림과 같이 위치시키고 Attributes 인스펙터를 클릭하여 버튼의 Title 속성을 "Video Play"로 변경한다.

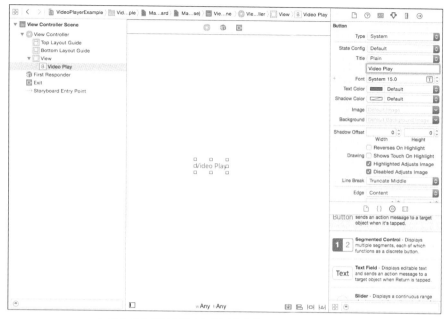

▶그림 9.4 캔버스의 뷰 컨트롤러에 Button 컨트롤 추가

❺ 계속해서 Button 컨트롤을 선택한 상
태에서 캔버스 아래 오토 레이아웃 메
뉴에서 두 번째 Align을 선택하고 "배열
제약조건 설정" 창이 나타나면, 다음과
같이 "Horizontally in Container"와
"Vertically in Container" 항목에 각각
체크하고 아래쪽 "Add 2 Constraints"
버튼을 누른다.

▶그림 9.5 Align 제약조건 설정

❻ 이어서 캔버스 아래 오토 레이아웃 메뉴의 네 번째 Resolve Auto Layout
Issues를 선택하고 "All Views"의 "Update Frames"를 선택한다.

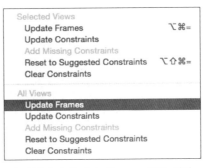

▶그림 9.6 Update Frames 항목 선택

❼ 오른쪽 아래 오브젝트 라이브러리에서 AVKit Player View Controller 하나를
선택하고 스토리보드 캔버스의 View Controller 오른쪽에 위치시킨다.

▶그림 9.7 AVKit Player View Controller를 캔버스에 추가

❽ 그다음, Ctrl 버튼을 누른 상태에서 View Controller의 버튼을 선택하고 드래
그-앤-드롭으로 AV Player View Controller 위에 떨어뜨린다. 이때 Action
세구에 연결 상자가 나타나면, 첫 번째 show 항목을 선택한다.

▶그림 9.8 세구에 연결 상자에서 show 항목 선택

❾ 이제 왼쪽 프로젝트 탐색기에서 ViewController.h 파일을 선택하고 다음을 입
력한다.

```objc
#import <UIKit/UIKit.h>
#import <AVKit/AVKit.h>
#import <AVFoundation/AVFoundation.h>

@interface ViewController : UIViewController

@property (strong, nonatomic) AVPlayerViewController *playerViewController;

@end
```

⑩ 이번에는 왼쪽 프로젝트 탐색기에서 ViewController.m 파일을 선택하고 다음을 입력한다.

```objc
#import "ViewController.h"

@interface ViewController ()
{
    NSURL *url;
}
@end

@implementation ViewController
@synthesize playerViewController;

- (void)viewDidLoad {
    [super viewDidLoad];
    // Do any additional setup after loading the view, typically from a nib.
    NSString *urlString = [[NSBundle mainBundle] pathForResource:
                            @"pencil_cup" ofType:@"mov"];
    url = [NSURL fileURLWithPath:urlString];
}

- (void)didReceiveMemoryWarning {
    [super didReceiveMemoryWarning];
    // Dispose of any resources that can be recreated.
}

- (void)prepareForSegue:(UIStoryboardSegue *)segue sender:(id)sender {
    playerViewController = [segue destinationViewController];
    playerViewController.player = [AVPlayer playerWithURL:url];

    [[NSNotificationCenter defaultCenter]
        addObserver:self
        selector:@selector(videoFileFinished:)
        name:AVPlayerItemDidPlayToEndTimeNotification
        object:[playerViewController.player currentItem]];
    [playerViewController.player play];
}

-(void)videoFileFinished:(NSNotification *) notification {
```

```
    [self dismissViewControllerAnimated:YES completion:nil];
}

@end
```

⓫ 이제 Xcode 왼쪽에 있는 Run 혹은 Command-R 버튼을 눌러 실행한다. 이때
  중앙에 있는 Video Play 버튼을 눌러 비디오 파일을 실행해본다.

▶그림 9.9 VideoPlayerExample 프로젝트 실행

▌원리 설명

위에서 설명하였듯이 동영상 처리를 위해 iOS에서는 AVPlayerViewController를 제공한다. 이 클래스를 이용하여 iOS에서 지원되는 모든 오디오와 동영상을 재생할 수 있다. 이 클래스에서 지원하는 동영상 확장자는 .mov, .mp4, .mpv, 3gp 등이 있다.

AVPlayerViewController는 이전에 사용되었던 MPMoviePlayerController와 달리 자체적으로 뷰view를 가지고 있는 동영상 플레이어 뷰 컨트롤이다. 즉, 동영상을 재생할 수 있는 AVPlayer뿐만 아니라 이 AVPlayer를 포함하는 뷰 컨트롤러까지 제공한다. 그러므로 별도로 뷰 컨트롤러를 생성하고 그 뷰 컨트롤러 위에 재생 플레이어를 별도로 추가할 필요 없이 오브젝트 라이브러리에서 바로 캔버스에 추가해주고 원하는 시작 컨트롤에서 드래그-앤-드롭으로 연결해준다.

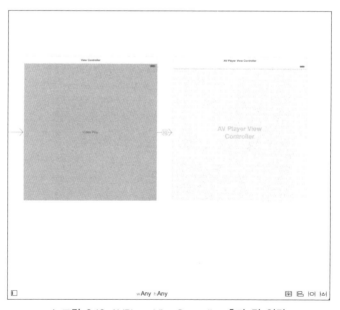

▶그림 9.10 AVPlayerViewController 추가 및 연결

먼저, 자료를 초기화하는 viewDidLoad 함수를 살펴보자. iOS에서는 애플리케이션에서 사용하는 실행 파일, 동적 라이브러리, 실행에 필요한 이미지, 데이터베이스 파일과 같은 여러 리소스 파일을 위치시킬 수 있는 물리적 공간을 제공하는데, 이것을 번들bundle이라고 한다. 그러므로 iOS에서 제공하는 NSBundle 클래스를 사용하면, 이 번들에 있는 파일을 참조할 수 있다. NSBundle 객체의 pathForResouce를 사용하여 파일 이름 "pencil_cup"을 지정하고 ofType 파라미터 "mov"를 사용하여 그 파일의 확장자를 지정한다.

```
- (void)viewDidLoad {
    [super viewDidLoad];
    // Do any additional setup after loading the view, typically from a nib.
    NSString *urlString = [[NSBundle mainBundle] pathForResource:
                                @"pencil_cup" ofType:@"mov"];
    ...
```

이어서 그 파일에 대한 패스를 이용하여 NSURL 객체를 생성한다. 실제로 파일을 제어하기 위해서는 반드시 리소스에 대한 NSURL 객체 정보가 필요하다.

```
    url = [NSURL fileURLWithPath:urlString];
}
```

ViewController의 버튼과 AV Player View Controller 사이에 세구에로 연결되어 있으므로 내비게이션 컨트롤러를 사용하는 경우, ViewController의 버튼을 클릭하면 자동으로 prepareForSegue 함수가 실행된다.

```
- (void)prepareForSegue:(UIStoryboardSegue *)segue sender:(id)sender {
    ...
```

이때 파라미터값인 segue를 사용하여 destinationViewController 메소드를 호출하면 전환되는 두 번째 컨트롤러인 AV Player View Controller에 대한 객체 포인터를 얻을 수 있다.

```
playerViewController = [segue destinationViewController];
...
```

AV Player View Controller에 대한 객체 포인터를 이용하여 이 파일을 재생하는 동영상 플레이어 AVPlayer를 생성하고 AVPlayerViewController 객체의 player에 연결해준다.

```
playerViewController.player = [AVPlayer playerWithURL:url];
...
```

AVPlayer 객체는 컨트롤러 위에 올라가는 동영상 플레이어 객체로 다음과 같은 주요 속성 및 메소드를 제공한다.

▶ 표 9.1 AVPlayer 객체의 주요 속성과 메소드

AVPlayer 객체 속성 및 메소드	설 명
playerWithURL	지정된 url로 참조되는 동영상을 재생하는 플레이어를 생성
play	현재 동영상 재생
pause	현재 동영상 중지
currentTime	현재 재생 중인 시간을 돌려준다.
seekToTime	지정된 시간으로 동영상의 위치를 이동한다.
currentItem	현재 지정된 항목(동영상 파일) 참조

이제 이 AVPlayer의 재생이 끝났을 때 자동으로 처리하는 이벤트 함수를 작성해보자. AVPlayer 객체에는 자동으로 끝났을 때 처리되는 함수를 제공하지 않으므로 NSNotificationCenter 객체를 사용하여 만들어준다.

656

NSNotificationCenter 객체는 지정된 객체에서 특정한 이벤트를 처리하는 이벤트 함수를 만들어준다. 이 객체에서는 addObserver 파라미터를 사용하여 감시를 원하는 객체를 지정하는데, 여기서는 self를 지정하여 ViewController 객체를 지정한다. 이어서 selector 파라미터에 이벤트가 처리되었을 때 실행되는 함수를 지정한다. 여기서는 videoFileFinished 함수를 지정하여 재생이 끝나게 되면 이 함수를 실행하도록 한다. 세 번째 파라미터는 통지할 이벤트 이름을 지정하는데, AVPlayerItemDidPlayToEndTimeNotification을 지정하여 AVPlayer의 재생이 끝났을 때 이벤트가 처리되도록 통지한다. 마지막 파라미터는 통지를 보낼 객체를 지정하는데, 여기서는 [playerViewController.player currentItem]를 지정하여 위에서 생성된 AVPlayer의 현재 재생 중인 항목(비디오 파일)을 지정한다.

```
[[NSNotificationCenter defaultCenter]
    addObserver:self
    selector:@selector(videoFileFinished:)
    name:AVPlayerItemDidPlayToEndTimeNotification
    object:[playerViewController.player currentItem]];
...
```

이제 play를 호출하여 현재 지정된 동영상 파일을 재생시킨다.

```
    [playerViewController.player play];
}

-(void)videoFileFinished:(NSNotification *) notification {
    // Will be called when AVPlayer finishes playing playerItem
    [self dismissViewControllerAnimated:YES completion:nil];
}
```

동영상 파일 리스트를 제공하는 동영상 플레이어

이번에는 이전 장에서 제공하는 동영상 플레이어 기능에 내비게이션 컨트롤러와 리스트 목록을 제공하여 리스트 목록의 처음부터 끝까지 자동으로 재생되는 동영상 플레이어를 만들어 볼 것이다. 물론 동영상 재생 중 다른 동영상을 재생하기 원한다 면, 위쪽에 있는 Back 버튼을 눌러 중지하고 리스트 목록에 있는 다른 파일을 선택할 수도 있다.

▌그대로 따라 하기

❶ Xcode에서 File-New-Project를 선택한다. 계속해서 왼쪽에서 iOS-Application 을 선택하고 오른쪽에서 Single View Application을 선택한다. 이어서 Next 버 튼을 누르고 Product Name에 "ListMoviePlayer"라고 지정한다. 아래쪽에 있는 Language 항목은 "Objective-C", Devices 항목은 "iPhone"으로 설정한다. 그 아래 Include Unit Tests 항목과 Include UI Tests 항목은 체크한 상태로 그대 로 둔다. 이어서 Next 버튼을 누르고 Create 버튼을 눌러 프로젝트를 생성한다.

▶그림 9.11 ListMoviePlayer 프로젝트 생성

❷ 프로젝트 탐색기는 기본적으로 프로젝트 속성 중 General 부분을 보여주는데 여섯 번째 탭 Build Phases 탭을 선택한다. 이때 세 번째 줄에 있는 Link Binary With Libraries(0 items) 왼쪽에 있는 삼각형을 클릭하면 삼각형 모양이 아래쪽으로 향하면서 이 프로젝트에서 사용되는 여러 가지 프레임워크가 나타나는데, 아래쪽에 있는 + 버튼을 눌러 다음 프레임워크를 선택하고 아래쪽 Add 버튼을 눌러 추가한다.

AVKit.framework

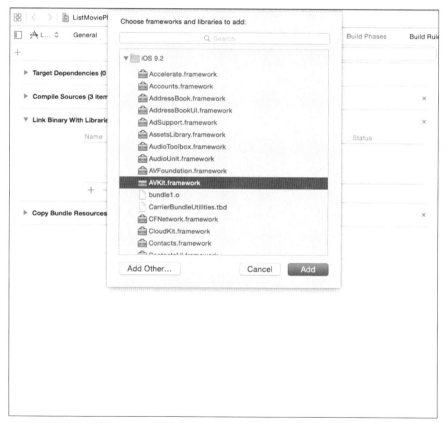

▶그림 9.12 Link Binary With Libraries 항목에서 프레임워크 추가

❸ 이번에는 이 프로젝트에서 사용할 동영상 파일을 추가해보자. 프로젝트 탐색기 위쪽에 있는 프로젝트 이름 ListVideoPlayer(파란색 이미지)를 선택하고 오른쪽 마우스 버튼을 눌러 New Group을 선택한다. New Group 폴더가 만들어지면 Resources라는 이름으로 변경한다. 이어서 원하는 동영상 파일을 드래그-앤-드롭으로 이 Resources 폴더에 추가해준다. 이때 여섯 번째 탭 Build Phases 탭 아래 네 번째 Copy Bundle Resources에도 동영상 파일이 추가되었는지 확인한다.

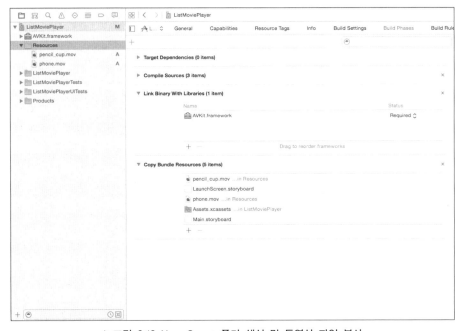

▶그림 9.13 New Group 폴더 생성 및 동영상 파일 복사

❹ 프로젝트 탐색기의 ListMoviePlayer 폴더 아래 Main.storyboard를 선택한 상태에서 스토리보드 캔버스에서 ViewController를 선택한다. 그다음, Xcode의 Editor 메뉴-Embed In-Navigation Controller를 선택하여 내비게이션

컨트롤러를 추가한다. 이때 추가된 내비게이션 컨트롤러는 자동으로 현재 위치
하는 뷰 컨트롤러와 연결된다.

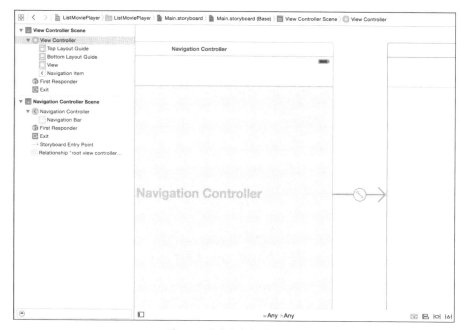

▶그림 9.14 내비게이션 컨트롤러 추가

❺ 계속해서 프로젝트 탐색기에서 Main.storyboard 파일이 선택된 상태에서 오른쪽
아래에 있는 Object 라이브러리로부터 Table View를 선택하고 View Controller
에 떨어뜨린다.

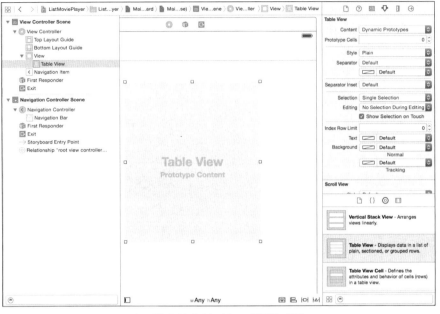

▶그림 9.15 Table View 컨트롤 추가

이제 도큐먼트 아웃라인 창에서 Table View를 선택한 상태에서 캔버스 아래 오 토 레이아웃 메뉴에서 3번째 Pin 메뉴를 선택한다. 이때 "제약조건 설정" 창이 나 타나면, 먼저 중앙에 있는 Constrain to margin 체크 상자의 체크를 삭제하고 그 위에 있는 동, 서, 남, 북의 모든 위치 상 자에 0을 입력하고 각각의 I 빔에 체크한 다. 설정이 끝나면 Add 4 Constraints 버 튼을 클릭한다.

▶그림 9.16 Pin 제약조건 설정

❼ 이제 캔버스 아래 오토 레이아웃 메
뉴의 네 번째 Resolve Auto Layout
Issues를 선택하고 "All Views"의
"Update Frames"를 선택한다.

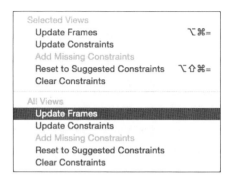

▶그림 9.17 Update Frames 항목 선택

❽ 계속해서 캔버스의 첫 번째 ViewController에 있는 Table View를 선택하고
오른쪽 위 Attributes 인스펙터를 선택한다. TableView 항목의 Prototype
Cells 오른쪽에 있는 위쪽 화살표 버튼을 눌러 1을 지정한다. 이때 TableView
위쪽에는 Prototype Cells가 추가된다.

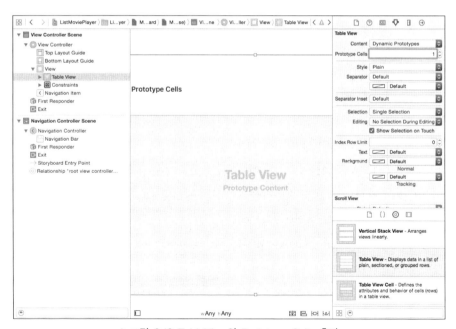

▶그림 9.18 TableView의 Prototype Cells 추가

❾ 그 상태에서 이번에는 오른쪽 위 Size 인스펙터를 선택한다. View 항목의 Y 값과 Height 값을 각각 0, 600으로 지정한다.

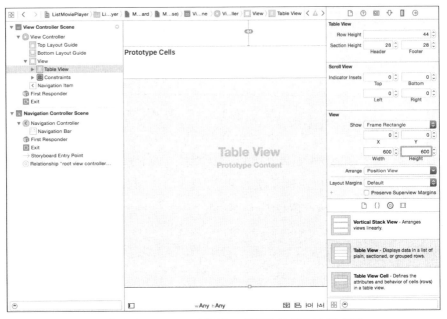

▶그림 9.19 TableView에서 View 항목의 Y, Height 값 변경

❿ 다시 도큐먼트 아웃라인 창에서 Table View를 선택한 상태에서 캔버스 아래 오토 레이아웃 메뉴의 네 번째 Resolve Auto Layout Issues를 선택하고 "All Views"의 "Reset to Suggested Constraints" 를 선택한다.

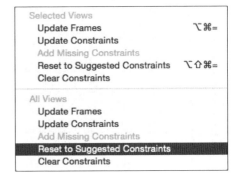

▶그림 9.20 Reset to Suggested Constraints 항목 선택

⓫ 계속해서 도큐먼트 아웃라인 창의 Table View Cell을 선택한 상태에서 오른쪽 위 Attributes 인스펙터를 선택하고 Table View Cell 항목의 Identifier에 "MyCell"을 입력한다.

▶그림 9.21 Table View Cell 항목의 Identifier에 "MyCell" 입력

⓬ 다시 오른쪽 아래 오브젝트 라이브러리에서 AVKit Player View Controller 하나를 선택하고 스토리보드 캔버스의 View Controller 오른쪽에 위치시킨다.

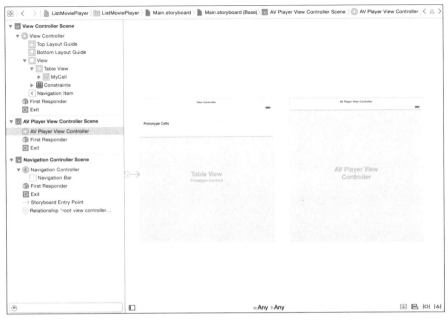

▶그림 9.22 AVKit Player View Controller를 캔버스에 추가

⓭ 이제 ViewController와 AVKit Player ViewController를 연결해보자. 먼저 Ctrl 키와 함께 도큐먼트 아웃라인 창의 MyCell(Table View Cell) 컨트롤을 선택하고 그대로 이어서 그 옆에 있는 AVKit Player ViewController에 떨어뜨려 연결한다. 이때 세구에 연결 선택 상자가 나타나면, Selection Segue의 Show를 선택한다.

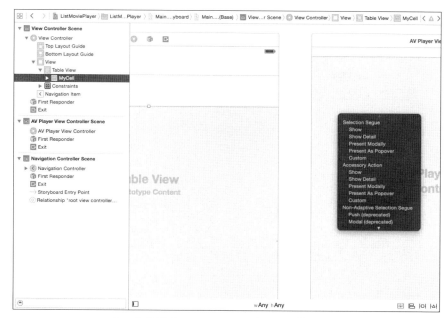

▶그림 9.23 Selection Segue의 Show 항목 선택

⓮ 계속해서 도큐먼트 아웃라인 창에서 View Controller를 선택한 상태에서 프로
젝트 탐색기 오른쪽 위에 있는 도움 에디터Assistant Editor를 클릭하여 불러낸다.
도움 에디터에 있는 파일이 ViewController.h 파일임을 확인하고 Table View
컨트롤을 Ctrl 키와 함께 선택한다. 이어서 그대로 도움 에디터의 @interface
아래쪽으로 드래그-앤-드롭 처리한다. 이때 도움 에디터 언결 패널이 나타나
는데, Name 항목에 tbView라고 입력하고 Connect 버튼을 눌러 연결 코드를
생성한다.

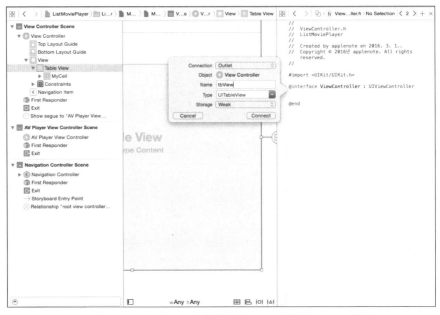

▶그림 9.24 Table View 연결 패널의 Name 항목에 tbView 입력

❶❺ 다시 표준 에디터를 선택하고 도큐먼트 아웃라인 창에서 Tb View(Table View)를
선택한 상태에서 오른쪽 위 Connections 인스펙터를 선택한다. Outlets 항목의
dataSource를 선택하고 그대로 드래그-앤-드롭으로 도큐먼트 아웃라인 창의
View Controller와 연결한다. 동일한 방법으로 dataSource 아래쪽에 있는
delegate 항목을 선택하고 도큐먼트 아웃라인 창의 View Controller와 연결한다.

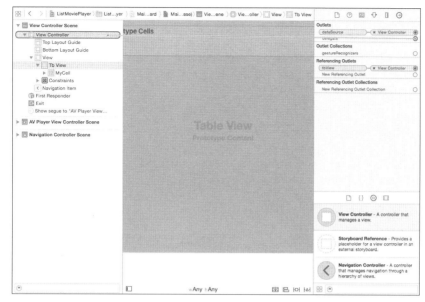

▶그림 9.25 delegate와 도큐먼트 아웃라인 창의 View Controller와 연결

⑯ 이제 왼쪽 프로젝트 탐색기에서 ViewController.h 파일을 선택하고 다음을 입력한다.

```
#import <UIKit/UIKit.h>
#import <AVKit/AVKit.h>
#import <AVFoundation/AVFoundation.h>

@interface ViewController : UIViewController

@property (weak, nonatomic) IBOutlet UITableView *tbView;
@property (strong, nonatomic) AVPlayerViewController *playerViewController;

@end
```

⑰ 다시 왼쪽 프로젝트 탐색기에서 ViewController.m 파일을 선택하고 다음을 입력한다.

```objc
#import "ViewController.h"

@interface ViewController ()
{
    long fileIndex;
    NSArray *mediaData;
}
@end

@implementation ViewController
@synthesize playerViewController, tbView;

- (void)viewDidLoad {
    [super viewDidLoad];
    // Do any additional setup after loading the view, typically from a nib.
    mediaData = [NSArray arrayWithObjects:@"pencil_cup.mov", @"phone.mov", nil];
}

- (void)didReceiveMemoryWarning {
    [super didReceiveMemoryWarning];
    // Dispose of any resources that can be recreated.
}

#pragma mark - Table view data source

- (NSInteger)numberOfSectionsInTableView:(UITableView *)tableView
{
    return 1;
}

- (NSInteger)tableView:(UITableView *)tableView
        numberOfRowsInSection:(NSInteger)section
{
    return mediaData.count;
}

- (UITableViewCell *)tableView:(UITableView *)tableView
        cellForRowAtIndexPath:(NSIndexPath *)indexPath
{
    static NSString *CellIdentifier = @"MyCell";
```

```
    UITableViewCell *cell =
                    [tableView
dequeueReusableCellWithIdentifier:CellIdentifier];
    if (cell == nil) {
        cell = [[UITableViewCell alloc]
        initWithStyle:UITableViewCellStyleDefault
reuseIdentifier:CellIdentifier];
    }

    cell.textLabel.text = mediaData[indexPath.row];
    return cell;
}

- (void)prepareForSegue:(UIStoryboardSegue *)segue sender:(id)sender {

    NSIndexPath *currentIndexPath = [self.tbView indexPathForSelectedRow];
    fileIndex = currentIndexPath.row;
    NSString *selectedFile = mediaData[fileIndex];
    NSArray *items = [selectedFile componentsSeparatedByString:@"."];
    NSString *urlString = [[NSBundle mainBundle] pathForResource:
                    items[0] ofType: items[1]];
    NSURL *url = [NSURL fileURLWithPath:urlString];
    playerViewController = [segue destinationViewController];
    playerViewController.navigationItem.title = selectedFile;
    [self displayPlayer: url];
}

-(void)videoFileFinished:(NSNotification *) notification {
    if (++fileIndex < mediaData.count)
    {
        NSString *selectedFile = mediaData[fileIndex];
        NSArray *items = [selectedFile componentsSeparatedByString:@"."];
        NSString *urlString = [[NSBundle mainBundle] pathForResource: items[0]
ofType: items[1]];
        NSURL *url = [NSURL fileURLWithPath:urlString];
        playerViewController.navigationItem.title = selectedFile;
        [self displayPlayer: url];
    }
}

-(void) displayPlayer:(NSURL *)url
```

```
{
    playerViewController.player = [AVPlayer playerWithURL:url];

    [[NSNotificationCenter defaultCenter]
     addObserver:self
     selector:@selector(videoFileFinished:)
     name:AVPlayerItemDidPlayToEndTimeNotification
     object:[playerViewController.player currentItem]];
    [playerViewController.player play];
}

@end
```

⑱ 이제 Xcode 왼쪽에 있는 Run 혹은 Command-R 버튼을 눌러 실행한다. 이때 리스트 항목에 재생 가능한 비디오 파일이 표시되는데, 원하는 항목을 선택하여 실행해본다.

▶그림 9.26 ListMoviePlayer 프로젝트 실행

▌원리 설명

위에서 설명하였듯이 동영상 처리를 위해 iOS에서는 AVPlayerViewController를 제공한다. 이 클래스를 이용하여 다음과 같은 파일들을 처리할 수 있다. 즉, 인터넷상에서 사용되는 기본적인 모든 동영상 및 사운드 파일을 재생할 수 있다.

- public.mpeg
- public.mpeg-2-video
- public.avi
- public.aifc-audio
- public.aac-audio
- public.mpeg-4
- public.au-audio
- public.aiff-audio
- public.mp2
- public.3gpp2
- public.ac3-audio
- public.mp3
- public.mpeg-2-transport-stream
- public.3gpp
- public.mpeg-4-audio

먼저 ViewController 객체의 자료를 초기화하는 viewDidLoad 함수부터 살펴보자. 이 함수에서는 프로젝트에 입력된 동영상 파일 이름들을 보관하는 NSArray 배열 객체 변수 mediaData를 생성한다. 만일 이 예제에서 사용된 동영상 파일이 아닌 다른 파일을 입력하려면 이 배열의 내용을 변경시키면 된다.

```
- (void)viewDidLoad {
    [super viewDidLoad];
    // Do any additional setup after loading the view, typically from a nib.

    mediaData = [NSArray arrayWithObjects:@"pencil_cup.mov", @"phone.mov",
nil];
}
```

여기서 테이블 처리를 위한 섹션의 개수, 출력할 항목의 개수 등 테이블 출력에
관련된 여러 메소드를 자동으로 호출하기 위해 UITableViewDelegate와 UITable
ViewDataSource 프로토콜을 설정한다. UITableViewController인 경우에는 자동
으로 설정되므로 지정할 필요가 없지만, UITableView를 추가한 경우에는 반드시
다음과 같이 dataSource와 delegate 항목을 각각 ViewController와 연결해주어
야 한다.

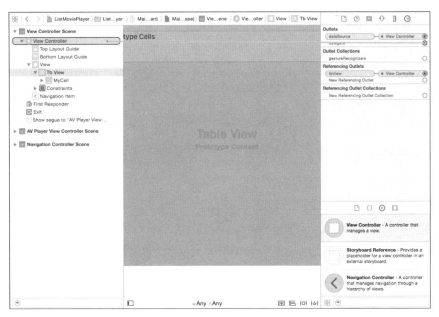

▶그림 9.27 dataSource와 delegate 항목을 각각 ViewController와 연결

이제 UITableViewDataSource 프로토콜을 사용하여 섹션의 개수, 출력할 항목의 개수 등 테이블 출력에 관련된 여러 메소드를 자동으로 호출한다. 먼저, 테이블을 구성하는 섹션의 수를 지정하는 numberOfSectionsInTableView를 다음과 같이 작성한다. 여기서는 레코딩 파일 자료를 출력할 것이므로 1개의 섹션만 필요하다.

```
- (NSInteger)numberOfSectionsInTableView:(UITableView *)tableView
{
    return 1;
}
...
```

그다음, 지정된 섹션에 대한 데이터 수를 지정하는 numberOfRowsInSection 함수를 다음과 같이 작성한다. 여기서는 출력할 자료는 모두 mediaData 배열 목록에 지정되어 있으므로 이 mediaData 배열의 개수 즉, count 속성을 이용하여 데이터 수를 지정한다.

```
- (NSInteger)tableView:(UITableView *)tableView
        numberOfRowsInSection:(NSInteger)section
{
    return mediaData.count;
}
...
```

다음 cellForRowAtIndexPath 메소드는 실제로 자료를 출력하는 기능을 처리한다. 이 메소드는 자료의 수 즉, mediaData.count만큼 반복 호출되는데, 반복 처리할 때마다 변경되는 인덱스 정보는 파라미터값인 indexPath의 row 속성을 통하여 알아낼 수 있다. 즉, indexPath.row가 현재 인덱스이므로 mediaData[indexPath.row] 값을 UITableViewCell 객체의 textLabel.text에 지정하면 테이블에 원하는 레코딩 파일 이름이 표시된다.

```
- (UITableViewCell *)tableView:(UITableView *)tableView
    cellForRowAtIndexPath:(NSIndexPath *)indexPath
{
    static NSString *CellIdentifier = @"MyCell";

    UITableViewCell *cell =
        [tableView dequeueReusableCellWithIdentifier:CellIdentifier];
    if (cell == nil) {
        cell = [[UITableViewCell alloc] initWithStyle:
                UITableViewCellStyleDefault reuseIdentifier:CellIdentifier];
    }

    cell.textLabel.text = mediaData[indexPath.row];
    return cell;
}
...
```

스토리보드를 이용한 테이블 뷰 컨트롤러에서 원하는 테이블의 셀을 선택하면 다음과 같은 prepareForSegue 함수가 실행된다. prepareForSegue 함수는 세구에로 연결된 상태에서 지정된 컨트롤을 선택하였을 때 자동으로 실행되는 함수이다.

```
- (void)prepareForSegue:(UIStoryboardSegue *)segue sender:(id)sender {
...
```

먼저 UITableView 객체에서 제공하는 indexPathForSelectedRow 메소드를 호출하여 현재 선택한 셀에 대한 인덱스 정보를 가지고 있는 NSIndexPath 객체를 생성해낸다. 이 객체의 row 속성을 사용하여 선택한 셀의 인덱스 번호를 알아내어 fileIndex 변수에 지정한다.

```
NSIndexPath *currentIndexPath = [self.tbView indexPathForSelectedRow];
fileIndex = currentIndexPath.row;
...
```

NSArray 객체 mediaData에 위에서 얻은 인덱스 번호를 지정하여 선택한 파일 이름을 알아낸다.

```
NSString *selectedFile = mediaData[fileIndex];
...
```

선택된 파일 이름을 componentsSeparatedByString 메소드를 사용하여 "."을 기준으로 파일 이름과 확장자로 나눈다. 이때 item[0]에는 파일 이름이 지정되고 item[1]에는 확장자가 지정된다.

```
NSArray *items = [selectedFile componentsSeparatedByString:@"."];
...
```

그다음, NSBundle의 resourcePath를 사용하여 현재 사용 중인 번들 디렉터리 위치 패스를 알아낸다. NSBundle 객체는 애플리케이션에서 사용하는 실행 파일, 동적 라이브러리, 실행에 필요한 이미지, 데이터베이스 파일과 같은 여러 리소스 파일을 위치시킬 수 있는 물리적 공간을 참조하고자 할 때 사용된다.

```
NSString *urlString = [[NSBundle mainBundle] pathForResource:
            items[0] ofType: items[1]];
...
```

이어서 리모트 서버 혹은 로컬 서버에 있는 리소스 파일에 대한 정보를 얻을 때 사용되는 NSURL 객체를 생성한다. 여기서는 프로젝트에 지정된 동영상 파일을 참조하기 위해 사용하였다.

```
NSURL *url = [NSURL fileURLWithPath:urlString];
...
```

그다음, 이 함수의 파라미터값인 segue를 사용하여 UIStoryboardSegue 객체의 destinationViewController를 호출하면 전환되는 ViewController에 대한 객체 포인터를 얻을 수 있다.

```
playerViewController = [segue destinationViewController];
...
```

이 객체 포인터를 이용하여 navigationItem.title에 파일 이름을 지정한다. 이렇게 지정함으로써 동영상 플레이어 화면 중앙 위에 파일 이름을 출력할 수 있다. 그리고 NSURL 객체 변수를 파라미터로 하는 displayPlayer 함수를 호출하여 동영상 플레이어 화면으로 변환시킨다.

```
playerViewController.navigationItem.title = selectedFile;
[self displayPlayer: url];
}
```

displayPlayer는 동영상 플레이어 화면으로 변환시키는 기능을 처리하는 함수로 먼저 다음과 같이 동영상을 처리하는 AVPlayer 객체를 생성한다.

```
-(void) displayPlayer:(NSURL *)url
{
    playerViewController.player = [AVPlayer playerWithURL:url];
    ...
```

이제 이 AVPlayer의 재생이 끝났을 때 자동으로 처리하는 이벤트 함수를 작성해보자. AVPlayer 객체에는 자동으로 끝났을 때 처리되는 함수를 제공하지 않으므로 NSNotificationCenter 객체를 사용하여 만들어준다.

NSNotificationCenter 객체는 지정된 객체에서 특정한 이벤트를 처리하는 이벤트 함수를 만들어준다. 이 객체에서는 addObserver 파라미터를 사용하여 감시를 원하는 객체를 지정하는데 여기서는 self를 지정하여 ViewController 객체를 지정한다. 이어서 selector 파라미터에 이벤트가 처리되었을 때 실행되는 함수를 지정한다. 여기서는 videoFileFinished 함수를 지정하여 재생이 끝나게 되면 이 함수를 실행하도록 한다. 세 번째 파라미터는 통지할 이벤트 이름을 지정하는데, AVPlayerItemDidPlayToEnd TimeNotification을 지정하여 AVPlayer의 재생이 끝났을 때 이벤트가 처리되도록 통지한다. 마지막 파라미터는 통지를 보낼 객체를 지정하는데, 여기서는 [playerView Controller.player currentItem]를 지정하여 위에서 생성된 AVPlayer의 현재 재생 중인 항목(비디오 파일)을 지정한다.

```
[[NSNotificationCenter defaultCenter]
 addObserver:self
 selector:@selector(videoFileFinished:)
 name:AVPlayerItemDidPlayToEndTimeNotification
 object:[playerViewController.player currentItem]];
 ...
```

이제 play를 호출하여 현재 지정된 동영상 파일을 재생시킨다.

```
    [playerViewController.player play];
}
```

마지막으로 동영상이 끝났을 때 자동으로 실행되는 videoFileFinished 함수를 살펴보자.

변수 fileIndex에는 현재 재생 중인 mediaData의 인덱스 번호가 지정되어있는데, 이 인덱스값을 하나 증가시키고 그 값이 mediaData의 자료 개수보다 적은지를 체크한다. 만일 인덱스값이 mediaData 자료 개수보다 같거나 크게 되면 잘못된 인덱스 지정 에러가 발생한다.

```
-(void)videoFileFinished:(NSNotification *) notification {
   if (++fileIndex < mediaData.count)
   {
   ...
```

현재 fileIndex 값이 mediaData의 자료 개수보다 적은 경우, mediaData 배열로부터 다음 위치의 동영상 파일 자료를 읽어온다.

```
NSString *selectedFile = mediaData[fileIndex];
...
```

선택된 파일 이름을 componentsSeparatedByString 메소드를 사용하여 "."을 기준으로 파일 이름과 확장자로 나눈다. 이때 item[0]에는 파일 이름이 지정되고 item[1]에는 확장자가 지정된다. 이 자료를 NSBundle의 resourcePath를 지정하여 현재 사용 중인 번들 디렉터리 위치 패스를 알아낸다.

```
NSArray *items = [selectedFile componentsSeparatedByString:@"."];
NSString *urlString = [[NSBundle mainBundle] pathForResource:
          items[0] ofType: items[1]];
...
```

이어서 프로젝트에 지정된 동영상 파일을 참조하기 위한 NSURL 객체를 생성한다.

```
NSURL *url = [NSURL fileURLWithPath:urlString];
...
```

그다음, 이미 지정된 동영상 플레이어 뷰 컨트롤러 객체의 navigationItem.title
에 다음 위치의 파일 이름을 지정하고 displayPlayer 함수를 호출하여 동영상 플레이
어 화면으로 변환시킨다.

```
    playerViewController.navigationItem.title = selectedFile;
    [self displayPlayer: url];
  }
}
```

이 장에서는 AVKit 프레임워크에서 제공하는 AVPlayerViewController 객체를 사용하여
동영상 파일을 재생하는 방법에 대하여 알아보았다. iOS에서는 동영상 기능을 제공하기 위해
iOS 2부터 MPMoivePlayerController 객체를 제공하였으나 iOS 8부터는 AVPlayerViewController
객체로 대체되었다. AVPlayerViewController는 이전에 사용되었던 MPMoviePlayerController
와 달리 자체적으로 뷰(view)를 가지고 있는 동영상 플레이어 뷰 컨트롤이다. 즉, 동영상
을 재생할 수 있는 AVPlayer뿐만 아니라 이 AVPlayer를 포함하는 뷰 컨트롤러까지 제공
한다. 먼저 동영상 그 파일에 대한 패스를 이용하여 NSURL 객체를 생성한다. 그다음,
AV Player View Controller에 대한 객체 포인터를 얻고 이 파일을 재생하는 동영상 플레이
어 AVPlayer를 생성하고 AVPlayerViewController 객체의 player에 연결해준다. 그 뒤,
play 메소드를 사용하여 동영상을 재생한다. 한 가지 주의해야 할 것은 이 AVPlayer 객체의
재생이 끝났을 때 자동으로 처리하는 이벤트 함수가 없으므로 반드시 NSNotificationCenter
객체를 사용하여 만들어 주어야한다는 점이다.

찾아보기